SUR LES ÉPAULES DE DARWIN

DU MÊME AUTEUR

La Sculpture du vivant. Le suicide cellulaire ou la mort créatrice (prix Jean-Rostand, prix Biguet de philosophie de l'Académie française), Seuil, 1999 ; Points n° 151.

Dans la lumière et les ombres. Darwin et le bouleversement du monde, Fayard/Seuil, 2008 ; Points n° 197.

Quand l'art rencontre la science (avec Yvan Brohard), La Martinière/Inserm, 2007.

Les Couleurs de l'oubli (avec François Arnold), L'Atelier, 2008.

Sur les épaules de Darwin. Les battements du temps, France Inter/Les Liens qui Libèrent, 2012.

Sur les épaules de Darwin. Je t'offrirai des spectacles admirables, France Inter/Les Liens qui Libèrent, 2013 ; Babel n° 1341.

Sur les épaules de Darwin. Retrouver l'aube, France Inter/Les Liens qui Libèrent, 2014 ; Babel n° 1392.

Les Chants mêlés de la Terre et de l'humanité (avec Nicolas Truong), Le Monde/L'Aube, 2015.

Émission de radio

Sur les épaules de Darwin (émission sur France Inter, depuis septembre 2010. Grand Prix des Médias *CB News* 2013 dans la catégorie *Meilleure émission de radio*).

www.franceinter.fr/emission-sur-les-epaules-de-darwin

© France Inter
Les Liens qui Libèrent, 2012

© ACTES SUD, 2014
ISBN 978-2-330-02157-3

JEAN CLAUDE AMEISEN

SUR LES ÉPAULES DE DARWIN

LES BATTEMENTS DU TEMPS

BABEL

Bernard de Chartres avait l'habitude de dire que nous sommes comme des nains assis sur les épaules des géants – *gigantum humeris insidentes.* Et que, pour cette raison, nous sommes capables de voir plus de choses, et de voir plus loin qu'eux. Non pas parce que nous aurions une vue d'une particulière acuité, mais parce que nous sommes portés dans les hauteurs, que nous sommes élevés par leur taille gigantesque.

Jean de Salisbury, *Metalogicon.*

Le soleil blanc s'appuie sur la montagne, disparaît
Le Fleuve jaune pénètre dans la mer, coule
Si tu veux épuiser mille lieues du regard
Monte encore un étage

Wang Zhihuan, *Montée au Pavillon des Cigognes.*

Si j'ai vu un petit peu mieux, c'est parce que je me tenais sur les épaules de géants.

Isaac Newton, *Lettre à Robert Hooke.*

Il ne s'agit pas de revivre : il s'agit de recommencer la vie dans son impulsion même, dans sa naissance, dans sa nouveauté.
Renaissance, aux yeux d'Alcuin et de Charlemagne, aux yeux de Pétrarque ou de Cusa, aux yeux d'Eckart ou de Bruno ou de Montaigne ou de Shakespeare, ne voulut jamais dire restauration des Anciens dans leur ancienneté mais renaissance de la naissance même [...].

Pascal Quignard, *Rhétorique spéculative.*

I

ENTRE HIER ET DEMAIN
TON CŒUR OSCILLE...

> Et que prouve donc ton cœur ?
> Entre hier et demain il oscille
> Sans bruit, étranger
> Et sonne, en battant,
> Sa chute hors du temps.
>
> Ingeborg Bachmann.

ET LÀ OÙ TU ES EST LÀ OÙ TU N'ES PAS…

Pour pouvoir arriver à ce que tu ne connais pas
Tu dois emprunter une voie qui est la voie de l'ignorance.
Pour pouvoir posséder ce que tu ne possèdes pas
Tu dois emprunter la voie de la dépossession.
Pour pouvoir arriver à ce que tu n'es pas
Tu dois emprunter la voie dans laquelle tu n'es pas.
Et ce que tu ne connais pas est la seule chose que tu connaisses
Et ce que tu possèdes est ce que tu ne possèdes pas.
Et là où tu es est là où tu n'es pas.

                                                           TS Eliot.

Temps passé et Temps futur
Permettent à peine d'être conscient.
Être conscient, ce n'est pas être inscrit dans le temps.

Et pourtant

Et pourtant, poursuit TS Eliot, *c'est seulement à l'intérieur du temps que le moment dans le jardin des roses*
Que le moment sous la tonnelle où battait la pluie
Que le moment dans l'église où soufflait le vent et où retombait la fumée
Peuvent être remémorés ; enchevêtrés dans le passé et le futur.
C'est seulement dans le temps que peut être conquis le temps.

Mais qu'est-ce que le temps ?

Le temps lui-même n'a pas d'existence en tant que tel, dit Lucrèce.

Le temps lui-même n'a pas d'existence en tant que tel. Ce sont les choses, et leur écoulement, qui rendent sensibles le passé, le présent, l'avenir.

Il n'y a pas de temps sans mouvement – sans changement, écrit Aristote.

C'est quand nous percevons et distinguons un changement que nous disons que le temps s'est écoulé.

Qu'est-ce que le temps ?

Qu'est-ce que le temps ? demande saint Augustin.

Si personne ne me le demande, je le sais.

Mais si on me le demande et que je veuille l'expliquer, je ne le sais plus.

Et comment ces deux temps – le passé et l'avenir – peuvent-ils exister ? Puisque le passé n'est plus, et que l'avenir n'est pas encore ?

Il nous reste le présent, le seul temps dans lequel nous puissions vivre, dit saint Augustin.

Ce moment sans cesse en train de s'enfuir. En train de disparaître.

Car le présent, poursuit-il, *s'il était toujours présent, s'il n'allait pas rejoindre le passé, il ne serait pas du temps, il serait de l'éternité...*

Mais qu'est-ce que le présent ?

Le présent n'existe pas, dit Gaspar Galaz, un astronome qui explore les vastes étendues de ciel qui se déploient au-dessus des télescopes de l'observatoire géant de Cerro Tololo, au nord du Chili, sur les hauts plateaux du désert d'Atacama. Galaz parle à Patricio Guzmán.

C'est un extrait du film splendide de Guzmán, *Nostalgie de la lumière.*

Le présent n'existe pas. Nous vivons dans le passé.
Le mystère du temps traverse la science.

Toutes nos expériences, y compris cette conversation, ont lieu dans le passé. Même s'il ne s'agit que de millionièmes de seconde.

La caméra que je regarde en ce moment se trouve à quelques mètres. Elle est donc, depuis quelques millionièmes de seconde, déjà dans le passé par rapport au temps indiqué sur ma montre. Le signal met du temps à arriver. La lumière que reflète la caméra, ou que tu reflètes, me parvient avec un décalage. Un décalage infime, car la vitesse de la lumière est rapide.

Combien de temps met la lumière à nous parvenir de la Lune ? Un peu plus d'une seconde. Et du Soleil ? Huit minutes.

Nous ne voyons pas les choses telles qu'elles sont au moment où nous les voyons.

Le présent n'existe pas.

Ce que nous vivons comme l'instant présent est toujours, déjà, du passé.

Parce que la lumière dans l'espace se déplace avec une vitesse finie. Parce que le son se déplace avec une vitesse finie. Ce que nous voyons et entendons, au moment où nous le voyons et où nous l'entendons, a déjà eu lieu. Et plus l'endroit est éloigné de nous, dans l'espace, et plus le temps qu'ont mis la lumière et le son à nous parvenir est important.

Et parce que les ondes sonores se déplacent dans l'atmosphère à une vitesse près d'un million de fois plus lente que celle de la lumière, ce que nous entendons est plus ancien que ce que nous voyons.

Et ainsi, pendant l'orage, quand nous comptons les secondes qui séparent le bruit du tonnerre du moment où nous avons vu l'éclair fendre le ciel, c'est cette durée, ce décalage, qui nous permet de déduire la distance qui nous sépare de l'endroit qui a été frappé par la foudre.

Et il y a un décalage supplémentaire, infime, mais un décalage toujours, le temps qu'ont mis nos yeux et nos oreilles à relayer à notre cerveau, sous forme d'influx nerveux, ce qu'ils ont perçu. Le temps de répondre, de faire un geste. Le temps de réaliser ce qui s'est produit, de réaliser que nous avons fait un geste...

Le seul présent, poursuit Galaz, *le seul présent qui pourrait exister, c'est ce qu'il y a dans mon esprit. C'est ce qui se rapproche le plus du présent absolu.*
Et encore...
Parce que pendant que je pense, le signal tarde à se déplacer entre mes sens. Il y a un décalage.

Et il y a, dans cette perception de ce que nous appelons le présent – ce fragment de passé qui nous arrive d'ailleurs, d'avant –, une autre dimension encore, qui est à première vue paradoxale.

Ce que nous appelons le présent, nous ne pouvons en devenir conscients – en faire *notre* présent – que s'il dure. Ce que nous appelons le présent n'est pas un instant.

Si nous ne percevons un événement que pendant un instant très bref, un trop bref instant, cet événement échappera à notre conscience.

Une image qui n'apparaît devant nos yeux que pendant quelques centièmes de seconde, nous la percevons, mais nous ne savons pas – nous ne sommes pas conscients que nous la percevons – c'est ce qu'on appelle une *image subliminale*.

Et pourtant elle peut s'imprimer, pour un temps, dans notre mémoire, et prendre la forme d'un souvenir inconscient. Et ce souvenir inconscient peut influer sur nos activités mentales et nos comportements à venir.

Il en est ainsi de nos souvenirs inconscients des émotions exprimées par un visage sur une photo que nous n'avons vue que pendant une fraction de seconde, sans réaliser que nous l'avons vue.

Si nous sommes exposés, sans le savoir, à une image subliminale d'un visage exprimant la peur ou la détresse, et que, juste après, nous voyons un visage exprimant de la joie – et que nous pouvons le regarder suffisamment longtemps pour réaliser que nous le voyons –, ce visage joyeux nous semblera plus triste que si nous n'avions pas été exposés à l'image subliminale du visage apeuré.

Notre réponse émotionnelle a été modifiée par un souvenir inconscient que nous conservons.

Le souvenir de ce que nous ne savons pas que nous avons vu.

Et cette influence sur nous de ce que nous avons perçu sans savoir que nous l'avons perçu peut aussi se traduire dans des opérations de nature plus abstraite.

Stanislas Dehaene, Lionel Naccache et leurs collègues ont présenté à des personnes une succession d'images.

Sur chaque image, il y a un nombre, entre 1 et 9, représenté soit sous forme de chiffre, soit sous forme de mot en toutes lettres – par exemple, *7* ou *sept*...

Chaque image est présentée suffisamment longtemps pour que les personnes aient conscience qu'elles la voient. Appelons ces images des *images de nombres visibles*.

On demande aux personnes d'appuyer sur un bouton avec une main, la main droite, par exemple, si le nombre qu'ils voient est supérieur à cinq, et avec la main gauche si le nombre est inférieur à cinq.

Entre deux *images visibles*, on leur présente une *image subliminale*, qui apparaît pendant moins de quatre centièmes de seconde.

Sur l'image subliminale, comme sur les images visibles, est inscrit un nombre, entre 1 et 9, soit sous la forme d'un chiffre, soit sous la forme d'un mot.

Si le nombre présenté de manière subliminale est supérieur à 5, et que le nombre présenté ensuite sur l'image visible est aussi supérieur à 5, les personnes appuient de leur main droite sur le bouton exactement de la même manière que s'il n'y avait pas eu d'image subliminale.

Mais si le nombre présenté sur l'image subliminale est inférieur à 5, et que celui présenté ensuite sur l'image visible est supérieur à 5, les personnes appuieront sur le bouton avec un léger retard, mesurable.

Ce léger retard à la réponse correcte traduit le fait que la perception inconsciente du nombre présenté sur l'image subliminale a entraîné l'opération mentale de la mesure de l'ordre de grandeur de ce nombre, et la préparation inconsciente du geste de la main gauche qui doit appuyer sur le bouton pour un nombre inférieur à 5...

Ces opérations mentales inconscientes ralentissent les opérations qui vont être effectuées par la suite lors de la vision consciente du nombre qui suit, quand ce nombre doit entraîner une réponse différente – un geste de l'autre main, la main droite, pour un nombre supérieur à 5, tel qu'il a été vu consciemment...

Des études d'imagerie cérébrale, qui mesurent les activités du cerveau en temps réel, mettent en évidence ce balancement, cette hésitation, cette contradiction, sous la forme d'une alternance, d'un balancement entre des activités dans les régions droite et gauche du cerveau.

Cette interférence due au souvenir inconscient de la vision subliminale se produit de la même manière lorsque le nombre est présenté sous forme d'un chiffre ou d'un mot écrit en toutes lettres.

Ainsi, les opérations d'identification du chiffre tracé, les opérations de déchiffrage du sens du mot écrit et les opérations d'estimation de l'ordre de grandeur du nombre présenté, sont toutes effectuées extrêmement vite, en dehors de toute représentation consciente.

En d'autres termes, ce que nous vivons comme l'instant présent, ce que nous croyons découvrir comme un début n'en est plus un. Il est déjà riche de débuts qui le précèdent, et dont nous n'avons pas conscience.

Et là où nous croyons percevoir un instant, il y a déjà une durée – un souvenir.

Plus l'instant présent se dilate en nous, devient durée, devient écho, réverbération, et plus notre représentation consciente peut gagner de nouvelles dimensions, et s'enrichir de mélanges de perceptions inconscientes et conscientes venant de nos différents sens, de nos souvenirs, d'émotions évoquées, et d'anticipation...

Au mot présent il faut préférer le mot plus sûr de passant,
dit Pascal Quignard.
Le présent est le passant du temps. [...]
[Et] il est possible que dans le passant du temps le passé soit
l'énergie (le noyau, le trou noir qui gît au sein de l'affluence,
qui déclenche le flux). Comme le mot courant dit quelque
chose de plus profond que toute l'eau du fleuve.

Nous ne connaissons jamais ce qui commence à son début. [...]
Nous avons connu la vie avant que le soleil éblouisse nos yeux
et nous y avons entendu quelque chose qui ne se pouvait voir
ni lire...

Han Yu naquit en l'an 768, dit Quignard. *Un jour il*
déploya les cinq doigts de sa main. Il dit énigmatiquement
qu'il avait encore entre chacun de ses doigts l'ombre de la
première aube.

Retrouver l'aube partout, partout, partout, c'est une façon de
vivre.
Reconstituer la naissance dans tout automne; héler la
perdue dans l'introuvable; faire resurgir l'autre incessant et
imprévisible dans l'irruption de la première fois car il n'en
est pas d'autres.
Naître.

Plonger dans sa mémoire. Se souvenir.
Et renaître.

Notre conscience du présent n'est pas seulement une
réverbération d'un passé.
Elle est aussi une anticipation du futur, une projection
dans l'avenir.

Et c'est ce que révèlent les tours des magiciens.

Il y a un tour de magie qui consiste à lancer une balle dans les airs. Nous voyons la balle monter.

Et soudain, elle n'est plus nulle part.

Elle n'est plus dans les airs. Elle n'est pas sur le sol. Elle n'est pas dans la main du magicien.

Revenons au début du tour.

Le magicien a pris la balle, une balle de mousse de couleur. Il a refermé la main sur la balle, puis il a ouvert à nouveau la main, puis il l'a refermée, puis il a ouvert la main et nous l'avons vu lancer la balle dans les airs. Nous avons vu la balle monter, puis soudain elle s'est évanouie, elle s'est dissoute dans l'air.

Le tour fonctionne de la manière suivante :

À chaque fois qu'il ouvre et ferme la main sur la balle, le magicien a les yeux fixés sur sa main. Et quand il lève les yeux, nous voyons la balle s'élever dans les airs, la balle qu'il suit des yeux...

Mais le magicien n'a pas lancé la balle.

Si l'on demande aux spectateurs de ne pas regarder les yeux du magicien, mais de ne regarder que sa main, le tour est évident. Au moment où le magicien lève les yeux, il a refermé la main sur la balle et l'a fait glisser sous sa manche. Quand il rouvrira sa main, un peu plus tard, elle sera vide...

C'est parce que nous suivons son regard – parce que nous l'avons vu soudain lever les yeux – que nous avons immédiatement interprété son regard comme la montée de la balle dans les airs, au point de *voir* la balle monter dans les airs – où pourrait-elle être ailleurs que là ? – et que nous l'avons perdue.

L'empathie – cette extraordinaire capacité que nous avons de nous mettre à la place de l'autre, de vivre en nous ce que vit l'autre, d'anticiper ce que va vivre l'autre, d'anticiper ses intentions, ses attentes, et de les devancer, de nous les approprier, de nous projeter dans son futur – l'empathie nous a fait perdre de vue le présent...

Un bon magicien réussit à nous faire partager ses intentions, ses attentes, ses actions, au point de nous faire croire qu'elles sont *la* réalité.

Il nous fait vivre ce qu'il exprime comme *sa* réalité.

Et *cette* réalité devient *notre* réalité – devient *la* réalité.

En nous emportant avec lui, en nous emportant dans un rêve éveillé, le magicien nous a détachés de l'instant présent...

Des études ont consisté à suivre et à enregistrer les mouvements des yeux des spectateurs, la direction de leur regard pendant le tour de magie.

Et au moment où le magicien lève les yeux – et où les spectateurs *voient* la balle s'élever dans les airs, puis s'évanouir – au moment où le magicien lève les yeux, ces études révèlent que les yeux des spectateurs n'ont pas seulement suivi son regard.

Plusieurs fois, pendant des instants très brefs, les yeux des spectateurs ont aussi fixé la main du magicien, qui se referme sur la balle qu'il n'a pas lancée...

Les yeux des spectateurs ont vu la main du magicien se refermer sur la balle, ont vu qu'il ne lançait pas la balle.

Mais l'attention des spectateurs était tellement focalisée sur l'anticipation du mouvement de la balle, sur leur partage de cette attention du magicien dont le regard semblait suivre le mouvement de la balle dans les airs, que les spectateurs n'ont pas eu conscience de ce que leurs yeux avaient perçu.

Non seulement notre conscience est toujours en retard par rapport à ce que nous vivons comme l'instant présent, mais elle est aussi, paradoxalement, souvent déjà projetée dans ce qui n'a pas encore eu lieu...

Ce que nous appelons le présent, l'instant présent, est en partie un souvenir du passé, et, en partie, une anticipation de l'avenir.

Entre *déjà plus* et *encore à venir*...

Une oscillation, en nous, qui va et vient en permanence entre ces deux sources, qui puise à ces deux sources – le *déjà plus* et l'*encore à venir* – faisant émerger un étrange espace temporel où se perd et s'évanouit l'instant présent...

Entre *déjà plus* et *encore à venir*...
Entre mémoire et attente.
Entre souvenirs et désirs.

Et que prouve donc ton cœur ? demande Ingeborg Bachmann à son amant, Paul Celan.
Et que prouve donc ton cœur ?
Entre hier et demain il oscille
Sans bruit, étranger
Et sonne, en battant,
Sa chute hors du temps.

Entre hier et demain il oscille...

Le présent, dit Pierre Reverdy, *est fait de déformations du passé et d'ébauches imprécises de l'avenir.*

Sans en être, la plupart du temps, consciente, notre perception du présent est tissée de souvenirs et d'anticipations – de nostalgie et d'attente.

Et nous voyons, nous entendons, nous ressentons des choses que nous ne sommes pas conscients d'avoir vues, entendues, ressenties, mais qui s'impriment en nous, en deçà de notre conscience, à la frontière de notre conscience.

Dans ces étranges étendues de temps passés et de temps peut-être encore à venir que nous portons en nous, qui sont en nous, mais qui nous sont le plus souvent inaccessibles... et qui soudain, parfois, affleurent à notre conscience.

La rivière coule en nous, dit TS Eliot.
La rivière coule en nous
Je suis ici ou là, ou ailleurs

Essayant de délier, de dérouler, de démêler
Et de réassembler le passé et le futur.

Il y a en nous un savoir sur le monde et sur nous-mêmes dont nous sommes, le plus souvent, inconscients. Un savoir mouvant, qui oscille continuellement, entre le *déjà plus* et l'*encore à venir*.

Un savoir insaisissable – ce *nous-même, derrière nous-même caché* dont parlait Emily Dickinson – qui pourtant nous transforme. Et qui, lorsqu'il affleure soudain à notre conscience, nous donne l'illusion que nous venons de l'inventer.

Le moi *est plus vaste que le narrateur qui dit* Je, écrit Siri Hustvedt dans un livre bouleversant, *La femme qui tremble.*

Le moi *est plus vaste que le narrateur qui dit* Je. *Autour et en dessous de l'île de ce narrateur conscient de lui-même, s'étend un vaste océan d'inconscient – fait de ce que nous ne savons pas ou que nous avons oublié.*

Une vérité étonnante faite de brume et de brouillard et du fantôme non reconnaissable de la mémoire et du rêve – une vérité qui ne peut être tenue dans mes mains, car elle est toujours en train de s'envoler et de s'échapper, et je ne peux pas dire si c'est quelque chose ou rien.

Je la poursuis avec des mots.

Même si elle ne peut être capturée.

Et parfois, de temps en temps, j'imagine que je m'en suis approchée.

MAIS TU ES LA MUSIQUE
TANT QUE DURE LA MUSIQUE...

Il y a seulement le moment auquel nous ne prêtons
pas attention, le moment à l'intérieur et à l'extérieur du temps,
l'accès de distraction, perdu dans un rayon de lumière du soleil,
le thym sauvage non vu, ou l'éclair de l'hiver,
ou la chute d'eau, ou la musique entendue si profondément
qu'elle n'est pas entendue du tout, mais tu es la musique
tant que dure la musique.

TS Eliot.

Entendre une mélodie, dit le philosophe et musicologue
Victor Zuckerkandl, *c'est, à chaque instant, à la fois entendre,
avoir entendu, et être prêt à entendre.*
*Et ainsi le passé et le futur nous sont donnés avec le présent, et
à l'intérieur même du présent. Et nous faisons l'expérience du
passé et du futur avec celle du présent, à l'intérieur même du
présent.*

Une étude de neurosciences a révélé en 2011 le plaisir
intense que peut provoquer l'anticipation du passage à
venir d'une musique que nous connaissons, et que nous
aimons.
Le plaisir de l'anticipation du retour d'un souvenir.
Et cette attente provoque, dans notre cerveau, la libération
d'un neuromédiateur, la dopamine, qui participe à la sensation de plaisir, et précède la survenue des frissons de

plaisir que va provoquer la venue de ce passage aimé du morceau de musique.

Lorsque nous écoutons la musique, poursuit Zuckerkandl, *nous ne sommes pas dans une séquence sonore, puis dans la suivante, et ainsi de suite. Nous sommes toujours entre les séquences sonores, en chemin de l'une vers l'autre.*

Dans *Musicophilia* – l'Amour de la musique – le neurologue Oliver Sacks raconte l'histoire tragique d'un homme qui a perdu une part essentielle de sa mémoire, la part consciente.

Il est toujours capable de réaliser des apprentissages, comme par exemple apprendre à jouer d'un nouvel instrument de musique, mais il ne peut pas se souvenir qu'il l'a appris.

Il a en permanence l'impression qu'il vient de s'éveiller. Il ne cesse de s'éveiller d'un sommeil sans passé.

Il ne se souvient pas du fait qu'il ait été déjà éveillé, conscient, auparavant. Il est, sans cesse, conscient pour la première fois.

Sauf lorsqu'il joue de la musique.

Alors, il est pleinement lui-même, pleinement conscient de lui-même, pleinement vivant.

Et il ne s'agit pas, dit Oliver Sacks, d'un souvenir du passé. C'est une appropriation de la plénitude de l'écoulement continu du présent, du maintenant, qui lui permet de traverser l'abîme. De demeurer conscient.

Et cela n'est possible que lorsqu'il est entièrement immergé dans l'interprétation d'un morceau de musique.

C'est dans la musique, et dans son amour pour moi, écrit sa femme à Sacks, *qu'il transcende son amnésie et trouve une continuité.*

Le chant, la mélodie semblent miraculeusement se créer eux-mêmes, de note de musique en note de musique, semblant venir de nulle part, *et pourtant*, écrit Sacks, citant Umberto Eco, *et pourtant nous contenons en nous la totalité du chant.*

Cette sensation étrange de sentir vivre en nous la plénitude de la continuité du chant, la sensation d'être *en chemin*, selon les mots de Zuckerkandl, d'être vivant, avec les autres, parmi les autres.

Une équipe de chercheurs a fait écouter à des personnes des morceaux de musique dans lesquels ils avaient remplacé quelques mesures de musique par des plages de silences – des interruptions silencieuses de deux à cinq secondes.

Les personnes qui ne connaissent pas le morceau de musique le remarquent immédiatement.
Mais les personnes qui connaissent et aiment ce morceau ne remarquent pas ces plages de silences.
Leur conscience remplace la musique qui manque par la séquence qui est présente dans leur souvenir.
Elles n'ont pas entendu qu'il y avait eu une interruption.
Elles ont *entendu* le morceau de musique dont leur mémoire et leur anticipation du plaisir à venir ont reconstruit en elles les passages effacés.

Les mélodies entendues sont douces, dit John Keats. *Mais celles qui ne sont pas entendues sont plus douces encore.*
Celles qui émergent en nous, qui renaissent de notre mémoire.

L'imagerie cérébrale indique que, chez ces personnes qui *entendent* la musique pendant ces plages de silence, les régions cérébrales impliquées dans l'audition sont plus actives encore que durant les passages de musique réellement joués.

Chaque acte de perception est en partie un acte de création, dit le neurobiologiste Gerald Edelman.

Le cerveau substitue activement la musique au silence. Il reproduit la musique qui manque.

Et l'activation du cerveau est différente si le morceau de musique est instrumental ou s'il s'agit d'une chanson, avec paroles et musique.

Pendant les interruptions de silence de deux à cinq secondes d'une chanson, ce ne sont pas seulement les régions impliquées dans l'audition qui sont suractivées, mais aussi les régions du cerveau impliquées dans le déchiffrement du sens des paroles, du sens des mots.

Le cerveau reconstruit l'écoulement des mots et le sens des paroles absentes.

La personne est persuadée avoir entendu la musique et les paroles – une chanson qu'aucune plage de silence n'a interrompue.

Et il y a une dimension plus profonde encore dans ces relations entre notre mémoire et notre perception du temps présent. Notre mémoire tisse en permanence, à partir de nos souvenirs, une correspondance qui nous paraît évidente entre les sensations que perçoivent nos différents sens.

Une correspondance qui donne à ce que nous appelons la réalité, cette familiarité, cette ressemblance et cette fidélité par rapport à ce que nous en avons, il y a longtemps, découvert, et inscrit en nous sous la forme de souvenirs.

C'est cette correspondance qu'évoque Oliver Sacks dans son beau livre, *Seeing voices [Voir des voix] – Des yeux pour entendre*.

Il y a bien sûr un consensus des sens, dit Sacks.

Les choses sont entendues, vues, touchées, senties simultanément. Leur bruit, leur son, leur forme, leur odeur, leur sensation au toucher vont tous ensemble, forment un tout. Cette correspondance naît de l'expérience et des associations. Nous l'apprenons.

D'habitude, nous ne sommes pas conscients de cette plénitude. Mais nous serions extrêmement surpris si quelque chose n'émettait pas un son qui corresponde à ce que nous voyons – si l'un de nos sens nous donnait une impression de discordance, de dissonance.

Nous savons qu'une abeille bourdonne en volant.

Et lorsque nous entendons le bourdonnement, nous voyons déjà en nous l'abeille... et nous la cherchons des yeux pour confirmer cette association dont le souvenir s'est ancré en nous.

Nous serions très surpris de voir, tout près de nous, une abeille voler silencieusement...

Lorsque nous voyons, près de nous, les branches d'un arbre frissonner, nous entendons, en nous, le souffle du vent.

Nous serions surpris de voir, tout près de nous, des feuilles trembler dans le silence...

Au Futuroscope de Poitiers, il y a un parcours qui se fait dans le noir complet. Une personne non voyante veille sur nous.

Dans ce monde obscur, elle est notre guide.

Sans elle, nous sommes perdus.

À un moment du parcours, nous entendons des cris d'oiseaux, qui volent, bas, au-dessus de nos têtes :

Des cris, et un coup de vent au-dessus de nos têtes.

Et j'ai vu, à ce moment – dans le noir total – la forme et les couleurs des oiseaux imaginaires qui nous frôlaient dans le noir.

Quels oiseaux ?

Je ne pourrais pas le dire.

Mais certaines des personnes qui étaient là les ont *vus* aussi.

Et il arrive parfois aussi, que ces associations, ces correspondances que nous avons apprises depuis notre toute petite enfance, continuent à se produire en nous, même après que l'un de nos sens a disparu.

Dans son livre *Voir des voix*, Oliver Sacks cite le poète David Wright, qui est devenu sourd à l'âge de sept ans.

David Wright évoque ces voix fantômes qu'il entend quand on lui parle et qu'il voit les mouvements des lèvres et du visage.

Et il dit aussi qu'il entend le souffle du vent quand il voit des arbres ou des branches que le vent fait bouger.

Il appelle cela *la musique des yeux*.

Ma surdité, dit-il, *a été difficile à détecter, à la fois par moi-même et par les autres parce que, dès le début, mes yeux avaient commencé de manière inconsciente à traduire les mouvements en sons.*

C'était une illusion, mais cette illusion persista, même après que j'ai réalisé que c'était une illusion.

Pour lui – et pour d'autres qui, comme lui, sont devenus sourds après avoir entendu – le monde peut demeurer empli de sons, même si ces sonorités sont imaginaires.

Et cette merveilleuse illusion, cette survivance, inconsciente du souvenir d'un apprentissage, redonne en permanence au présent la richesse qu'il avait autrefois.
Effaçant les frontières entre le passé et le présent. Projetant le passé dans l'avenir.

Percevoir le passage du temps.
Percevoir que ce fleuve qui s'écoule en nous – que ce fleuve dans lequel nous nous écoulons – ne bat pas au rythme d'un métronome, ne bat pas au rythme d'un chronomètre, d'une horloge, mais émerge sans cesse au rythme de notre vie intérieure.

Ce que nous appelons notre conscience du présent, de l'instant présent, est une oscillation permanente entre mémoire et anticipation, entre souvenirs et désirs, entre nostalgie et attente. En fonction de nos souvenirs, de nos émotions, de nos espoirs et de nos craintes, en fonction de ce que nous avons déchiffré et compris du passé, et de ce que nous imaginons de l'avenir.

Temps passé et Temps futur, dit TS Eliot,
Ce qui aurait pu être et ce qui a été
Se projettent vers une fin, qui est toujours présente.

Et l'empreinte en nous de *ce qui aurait pu être* et de *ce qui a été*, et l'empreinte de cette *fin* encore à venir, mais, déjà, *toujours présente* – cette empreinte en nous du *Temps passé* et du *Temps futur* – même si nous n'en sommes pas conscients, recolore continuellement ce que nous vivons.

Nous sommes la mesure de toute chose, disait Protagoras.

Nous sommes la mesure de toute chose, tant que nous ne confrontons pas nos représentations à une mesure faite par un observateur extérieur, tant que nous ne les confrontons pas à une exploration scientifique.

Combien de temps dure un événement ?

Quand nous ne disposons pas d'instrument de mesure, quand nous n'avons pas d'horloge, de chronomètre, qui bat le temps d'une manière indépendante de nos perceptions, indépendante de notre conscience, combien de temps dure un événement ?

Il y a une illusion temporelle qui a été décrite pour la première fois en 1995.

Les chercheurs présentent à des personnes une succession rapide de quatre flashes de lumière.

Les quatre flashes ont tous la même durée, très brève, et sont séparés par le même intervalle de temps. Les chercheurs demandent combien de temps a duré chacun des flashes de lumière.

Et les personnes répondent que le premier a duré cinquante pour cent de temps de plus que les suivants. Le premier flash lumineux leur a paru beaucoup plus long que les trois suivants.

L'étude de cette illusion a été approfondie depuis, faisant l'objet de plusieurs publications.

Le principe de l'expérience est le même, mais il ne s'agit plus de flashes de lumière, et la séquence présentée est plus longue qu'une succession de quatre événements.

Les chercheurs font défiler devant des personnes une succession rapide de motifs identiques – des petits carrés – qui apparaissent tous pendant le même laps de temps, très bref – deux dixièmes de seconde –, et qui prennent place, l'un après l'autre, côte à côte, après un même intervalle de temps, formant progressivement une ligne droite.

Lorsqu'on interroge les personnes, elles répondent que le premier carré est resté présent plus longtemps, en moyenne cinquante pour cent de temps en plus que les suivants.

Pourquoi le premier événement est-il perçu comme plus lent, durant plus longtemps, que les suivants ?

Les chercheurs ont formulé l'hypothèse que c'était le caractère inattendu, imprévu, du premier événement qui faisait que nous pensions qu'il était resté présent plus longtemps.

Mais comment tester cette hypothèse ?

Les chercheurs ont introduit, dans la succession régulière des petits carrés au long de la ligne droite, un petit carré identique aux autres, et qui persiste pendant le même laps de temps que les autres, mais qui surgit ailleurs dans l'espace que sur la ligne droite habituelle.

Et les personnes disent que ce petit carré, de même que le premier de la série, est resté présent plus longtemps que les autres – cinquante pour cent de temps de plus que les autres.

C'est donc le caractère inattendu, imprévisible, d'un événement – soit le fait qu'il soit le premier, dans une série, soit le fait qu'à l'intérieur d'une série, il surgisse à un endroit différent des autres dans l'espace – qui se traduit dans notre conscience par une illusion temporelle, par une surestimation de la durée, par une impression de ralentissement du temps.

Pour tenter de confirmer cette interprétation, les chercheurs ont fait apparaître une suite de petits carrés dans laquelle les petits carrés ne se succèdent pas en dessinant une ligne droite, mais surgissent, chacun, l'un après l'autre, n'importe où dans l'espace, de manière aléatoire.

Et dans une telle série, aucun des carrés n'est perçu comme étant resté plus longtemps que les autres.

Les personnes disent que chaque événement a duré autant de temps que les autres.

Une autre étude avait révélé que cette illusion temporelle se produisait aussi lorsque nous regardons des suites d'images qui persistent chacune plus longtemps – une demi-seconde – et où le caractère inattendu, imprévisible, de l'image concerne une dimension plus abstraite – la catégorie d'objets qu'elle représente.

Si la première image est celle d'une fleur, et que les suivantes sont aussi des images de fleurs, la première image semblera aussi être restée plus longtemps.

Et si, au milieu d'une série d'images de fleurs, apparaît soudain l'image d'une horloge, l'image de l'horloge semblera être restée plus longtemps.

En revanche, si la première image est celle d'une fleur mais que les suivantes représentent des objets sans relations avec la fleur et sans relations les unes avec les autres – une horloge, un visage, un ordinateur – la première image ne semblera pas être restée plus longtemps que les suivantes.

Et il peut y avoir une dimension encore plus abstraite dans ces relations entre l'inattendu, l'imprévisible, et notre sensation d'un ralentissement de l'écoulement du temps.

Les chercheurs ont fait défiler des suites de chiffres, en commençant par le chiffre 1. Les chiffres suivants défilent, soit dans un ordre prévisible – par exemple 1, 2, 3, 4, 5 –, soit dans un ordre aléatoire – par exemple 1, 5, 4, 2, 7...

Et les mêmes résultats sont obtenus.

Si la première image, le chiffre 1, est suivie de la suite croissante, prévisible, le chiffre 1 semblera être resté plus longtemps.

Si le chiffre 1 est suivi d'une suite aléatoire de chiffres imprévisibles, le chiffre 1, la première image, ne semblera pas être resté plus longtemps que les autres.

Mais si on introduit au milieu de la suite croissante, prévisible, un chiffre inattendu – par exemple 1, 2, 3, 4, 5, puis 9, l'image du chiffre inattendu, 9, semblera, comme la première, celle du chiffre 1, avoir été présente plus longtemps que les autres.

Une confrontation à l'inattendu, à l'imprévisible se traduit en nous, sans que nous le réalisions, par une modification de notre perception de la durée – par une surestimation du temps écoulé.

Ce décryptage permanent que nous faisons des régularités ou des irrégularités du présent en fonction de nos souvenirs et de nos attentes – en fonction de *ce qui aurait pu être* et de *ce qui a été* – ce décryptage du passé et cette projection dans l'avenir se font, au plus profond de nous, sous la forme de calculs de probabilités, d'opérations statistiques, qui sont réactualisés en permanence.

Et le caractère imprévisible, inattendu, non anticipé, d'un événement, dilate le temps, ralentit notre perception de l'écoulement du temps.

Mais est-ce le caractère inattendu d'un événement qui ralentit notre perception de l'écoulement du temps ?

Ou est-ce une succession d'événements devenus prévisibles

parce que nous avons réussi à en déchiffrer la régularité, qui contracte le temps, accélère notre perception de l'écoulement du temps ?

Ces deux interprétations sont probablement complémentaires.

Imaginons qu'il y ait en nous une horloge mentale qui bat la régularité de l'écoulement du temps, de notre temps subjectif.

Lorsque le présent qui surgit est différent de ce que nous attendions, notre attention s'éveille, s'enrichit, se focalise. Le temps semble ralentir.

Lorsque nous croyons savoir ce que sera le présent qui va surgir, notre attention s'émousse, le temps semble s'accélérer.

Et ainsi, les variations d'intensité de notre attention se traduiraient en nous sous la forme d'une impression de variation de durée.

Ce qui est perçu plus intensément est vécu comme ayant duré plus longtemps.

Et ce qui est perçu moins intensément est perçu comme ayant été plus bref.

Mais y a-t-il en nous une horloge mentale unique, centrale, qui bat le rythme de notre temps subjectif, qui l'accélère ou le ralentit en fonction de notre attention, et qui fait émerger en nous ces impressions variables de durée ?

Ou y a-t-il en nous plusieurs horloges, qui fonctionnent en parallèle, et nous donnent différentes impressions de durée en fonction des sens que nous mobilisons et qui focalisent notre attention ?

Cette question fait l'objet de débats.

Mais certaines études suggèrent qu'il y aurait en nous plusieurs horloges.

Au cours de l'étude dans laquelle l'apparition inattendue d'une image donne l'illusion qu'elle est demeurée plus longtemps, les chercheurs ont fait écouter aux personnes, simultanément avec chacune des images, une succession de sons brefs, identiques, et de même durée.

Alors qu'une image inattendue semble durer plus longtemps que les autres images, le son qui l'accompagne, lui, ne semble pas durer plus longtemps que les autres sons.

Ce n'est pas le temps subjectif, en tant que tel, qui s'est dilaté dans la conscience.

C'est la durée de ce qui a été vu – cette image inattendue – qui s'est dilatée, et non pas la durée de ce qui a été entendu au même instant.

Et ainsi, il y aurait dans notre conscience différentes mesures du temps, en fonction des différentes représentations qui construisent en nous – à partir de nos différentes perceptions, en fonction de notre mémoire et de nos attentes – une représentation composite, évolutive et complexe qui donne continuellement une signification à ce que nous vivons.

Ces illusions, ces reconstructions subjectives dont je viens de vous parler concernent notre attention à des événements extérieurs, pendant des durées relativement brèves.

Mais ce qui se construit en permanence en nous dépasse de très loin ces brefs moments d'attention où nous sommes en prise directe avec le monde qui nous entoure, où nous nous projetons en lui.

Notre vie intérieure, notre sentiment d'identité, ce sentiment profond d'être *nous*, cette sensation permanente que ce qui nous arrive, c'est à *nous* que cela arrive – que ce que nous vivons, c'est *nous* qui le vivons – fait appel à d'autres temporalités que notre confrontation immédiate au monde extérieur.

Il y a, en nous, un temps intérieur qui s'écoule sans fin.

TU CONTEMPLES TON ÂME...

Homme libre, toujours tu chériras la mer !
La mer est ton miroir ; tu contemples ton âme
Dans le déroulement infini de sa lame

Baudelaire

Durant les années 1920, l'étude des activités du cerveau à l'aide de l'électroencéphalogramme révélait que des oscillations de courant électrique, faites d'ondes lentes ou rapides, parcouraient en permanence notre cerveau, à l'état de veille comme pendant notre sommeil.

Un demi-siècle plus tard, apparaissaient les premiers instruments d'imagerie cérébrale capables d'analyser en temps réel les activités de différentes régions de notre cerveau, non pas sous la forme de courants électriques, mais en visualisant les augmentations locales de consommation d'énergie.

Et à notre époque de peur de l'ennui, de recherche de stimulation permanente, à notre époque de zapping, les études de neuro-imagerie se sont focalisées sur les effets de l'attention. Que se passe-t-il en termes d'activation de telle région du cerveau, lorsque nous nous mettons à lire, à écouter, à réaliser un geste ?

Pour répondre, les chercheurs qui avaient mesuré la consommation d'énergie dans différentes régions du cerveau soustrayaient la consommation d'énergie d'avant la période soudaine d'attention de celle qui apparaissait pendant la période d'attention.

Ce qui comptait pour eux, c'était ce qui se produisait lorsque l'attention était soudain éveillée.

Le reste était considéré comme un *bruit de fond*, sans importance, sans signification, auquel on avait donné le nom de *mode de fonctionnement par défaut* du cerveau – par défaut : quand rien, apparemment, ne se passe.

Mais en 1996, Bharat Biswal, un chercheur de l'université du Wisconsin, révélait qu'il ne s'agit pas d'un simple *bruit de fond*.

Une grande vague d'activité, une grande vague de consommation d'énergie, parcourt en permanence notre cerveau, et synchronise les activités de ses régions distantes sous la forme d'oscillations de grande amplitude et de fréquence très lente : une nouvelle vague environ toutes les dix secondes.

En l'absence de toute focalisation de notre attention – lorsque nous laissons notre esprit vagabonder – cette grande vague d'activité de notre cerveau s'est avérée correspondre à une consommation de près de quatre-vingts pour cent de l'énergie qu'il consomme quotidiennement.

Cette énergie de la vague de fond qui nous parcourt continuellement et qui harmonise les activités des différentes régions de notre cerveau pendant notre veille, mais aussi pendant notre sommeil, cette énergie jusque-là inconnue a été appelée l'*énergie sombre* du cerveau – en écho à cette *énergie sombre*, invisible, qui semble constituer plus de quatre-vingts pour cent de l'énergie de l'Univers, et dont la nature nous est inconnue.

C'est cette *énergie sombre* de notre cerveau qui alimente nos souvenirs, nos rêves éveillés, nos intuitions, notre déchiffrage inconscient de la signification de notre existence, durant les périodes de veille et de sommeil où nous ne sommes pas en prise directe avec les événements du monde extérieur, où notre esprit vagabonde.

C'est ce mode de fonctionnement essentiel de notre cerveau auquel la recherche scientifique avait donné jusque-là le nom de *mode de fonctionnement par défaut*, quand rien apparemment ne se passe, et qu'il s'agit de nous...

Tu contemples ton âme dit Baudelaire.

Homme libre, toujours tu chériras la mer !
La mer est ton miroir ; tu contemples ton âme
Dans le déroulement infini de sa lame [...]

Tu te plais à plonger au sein de ton image ;
Tu l'embrasses des yeux et des bras, et ton cœur
Se distrait quelquefois de sa propre rumeur
Au bruit de cette plainte indomptable et sauvage.

Vous êtes tous les deux ténébreux et discrets :
Homme, nul n'a sondé le fond de tes abîmes,
Ô mer, nul ne connaît tes richesses intimes [...]

La mer est aussi en nous. Au plus profond de nous.

Peu après la découverte de Bharat Biswal, le groupe de Marcus Raichle faisait une autre découverte.

Chaque fois que notre attention se mobilise soudain sur un événement particulier – en nous ou autour de nous –, les lentes oscillations de cette mer intérieure diminuent dans certaines régions de notre cerveau, et sont remplacées par des oscillations beaucoup plus rapides, qui peuvent battre à un rythme mille fois plus rapide, jusqu'à cent fois par seconde.

Et ces oscillations rapides, ces petites vagues supplémentaires qui apparaissent comme des ronds dans l'eau, autour d'un caillou qui briserait soudain la surface de l'eau, augmentent peu la consommation globale d'énergie de notre cerveau par rapport à sa consommation de base.

L'essentiel de nos activités mentales se déploie sous la surface de ces petites vagues rapides – dans le lent mouvement de marée qui nous parcourt en permanence. Qui nous emporte. Qui nous reconstruit.

Qui nous permet jour après jour de nous retrouver, différents, transformés, emplis de souvenirs et de rêves, d'anticipations, de regrets, et d'attentes, mais avec le sentiment profond que c'est de *nous* qu'il s'agit.

Et *Ici*, dit Eliot,
Ici
le passé et le futur
Sont conquis et réconciliés.

Dans ce temps intérieur qui s'écoule sans fin en nous.
Dans lequel nous nous écoulons.

Quand ce que nous nommons le présent se déploie en nous dans une durée indéfinie, entre mémoire et anticipation.
Entre nostalgie et attente.
Entre souvenirs et désirs.

En 2010, Bharat Biswal et ses collaborateurs publiaient une analyse des premiers résultats d'une exploration par l'imagerie cérébrale des caractéristiques du mode de *fonctionnement par défaut* du cerveau, réalisée chez mille quatre cents personnes.

L'article révélait chez ces mille quatre cents personnes l'existence de caractéristiques communes dans l'amplitude, la fréquence, et le parcours à travers des régions distantes, dans le cerveau, de ces lentes vagues d'oscillations permanentes qui consomment la plus grande partie de son énergie.

Mais il révélait aussi l'existence de variations individuelles dans le mode de ce fonctionnement par défaut, notamment entre les femmes et les hommes, et en fonction de leur âge – en fonction probablement des singularités, des expériences et de l'histoire qu'ils avaient vécues.

Des variations individuelles, et évolutives au cours du temps – des variations singulières, personnelles, sur un thème commun.

Quelque chose parla en entrant dans le silence, écrit Paul Celan à son amante, Ingeborg Bachmann.

Quelque chose parla en entrant dans le silence, quelque chose
se tut,
quelque chose alla son chemin.
En nous.

Un même chemin en nous, mais avec des détours singuliers, personnels, à nul autre pareil, en chacun de nous.

Et de nombreuses études ont tenté de corréler ce mode de *fonctionnement par défaut* de notre cerveau à nos sensations subjectives. D'explorer la corrélation, en termes de consommation d'*énergie sombre*, entre ce que nous ressentons et ce que les études d'imagerie en temps réel des activités de notre cerveau mesurent de ces lentes vagues de grande amplitude qui nous parcourent.

Une étude suggère que ces vagues sont maximales pendant les moments où les chercheurs nous demandent de ne penser à rien, ou de penser à nous-mêmes, à notre vie, sans nous focaliser sur un événement ou un souvenir particulier.

Une autre étude a exploré cette question en comparant les modalités de consommation d'énergie dans le cerveau, non pas en réponse à des instructions – *pensez à vous-mêmes, laissez vagabonder votre esprit* – mais pendant que des personnes réalisaient soit une activité nouvelle, soit une activité devenue routinière.

Lorsque des personnes réalisent une tâche après qu'elle a fait l'objet d'un apprentissage, au point de leur être devenue familière, ces personnes disent qu'elles sentent leur esprit vagabonder.
Et l'imagerie cérébrale indique que plus cette impression de vagabondage est importante, et plus le mode de *fonctionnement par défaut* du cerveau est important.

Au contraire, lorsque les personnes réalisent une tâche nouvelle, plus elles se disent attentives à leur activité, et moins elles sentent leur esprit vagabonder.
Plus l'attention est focalisée sur l'activité, et plus le *mode de fonctionnement par défaut* du cerveau est réduit dans les régions mobilisées par cette activité.

Le caractère répétitif d'une séquence d'événements diminue l'intensité de notre attention, nous donnant l'impression que chacun de ces événements dure moins longtemps.
Des études récentes suggèrent que cette régularité, cette prévisibilité, pourraient se traduire en nous par une

synchronisation progressive entre les oscillations lentes de la grande vague du *mode de fonctionnement par défaut* qui parcourt notre cerveau, et les petites oscillations rapides induites par notre attention.

Plus les événements que nous observons, ou les activités que nous réalisons, sont réguliers, rythmiques et prévisibles, et plus c'est le rythme de notre *mode de fonctionnement par défaut* qui bat le rythme de nos moments d'attention.

Et il est possible d'imaginer que plus cette attention à l'extérieur se sera intériorisée, se sera fondue en une attention à nous-mêmes, et moins les oscillations rapides induites par notre attention à l'extérieur seront importantes. Et c'est peut-être cette substitution partielle des rythmes internes aux rythmes imposés par l'extérieur, cette substitution des battements de notre temps intérieur aux battements du temps du monde extérieur – qui permet à notre vigilance de se relâcher, et à notre esprit de vagabonder.

Mais qu'un événement nouveau, inattendu, imprévisible, mobilise soudain notre attention, et notre esprit cesse, pour partie, de vagabonder. Le temps que bat le monde cesse, pour un temps, d'être en phase avec le rythme régulier de notre vie intérieure.

En 2011, une équipe française publiait des résultats explorant les modalités de basculement entre les vagues lentes d'activité cérébrale du *mode de fonctionnement par défaut* et la survenue d'oscillations rapides dans certaines régions de notre cerveau, en cas de mobilisation soudaine de notre attention. Quand notre attention nous projette dans le monde, hors de nous, faisant brusquement entrer une partie du monde extérieur en nous.

L'étude indiquait que ce basculement survient de manière extrêmement rapide – en quelques millièmes de seconde – et qu'il peut ne durer que très peu de temps. Un dixième de seconde seulement, pour une tâche de repérage visuel simple, comme identifier une lettre de couleur grise – un *T* par exemple – parmi trente-six lettres de couleur noire, appuyer sur un bouton lorsqu'on l'a repérée, et sur un bouton différent lorsqu'on a repéré la lettre dans la moitié supérieure ou inférieure de l'image.

Le basculement de l'activité du cerveau dure plus long-temps – une seconde – pour une tâche visuelle plus complexe qui consiste, par exemple, à identifier une lettre de couleur noire – un *T* par exemple – parmi trente-six lettres de même couleur noire.

Un dixième de seconde ou une seconde – puis, une fois que l'attention nous a permis d'atteindre notre but, le retour au *mode de fonctionnement par défaut* survient de manière extrêmement rapide, en quelques millièmes de seconde.

On peut se représenter ces passages d'un état à l'autre comme un basculement, comme un phénomène de tout ou rien, en fonction du degré de mobilisation de notre attention. Comme une compétition entre deux états stables, alternatifs, d'activité du cerveau. L'un quasiment permanent, l'autre intermittent et transitoire.

Mais cette représentation ne rend pas entièrement compte de la manière dont opèrent ces transitions.

Parce que le *mode de fonctionnement par défaut*, la grande vague qui parcourt lentement notre cerveau, ne s'inter-rompt jamais.

Quand notre attention est mobilisée, l'amplitude de la vague diminue dans les régions du cerveau qui répondent à notre attention.

Mais la grande vague se poursuit, et si elle est moins importante qu'avant dans ces régions, elle est aussi importante qu'avant dans d'autres régions.

Ce qui s'est produit, c'est une inhibition partielle, transitoire et localisée du *mode de fonctionnement par défaut*.

La grande vague intérieure continue à se déployer en nous, mais nous en sommes moins conscients, ou pas conscients du tout.

Quelque chose continue à parler en nous, à nous parler de nous, à parler avec nous, alors que notre conscience est, pour un temps, entièrement projetée dans ce qui a, à l'extérieur, mobilisé notre attention.

Ce que nous vivons comme un basculement complet d'un état à un autre est une modulation, une surimposition transitoire d'un état sur un autre, qui ne cesse jamais, que nous en soyons conscients ou pas.

Et ce courant de fond qui se déploie en nous en permanence, cette lente vague qui nous parcourt, qui se révèle à nous quand nous plongeons en nous, quand notre esprit vagabonde, cette lente vague continue aussi à nous parcourir pendant notre sommeil.

Quand tout apparemment se tait en nous, quelque chose pourtant continue à parler dans le silence, quelque chose continue à aller son chemin en nous.

Pendant les moments où nous rêvons.

Et pendant les périodes où nous ne rêvons pas.

Quand il nous semble que nos activités mentales s'interrompent, se suspendent, et que tout s'est éteint en nous, que nous ne nous souvenons de rien, cette mer intérieure continue pourtant à nous animer, et à nous emporter dans un voyage, jusqu'au réveil.

Mon âme est un orchestre caché, dit Fernando Pessoa.

Dans notre recherche souvent éperdue de ce qui pourrait attirer et retenir notre attention, nous avons tendance à négliger ce qui se construit en permanence en nous.

Ce chant, cet orchestre caché, ce mouvement lent des marées qui anime nos mers intérieures, durant nos veilles et durant notre sommeil, par-delà l'écume éphémère des vagues.

Et qui nous permet de nous retrouver.

Le temps viendra, dit Derek Walcott,
Le temps viendra
où, avec allégresse,
tu t'accueilleras toi-même, arrivant
à ta propre porte
et chacun sourira et souhaitera la bienvenue à l'autre
et dira, assieds-toi là. Mange.
Tu aimeras à nouveau l'étranger que tu étais.
Donne du vin. Donne du pain. Redonne ton cœur
à toi-même, à l'étranger qui t'a aimé
toute ta vie, que tu as ignoré
qui te connaît par cœur.
Assieds-toi, Fais-toi une fête de ta vie.

II

ÉCLATS DE MONDES DISPARUS

Il n'y a pas d'absence
s'il persiste au moins le souvenir de l'absence.

Anne Michaels.

Comprendre ce qui est vu...

Les traces, par définition, ne sont jamais visibles en
tant que traces. Elles ne sont visibles que si elles sont
cherchées comme des marques de ce qui n'est plus là.
[...] Seule leur attente les découvre. [...]
le visible ne suffit pas pour comprendre ce qui est vu [...].
le visible ne s'interprète qu'en référant à l'invisible.

Pascal Quignard.

Plonger notre regard dans le passé.
Et découvrir que ce passé est immense.

Au fond de nous. Et au-delà encore.
Par-delà l'empreinte qu'a inscrite, en nous, ce que nous
avons vécu.
Par-delà la mémoire que nous a léguée la succession des
générations humaines.

Tenter de découvrir, autour de nous, la présence de l'absence. L'empreinte de la longue histoire du vivant qui
nous a donné naissance.
Et entrevoir des âges depuis longtemps révolus, où le
vivant se déployait, mais où nous n'étions pas encore.

Pouvoir remonter vers le passé, à contre-courant.
Pouvoir distinguer
À travers l'espace. Et à travers le temps
À travers le long écoulement des âges
Des éclats de passé qui, soudain, resurgissent de l'oubli

Des éclats de mondes disparus.

Et, à partir de ces éclats, tenter de faire revivre, d'imaginer, de ressentir, l'étrange splendeur de ces mondes vivants qui n'ont cessé de se transformer, de se métamorphoser, de se réinventer, sous des formes toujours nouvelles, puis se sont éteints dans la nuit des temps.

Tenter de faire revivre, d'imaginer leur présence.
Leurs formes, leurs couleurs, leurs mouvements, leurs murmures.
Leur souffle. Leurs chants.
Leurs danses.
Les premières danses.

Elias Canetti, dit Pascal Quignard,
Elias Canetti répéta que l'origine du rythme était la marche sur deux pieds, donnant lieu à la métrique des poèmes anciens. La marche humaine sur deux pieds poursuivant le piétinement des proies et des troupeaux de rennes, puis de bisons, puis de chevaux. La trace des pieds des animaux lui paraissait être aussi la première écriture déchiffrée par l'homme qui les poursuit. La trace est la notation rythmique du bruit. Piétiner le sol est la première danse et elle n'est pas d'origine humaine.

De ces premières danses, les rythmes et le bruit se sont perdus.
Il ne demeure que le silence. Parfois, des empreintes de pas encore visibles sur le sol.
Et parfois, longtemps après, il peut arriver que de ces traces naisse un récit.

Il y a, sur la croûte desséchée du sol d'un désert d'Arabie – à l'intérieur des terres qui longent le golfe Persique, dans la région d'Al Gharbia à Abu Dhabi, sur un site appelé

Mleisa 1 – des empreintes de pas qui datent d'il y a environ sept millions d'années.

Ces traces forment des pistes sur le sol, quatorze pistes, au long de plusieurs centaines de mètres.

Des chercheurs ont récemment établi une cartographie de ces empreintes, en survolant ces pistes à bord d'un deltaplane, et en réalisant des photographies aériennes de haute résolution.

Il s'agit d'empreintes de pas de très gros animaux – quatorze en tout – dont le plus lourd devait peser environ cinq tonnes.

Les empreintes de ces grands animaux, et l'espacement entre leurs pas, sont les mêmes que ceux des éléphants d'aujourd'hui.

Mais des vibrations du sol à leur passage, de leurs piétinements, de leurs danses, de leurs barrissements, de leurs voyages à la recherche de plantes pour se nourrir et d'eau pour étancher leur soif, il ne nous reste que ces traces de pas qu'ils ont laissées sur le sol il y a environ sept millions d'années.

Il n'y a plus, depuis longtemps, d'éléphants vivant en liberté dans les pays qui bordent le golfe Persique.

Et, il y a sept millions d'années, il n'y avait pas encore, sur la Terre, d'éléphants tels que nous les connaissons aujourd'hui.

Ces géants, dont il ne subsiste sur le sol du désert d'Al Gharbia que des traces de pas étaient des *proboscidiens* – des membres de la grande famille qui a donné naissance aux mammouths, aujourd'hui disparus, et aux éléphants d'Asie et d'Afrique qui sont nos contemporains.

La généalogie des éléphants a d'abord été reconstituée à partir de l'étude des fossiles de leurs cousins et ancêtres disparus, puis plus récemment par des analyses de leur ADN – l'acide désoxyribonucléique, le support moléculaire de l'hérédité. Ce long ruban d'ADN, invisible à l'œil nu, présent dans les cellules de tous les êtres vivants – les animaux, les plantes, les levures, les bactéries – et dont l'universalité et les variations, de générations en générations, révèlent à la fois l'origine commune de l'ensemble des êtres vivants, leur degré de parenté, et leur incessante diversification au cours de l'évolution du vivant.

Des études comparées de l'ADN des éléphants d'Asie et d'Afrique d'aujourd'hui, et de l'ADN recueilli dans des fossiles de certains de leurs lointains parents disparus, ont été publiées en 2010.

Révélant, à grands traits, la longue histoire de la grande famille qui a donné naissance aux plus grands animaux qui arpentent aujourd'hui les sols terrestres.

Il y a plus de quarante-cinq millions d'années, les *proboscidiens* se séparaient en deux grandes lignées.

L'une était constituée des ancêtres des mastodontes d'Amérique, aujourd'hui disparus.

Et l'autre lignée était constituée des ancêtres communs aux mammouths laineux, aujourd'hui disparus, et aux éléphants actuels d'Asie et d'Afrique.

Plus récemment, il y a de neuf à quatre millions d'années, cette deuxième lignée se divise à son tour, donnant naissance à la lignée des ancêtres communs aux mammouths laineux et aux éléphants d'Asie, et à la lignée des ancêtres communs aux éléphants d'Afrique.

Puis, il y a de cinq à deux millions d'années, les ancêtres des mammouths se séparent des ancêtres des éléphants d'Asie d'aujourd'hui, et les ancêtres communs à tous les éléphants d'Afrique d'aujourd'hui se séparent en deux espèces distinctes, les éléphants des forêts et les éléphants des savanes.

Mais revenons aux empreintes de pas sur le site de *Mleisa 1*, dans le désert d'Al Gharbia. C'est il y a environ sept millions d'années – durant la période où commençaient à se séparer les ancêtres communs aux mammouths et aux éléphants d'Asie, et les ancêtres communs aux deux espèces actuelles d'éléphants d'Afrique – que ces traces s'inscrivent sur le sol.

Il y a, en Europe et en Amérique du Nord, des traces de pistes suivies par des *proboscidiens* qui sont plus anciennes encore. Mais les empreintes de pas du site de *Mleisa 1* ont permis aux chercheurs de tenter de reconstruire ce qu'aucune autre trace de piste n'avait jusque-là permis de faire.
Ces empreintes ont permis aux chercheurs d'entreprendre un voyage à travers le temps vers un passé à jamais disparu.
Et de tenter de reconstituer le comportement de ces lointains ancêtres ou cousins des éléphants d'aujourd'hui – d'essayer de reconstituer leur mode de vie en société.

Les éléphants ont une organisation sociale complexe.
Ils naissent dans des groupes menés par une matriarche, une grand-mère ou une arrière-grand-mère, dont certaines ont atteint l'âge de plus de soixante ans.
Les troupeaux – en général un groupe de huit à quinze éléphants de la même famille – sont constitués d'une matriarche, de plusieurs femelles de tous âges, et de jeunes mâles.
Les petits sont élevés par leur mère et par les autres mères du groupe. À l'adolescence, vers l'âge de quinze ans, les mâles quittent leur mère et leur groupe, et partent vivre seuls, ou se mêler pour un temps à un groupe de mâles plus âgés.

Ils ne rejoindront un troupeau que brièvement, à la saison des amours. Le reste du temps ils vivent à l'écart, les plus âgés souvent en solitaires.

Depuis plus de dix ans, une série de travaux a révélé l'importance, pour la survie du groupe, de la présence d'une matriarche âgée, de sa mémoire, de la longue expérience qu'elle a accumulée durant toute sa vie.

L'une des premières grandes études dans ce domaine a été publiée en 2001 par un groupe de chercheurs animé par Karen McComb.

L'étude avait été menée dans la réserve d'éléphants du Parc national d'Amboseli, au Kenya, où, durant une trentaine d'années, des données avaient été accumulées sur l'histoire individuelle de plus de mille sept cents éléphants.

Karen McComb et ses collaborateurs ont étudié, pendant une durée de sept ans, vingt et une familles d'éléphants qui étaient menées chacune soit par une matriarche âgée de cinquante-cinq ans ou plus, soit par une matriarche plus jeune, âgée d'environ trente-cinq ans.

Lorsqu'un troupeau d'éléphants détecte la présence d'un autre troupeau, les deux troupeaux émettent des appels particuliers – des appels de contact.

Les barrissements, au son de trompette, des éléphants nous semblent extrêmement bruyants. Mais la plupart de leurs appels nous sont inaudibles.

Ce sont des sons dont les longueurs d'ondes sont trop lentes, trop graves, pour être perçues par l'oreille humaine. Ce sont des cris infrasoniques, dont seules certaines harmoniques nous sont parfois audibles.

Ces appels leur permettent de communiquer sur des distances qui peuvent atteindre dix kilomètres.

Les matriarches émettent des appels infrasoniques pour guider leurs troupeaux. Les mères émettent ces appels pour appeler un éléphanteau qui s'est éloigné. Et les appels de contact des troupeaux qui se rencontrent sont, eux aussi, émis dans ces infrasons.

Connaissant l'histoire individuelle, depuis trente ans, de chacun des éléphants de ces vingt et une familles, les chercheurs ont enregistré, puis diffusé par haut-parleur à chacune de ces familles, une série d'appels de contact provenant soit de groupes d'éléphants que les matriarches avaient rencontrés il y a longtemps, soit de groupes qu'elles n'avaient jamais rencontrés.

Chacune des vingt et une familles répondait de la même façon aux appels de contact de groupes inconnus : les éléphantes se disposaient en cercle, en une formation défensive, remuant la trompe, humant l'air environnant à la recherche d'odeurs.

Mais le comportement des familles était très différent en réponse à des appels émis par des groupes d'éléphants qui avaient été déjà rencontrés par le passé.

Les familles menées par de jeunes matriarches, âgées d'environ trente-cinq ans, répondaient très souvent à des appels de contact émis par des familles d'éléphants rencontrées par le passé de la même manière qu'à des appels d'inconnus – les éléphantes se disposant en cercle, humant l'air en remuant la trompe dans tous les sens.

Mais les familles menées par des matriarches âgées de cinquante-cinq ans et plus n'adoptaient pas cette réaction d'alerte et de défense en réponse à des appels provenant de groupes d'éléphants déjà rencontrés par le passé. Elles les accueillaient dans le calme.

Et ainsi, les matriarches âgées semblent être les gardiennes de la mémoire du groupe, lui évitant les réactions émotionnelles d'angoisse qui provoquent un stress inutile, et lui permettant de poursuivre une forme de coexistence pacifique et de coopération avec des groupes déjà rencontrés par le passé.

L'étude révélait aussi, pour la première fois, une autre donnée, inattendue.

Dans les familles d'éléphants menées par une matriarche de cinquante-cinq ans et plus, chaque mère avait, en moyenne, plus d'enfants que celles qui étaient menées par une matriarche plus jeune.

Et ainsi cette capacité des matriarches âgées à conserver la mémoire des rencontres passées s'accompagne d'une augmentation de la fécondité des mères, ou d'une augmentation de la survie de leurs enfants.

L'angoisse et le stress permanent, provoqués par chaque rencontre, en l'absence d'une ancienne gardienne de la mémoire et de la sagesse du troupeau, ce stress permanent semble avoir un effet négatif sur le nombre de descendants.

Les éléphants ont besoin de beaucoup d'eau pour étancher leur soif et se rafraîchir.

Ils boivent, s'aspergent d'eau, et prennent des bains de boue qui les protègent de la chaleur. La sécheresse – qui tarit les lacs et les cours d'eau, et détruit les plantes dont ils consomment une très grande quantité – est, avec les humains, qui détruisent leur habitat et qui les tuent pour récupérer leurs défenses d'ivoire, leur plus grand ennemi.

En 2008, une étude suggérait que les familles menées par une matriarche plus âgée ont plus de chances de survivre aux périodes de sécheresse. Ces matriarches trouvent les endroits où se nourrir et où s'abreuver, tout en protégeant les éléphanteaux des prédateurs qui font le guet dans ces rares endroits hospitaliers.

En 2011, l'équipe de Karen McComb publiait les résultats d'une nouvelle étude réalisée, comme la précédente, dans la grande réserve d'éléphants du Parc national d'Amboseli. Cette étude concerne l'effet de l'âge des matriarches dans la réponse des familles d'éléphants à des cris qui ne sont pas, cette fois, des cris d'appels émis par d'autres groupes d'éléphants, mais des rugissements de lions.

Les lions sont, avec les êtres humains, les seuls prédateurs capables de tuer des éléphants. Mais, contrairement aux humains, ils ne peuvent tuer que des éléphanteaux.

Les lions attaquent les jeunes éléphants qui s'aventurent à la périphérie du troupeau, évitant leurs défenses d'ivoire en se précipitant sur les flancs ou sur le dos de leur jeune proie. Les lionnes sont d'excellentes chasseuses. Mais quand il s'agit d'attaquer de jeunes éléphants, les lions, qui pèsent une fois et demie le poids des lionnes, sont beaucoup plus redoutables.

Un seul lion ou deux lions chassant ensemble peuvent tuer un jeune éléphant, alors qu'il faut une attaque coordonnée de sept lionnes pour parvenir au même résultat.

Karen McComb et son équipe ont diffusé par haut-parleur des enregistrements de rugissements – des rugissements de un, deux ou trois lions, ou des rugissements d'une, de deux ou de trois lionnes – à proximité de trente-neuf familles d'éléphants menées par des matriarches plus ou moins âgées.

Les rugissements d'un, de deux ou de trois lions signalent l'existence d'un danger important pour les jeunes éléphants.

En revanche, les rugissements d'une, de deux ou de trois lionnes ne représentent pas un danger.

Les trente-neuf familles d'éléphants étudiées, quel que soit l'âge de leur matriarche, ont toutes réagi à la diffusion des enregistrements des rugissements de trois lions en formant un cercle – comme ces cercles de chariots, qu'ont popularisés les westerns, formés par les colons du Far West lors des attaques d'Indiens – toutes les éléphantes adultes se sont placées à la périphérie du cercle, face à l'extérieur, présentant une barrière de défenses d'ivoire, et les plus jeunes étaient à l'intérieur du cercle.

Cette modalité de défense très efficace est adoptée beaucoup plus rapidement par les familles d'éléphants menées par une matriarche âgée.
La matriarche dresse aussitôt la tête et déploie ses grandes oreilles, et l'attitude des éléphantes qui forment le cercle défensif est beaucoup plus agressive que dans les familles menées par une matriarche plus jeune.

Lorsque l'enregistrement a diffusé les rugissements d'un seul lion ou de deux lions, les familles d'éléphants menées par une matriarche âgée réagissaient de la même manière au danger, alors que les familles d'éléphants menées par une matriarche plus jeune avaient tendance à ne pas réagir, et à ne pas adopter une attitude de protection des jeunes. Elles ont tendance à sous-estimer le danger.

Et ainsi la présence d'une matriarche âgée dans une famille d'éléphants a pour effet de mieux protéger les jeunes des attaques des lions.

Ce n'est pas que les matriarches plus âgées soient plus craintives que les jeunes.

Elles ne réagissent pas, pas plus que les jeunes matriarches, à la diffusion des enregistrements des rugissements d'une, deux ou trois lionnes, qui ne constituent pas une menace pour les jeunes du troupeau.

Les matriarches plus âgées ne sont pas plus craintives.

Elles estiment mieux le danger, et organisent mieux les défenses.

La présence d'une matriarche âgée dans une famille d'éléphants a au moins trois effets bénéfiques sur la santé et la survie des membres du groupe, et sur le nombre de ses descendants.

Premièrement, une diminution des conséquences délétères du stress inutile dans les cas de rencontre avec des groupes connus d'éléphants.

Deuxièmement, une augmentation de la probabilité de trouver des ressources vitales pendant des périodes de sécheresse.

Et troisièmement, une meilleure protection des éléphanteaux en cas de rencontre avec un lion.

La présence d'une matriarche âgée, de sa mémoire, de son expérience et de sa sagesse, accumulées durant des dizaines d'années, donne au groupe une capacité de prendre rapidement des décisions collectives adaptées, et de faire des choix collectifs qui bénéficient à chacun de ses membres.

La taille et le poids des éléphantes augmentent continuellement avec l'âge, comme augmente leur sagesse, et comme augmente continuellement la taille de leurs défenses d'ivoire. Les seuls prédateurs qui menacent ces gigantesques matriarches sont les humains. Et, à cause de la taille de leurs défenses, elles sont une cible de prédilection pour les trafiquants d'ivoire.

En Afrique, avait dit Amadou Hampâté Bâ dans un discours à l'Unesco,

En Afrique, on dit que quand un vieillard meurt, c'est une bibliothèque qui brûle.

Dans le monde des éléphants, quand nous tuons une vieille matriarche, c'est la mémoire et la sagesse ancestrale d'un groupe que nous détruisons.

La mémoire et la sagesse ancestrale de ces splendides et paisibles géants que Romain Gary avait appelés *Les racines du ciel.*

Mais quand, durant la longue histoire qui a donné naissance aux éléphants, quand a pu apparaître ce mode de vie matriarcal, cette organisation sociale particulière, qui place la survie du groupe sous la protection des grands-mères ?

C'est cette question qu'ont explorée les chercheurs qui ont analysé dans le désert, sur le site *Mleisa 1*, dans la région d'Al Gharbia, à Abu Dhabi, les empreintes de pas qu'ont laissées sur le sol les *proboscidiens*, il y a sept millions d'années. Ces traces de pas qui dessinent quatorze pistes différentes, au long de plusieurs centaines de mètres.

L'animal le plus lourd, le plus grand et qui marchait droit devant lui, en solitaire, avait le poids d'un grand éléphant mâle solitaire d'aujourd'hui.

Les autres avançaient en groupe, dans une tout autre direction. Ce groupe comprenait treize animaux de taille et de poids très différents. Ils marchaient côte à côte, en parallèle, en dessinant de fréquents petits zigzags, s'approchant les uns des autres, puis s'éloignant, pour se rapprocher encore.

Le plus grand et le plus lourd devait avoir la taille et le poids d'une matriarche âgée d'aujourd'hui. Le plus petit et le plus léger devait avoir la taille et le poids d'un éléphanteau d'aujourd'hui.

La cartographie de ces traces de pas dans le sol d'un désert d'Arabie suggère que le mode d'organisation de vie sociale des éléphants d'aujourd'hui était déjà présent chez leurs lointains ancêtres ou cousins il y a sept millions d'années.

À cette époque, il n'y a pas encore d'êtres humains, sous leur forme actuelle.

C'est l'époque de *Toumaï*, dont le crâne a été découvert il y a plus de dix ans dans le désert du Tchad.

Et il n'y a pas encore d'éléphants sous leur forme actuelle.

Ce que suggèrent ces empreintes de pas dans le sol – ces traces de *la première danse*, de *la notation rythmique du bruit* de *la première écriture déchiffrée par l'homme*, comme dit Elias Canetti – c'est que dans ces temps anciens, c'étaient déjà la mémoire et la sagesse des matriarches qui guidaient les troupeaux.

Cette mémoire et cette sagesse semblent remonter loin dans le passé. Comme semble remonter loin dans notre passé ce qui nous rend humain.

Sur la scène vide du site *Mleisa 1*, sur le sol du désert, il ne reste que des traces de pas.

Le lent balancement des corps qui avancent, les barrissements, les regards, les appels de contact en infrasons, les réponses collectives aux rencontres avec leurs semblables, et les réactions aux rugissements de leurs prédateurs – nous ne pouvons que les imaginer.

Faites émerger
votre puissance d'imagination...

Éliminez nos imperfections à l'aide de vos pensées,
et faites émerger votre puissance d'imagination.
Pensez, quand nous parlons de chevaux,
que vous les voyez imprimer leurs fiers sabots dans la terre.

Shakespeare.

Loin de là. Sur un autre continent.

Plusieurs dizaines de millions d'années plus tôt.

D'autres recherches dévoilent d'autres fragments d'un passé à jamais disparu, révélant des éclats fugaces des métamorphoses du vivant.

C'est il y a cinquante-cinq millions d'années.

Dans cinq à dix millions d'années, la plaque tectonique qui porte le continent Indien frappera la plaque qui porte le continent Asiatique, faisant s'élancer vers le ciel la chaîne de montagnes la plus jeune et la plus majestueuse de notre planète – le toit du monde, l'Himalaya.

Cela fait déjà plus de cent cinquante millions d'années que les premiers mammifères terrestres sont apparus et ont commencé à évoluer, petits animaux nocturnes, vivant à l'ombre des immenses dinosaures.

Et cela fait seulement dix millions d'années que s'est produite la grande extinction qui a fait disparaître la quasi-totalité des dinosaures, ne préservant que les ancêtres des oiseaux d'aujourd'hui.

Et à partir de la disparition des dinosaures, il y a soixante-cinq millions d'années, les mammifères terrestres, dont le poids minimal était de trois à cinq grammes et dont le poids maximal n'avait jusque-là pas dépassé dix à quinze kilos, vont soudain commencer à se diversifier, et à coloniser de nouveaux territoires.

Une grande étude des fossiles de mammifères d'Eurasie, d'Afrique, d'Amérique du Nord et d'Amérique du Sud, publiée en 2010, a montré que sur tous les continents, de générations en générations, leur taille et leur poids maximal ont augmenté, atteignant, il y a cinquante millions d'années, pour certains des plus gros herbivores, un poids maximal d'une tonne, puis, il y a quarante millions d'années, de dix-sept tonnes, qui semble être le poids maximal, la limite supérieure qui n'a jamais, depuis, été dépassée.

Cette tendance générale à l'augmentation du poids et de la taille, qui conduit, en vingt-cinq millions d'années, à partir de l'époque où ont disparu les dinosaures, à une augmentation d'un facteur mille du poids maximal des plus grands herbivores, se produira, à plusieurs reprises, de manière indépendante, sur les différents continents, dans de nombreuses espèces. La plupart de ces énormes animaux herbivores ont disparu, et leurs seuls descendants survivant aujourd'hui sont les éléphants, et, à un moindre degré, les rhinocéros.

Cette évolution relativement rapide de la taille et du poids maximal surviendra aussi, durant la même période, et sur tous les continents, chez certains mammifères carnivores. Mais leur poids maximal restera, comme c'est encore le cas aujourd'hui pour les tigres et les lions, dix fois moins important que celui des plus grands mammifères herbivores.

Durant ces vingt-cinq millions d'années, l'évolution de la taille de tous les mammifères terrestres n'a pas suivi une trajectoire continue, rectiligne.
Elle a aussi subi des contrecoups, des reflux.

Et l'un de ces reflux s'est produit il y a cinquante-cinq millions d'années.

C'est une période où le climat fluctue, varie, se modifie.
Et soudain survient un réchauffement climatique extrême qui va durer environ cent trente mille ans.
La quantité de gaz carbonique, de dioxyde de carbone, va augmenter considérablement dans l'atmosphère, et la température moyenne, qui, au début de cette période, était déjà plus élevée qu'aujourd'hui, va encore augmenter de cinq à dix degrés Celsius.
C'est la période la plus chaude que notre planète ait connue depuis la disparition des dinosaures.

Quels ont pu être, il y a cinquante-cinq millions d'années, les effets d'un tel réchauffement climatique sur les mammifères ?

Les mammifères, comme les oiseaux, sont des animaux dits à sang chaud, qui contrôlent en permanence la température de leur corps.
Et une série de travaux indique que la plupart des mammifères et des oiseaux qui vivent aujourd'hui dans des régions chaudes ont, généralement, une taille et un poids du corps plus réduits que les animaux de la même espèce, ou d'espèces proches, qui vivent dans des régions plus tempérées.

Ce phénomène a été attribué à une contrainte qui a reçu le nom de *loi de Bergmann*.

L'idée est que l'élévation de la température ambiante exige des mammifères et des oiseaux une dépense supplémentaire d'énergie pour empêcher leur température corporelle de s'élever, et que cette dépense d'énergie augmente à mesure que la taille et le poids de l'animal augmentent.

Et la *loi de Bergmann* postule que la diminution de taille et de poids des animaux est une réponse adaptative à cette contrainte énergétique.

Mais cette *loi* n'a été déduite qu'à partir d'études comparatives entre des espèces vivant sous différents climats et beaucoup d'autres facteurs écologiques pourraient être en cause, en plus de la température.

Et ce qu'on a appelé une *loi* – la *loi de Bergmann* – est loin d'être universelle.

Elle n'est retrouvée que pour environ soixante-dix pour cent des espèces de mammifères qui ont été étudiées dans le monde.

Au début de l'année 2012, une équipe de chercheurs a utilisé une tout autre approche pour explorer la validité de la *loi de Bergmann*.

Non pas une comparaison entre des animaux d'espèces proches vivant de nos jours sous des climats différents.

Mais une comparaison entre des animaux d'une même espèce, ayant vécu sur un même lieu, durant la période de réchauffement climatique extrême, survenue il y a cinquante-cinq millions d'années et qui a duré cent trente mille ans.

La question qu'ont posée les chercheurs est la suivante.

En un même lieu, durant ces cent trente mille ans de réchauffement climatique, la taille et le poids de mammifères appartenant à une même espèce ont-ils changé, de générations en générations ?

Ils ont pris pour sujet d'étude des chevaux.

Pour un astronome, plonger son regard loin dans le ciel, c'est voyager à travers le temps, vers notre passé le plus lointain, le passé de l'Univers. Une étoile que nous voyons briller aujourd'hui dans la nuit peut avoir disparu longtemps avant l'émergence de la vie sur notre planète, longtemps avant l'émergence de notre Terre et de notre Soleil. Plus elle est loin dans le ciel, et plus sa lumière a mis de temps à nous parvenir.

Pour un paléontologue, creuser loin dans les profondeurs du sol, c'est voyager à travers le temps, vers le passé lointain du vivant, qui précède notre naissance.

Il y a – à l'ouest des États-Unis, au nord-ouest de l'État du Wyoming, dans le bassin de Clarks Fork – un site très riche en fossiles de mammifères. Ce site est constitué d'une superposition continue de couches successives de sédiments qui permettent de réaliser des datations extrêmement précises tout au long d'une période de sept millions d'années.

Cette période de sept millions d'années commence il y a soixante millions d'années et s'achève il y a cinquante-trois millions d'années.

C'est la période où les premiers chevaux gagnent l'Europe et l'Amérique du Nord.

Ce sont de tout petits chevaux, des chevaux nains, des *sifrhippus*.

Et les fossiles de ces petits chevaux sont les principaux fossiles de mammifères découverts sur le site du bassin de Clarks Fork, et les seuls fossiles de mammifères qui soient présents dans chacune des couches de sédiments.

Les chercheurs ont découvert que, entre le début et la fin de la période de cent trente mille ans du réchauffement climatique qui s'est produit il y a cinquante-cinq millions d'années, le poids moyen des chevaux a diminué d'environ un tiers.

Au début, ils pèsent cinq kilos et demi.

À la fin de cette période, leurs descendants pèsent moins de quatre kilos.

Plus tard, quand la température sera progressivement redescendue à son niveau antérieur, le poids moyen des descendants de ces chevaux aura augmenté, atteignant environ sept kilos.

Des travaux réalisés depuis une vingtaine d'années sur d'autres sites dans le monde, et qui ont étudié des fossiles de deux espèces de primates et de plusieurs espèces de mammifères herbivores et carnivores, avaient donné des résultats qui suggèrent l'existence de phénomènes similaires.

Mais ces études n'avaient pas l'extrême résolution temporelle qu'a l'étude des petits chevaux.

Dans leur étude des fossiles de *sifrhippus,* qui vivaient durant les cent trente mille ans qu'a duré ce réchauffement climatique, les chercheurs se sont demandé si la réduction, de générations en générations, de la taille et du poids de ces petits chevaux pourrait avoir été liée, non pas à l'augmentation de température en tant que telle, mais au degré de sécheresse, à la diminution de la végétation, et donc à la diminution de nourriture que la sécheresse aurait pu avoir provoquée.

Ils n'ont pas trouvé de relation avec le degré de sécheresse. Et ils n'ont pas trouvé non plus de relation avec l'augmentation importante du taux de dioxyde de carbone dans l'atmosphère, qui a eu lieu au début de la période de réchauffement climatique, mais qui n'a pas duré.

La conclusion des chercheurs est que les variations importantes de taille et de poids de ces petits chevaux au long des générations sont liées directement aux variations de la température.

Un poids de cinq kilos et demi avant le début du réchauffement climatique.

Un poids de moins de quatre kilos après l'élévation de la température de cinq à dix degrés Celsius.

Un poids de sept kilos lorsque la température est redescendue à son niveau antérieur.

Nous rappelant, une fois encore, l'extraordinaire plasticité du monde vivant, et son extrême sensibilité aux modifications de l'environnement.

Y a-t-il, dans ces événements vieux de cinquante-cinq millions d'années, une préfiguration possible des modifications que pourraient subir demain les mammifères durant la période de réchauffement climatique que nous avons commencé à vivre ?

Nous ne le savons pas, parce que le réchauffement climatique actuel, qui est amplifié, et très probablement provoqué par les activités humaines, se produit de manière beaucoup plus rapide que celui qui a eu lieu à cette époque très ancienne, et qui a duré plus de cent mille ans.

Des éclats de passé resurgissent soudain. Inattendus. Si surprenants de précision, à la fois dans l'espace et le temps. Des fragments de la longue histoire qui nous a donné naissance.

Ils éclairent notre présent. Ils nous aident à imaginer l'avenir. Mais ils ne peuvent nous le révéler.

Des fossiles de tout petits chevaux, qui vivaient il y a cinquante-cinq millions d'années.

Éliminez nos imperfections à l'aide de vos pensées, dit Shakespeare au début d'*Henry V*, en s'adressant aux spectateurs de la pièce qui va commencer.

Éliminez nos imperfections à l'aide de vos pensées, et faites émerger votre puissance d'imagination.

Pensez, quand nous parlons de chevaux, que vous les voyez imprimer leurs fiers sabots dans la terre.

Et c'est à partir des imperfections des vestiges d'un lointain passé, enfouis sous le sol, que la recherche réalise une patiente reconstruction qui fait émerger des éclats de mondes disparus.

À partir d'indices disparates, indirects, fragmentaires.

Cette durée de réchauffement de cent trente mille ans, il y a cinquante-cinq millions d'années – cette tranche de temps – a été reconstituée à partir d'une tranche d'espace – une tranche de sédiments – de vingt-six mètres au milieu des couches étagées des sédiments accumulés sous le site.

Le poids des petits chevaux a été déduit à partir de la mesure de la surface de leur première molaire.

L'aridité, l'importance de la sécheresse, a été déduite à partir de la concentration d'un isotope particulier, d'une configuration particulière de l'oxygène dans l'émail de leurs dents.

Et à partir de ces indices fragmentaires, disparates, indirects, enfouis dans le sol, nous pouvons soudain faire appel à la *puissance de notre imagination* pour nous représenter ce tout petit cheval, et suivre les métamorphoses de ses descendants, sur des milliers de générations.

Le visible ne suffit pas pour comprendre ce qui est vu, dit Quignard.

Le visible ne s'interprète qu'en référence à l'invisible.

Cette période de chaleur – la période la plus chaude que notre planète ait connue au cours des derniers soixante-cinq millions d'années – débute il y a cinquante-cinq millions d'années, par ce pic qui a duré cent trente mille ans.

Et elle se poursuivra, avec des fluctuations, pendant encore trois millions d'années.

Loin du bassin de Clarks Fork, où reposent les fossiles de ces petits chevaux, en Antarctique, au pôle Sud, sur un continent aujourd'hui recouvert d'une couche de glace de plus d'un kilomètre et demi d'épaisseur, d'autres indices fragmentaires témoignent de cette période ancienne de réchauffement climatique.

Il ne s'agit pas de fossiles d'animaux.

Mais de plantes.

Dans des sédiments prélevés par le *Programme Intégré de Forage Océanique*, en Antarctique, au large de la Terre de

Wilkes, à mille mètres de profondeur sous le sol au fond de l'océan.

Une équipe d'une cinquantaine de chercheurs a reconstitué, à partir des pollens et des spores préservés dans ces sédiments, les forêts qui poussaient dans l'Antarctique à cette époque. Les résultats de leur étude viennent d'être publiés, en août 2012.

Il y a cinquante-quatre millions d'années, et durant les deux millions d'années suivantes, il y a eu, dans les vallées qui bordaient la côte de la Terre de Wilkes, près du pôle Sud, une forêt subtropicale, composée d'arbres appartenant aux mêmes familles que ceux qui composent aujourd'hui les forêts subtropicales d'Australie, de Nouvelle-Guinée et de Nouvelle-Calédonie.

Des palmiers, des *bombacacées*, une famille à laquelle appartiennent aujourd'hui les baobabs, les balsas, les durians ; des *spatifyllum,* dont certaines espèces sont appelées *fleurs de lune* ; et des fougères grimpantes.

Et ainsi, malgré la nuit complète d'une cinquantaine de jours qui survenait durant l'hiver polaire, la température en hiver, à cette époque, ne devait pas descendre en dessous de 10° Celsius.

À l'intérieur de la Terre de Wilkes, en altitude, à distance des côtes, s'étendaient des forêts composées de familles d'arbres caractéristiques des régions tempérées, semblables à celles qu'on trouve de nos jours en altitude en Australie, Nouvelle-Calédonie, Nouvelle-Guinée et Nouvelle-Zélande.

Puis, il y a cinquante millions d'années, a commencé une période de refroidissement. Elle s'est accompagnée d'une disparition progressive de la forêt subtropicale, qui a été remplacée par la forêt continentale.

Et ainsi, à partir de pollens et de spores profondément enfouis sous l'océan, la recherche fait émerger des forêts depuis longtemps disparues, et reconstitue les vestiges d'un climat subtropical dans une région du monde aujourd'hui recouverte d'une chape de glace permanente.

Des éclats de passé. Des traces. Des témoignages muets.
Que la recherche soudain fait surgir de l'oubli.

Trois publications, durant l'année 2012, qui nous permettent d'entrevoir des fragments de mondes depuis longtemps disparus.
Dont nous étions absents.

Des traces de pas sur le sol desséché d'un désert d'Arabie que traversaient, il y a sept millions d'années, les imposants et lointains parents des éléphants d'aujourd'hui.
Des fossiles de tout petits chevaux, dans les alluvions d'un fleuve du continent nord-américain où ils venaient boire il y a cinquante-cinq millions d'années.

Durant une période où, au pôle Sud, une forêt subtropicale se déployait.
Il y a sept millions d'années.
Il y a cinquante-quatre millions d'années.
Il y a cinquante-cinq millions d'années.

Trois publications qui arrachent ces éclats à l'oubli.

Retrouver le perdu...

Il n'y a pas de passé qui resurgisse
qu'il ne procure une sensation de naissance.[...]
la joie tragique d'avoir retrouvé le perdu.

Pascal Quignard.

D'autres mondes disparus.
Si près de nous.

C'est il y a près de deux mille ans. Sous le règne de l'empereur Titus.

Alors, écrit Pascal Quignard,

Alors le cratère du Vésuve n'était qu'un sommet. Ses flancs étaient couverts de bois, de vignobles, de buissons et de champs.

Le volcan était éteint depuis le début de l'époque historique. Sous le règne de Néron, par une journée d'hiver lumineuse, le 5 février 62, les villas tremblèrent. Les habitants furent évacués. La tintinnabulation ayant cessé, ils revinrent.

Dix-sept ans plus tard, Titus étant empereur, le 24 août 79, ce fut l'éruption. Les Pline étaient là. L'oncle y trouva la mort. Une lettre de Pline le Jeune à Tacite rapporte ce plongeon dans la mort. [...]

« Le 9 avant les calendes de septembre, aux environs de la septième heure, ma mère lui apprit qu'on voyait un nuage extraordinaire par sa grandeur et son aspect. [...] »

Une nuée s'était formée ayant l'aspect d'un arbre (arbor). Dans le ciel elle faisait penser à un pin (pinus) déployant ses rameaux.

Pline l'Ancien ordonna aussitôt qu'on fît armer un bateau liburnien à deux rangs de rames. Il demanda à son neveu s'il éprouverait du plaisir à venir avec lui. Pline le Jeune lui répondit qu'il préférait rester à lire et à retranscrire les livres de Titus Livius. L'oncle alla embrasser sa sœur (la mère de Pline le Jeune). En sortant, on lui remet un billet de Rectina, épouse de Cascus, effrayée du danger (sa villa est située en bas, près de la mer). Elle suppliait qu'on l'arrachât à une situation d'épouvante. « Mon oncle change son plan. Il fait sortir des quadrirèmes. Il gagne précipitamment la région que tous fuient, met le cap droit sur le point périlleux et obscur, si libre de crainte que toutes les phases du mal, à mesure qu'il les percevait de ses yeux, étaient notées sous sa dictée, malgré la cendre épaisse et chaude qui tombait sur le pont du navire. » Il arrive. La pierre ponce pleuvait et aussi des cailloux noircis, brûlés, effrités par le feu. Déjà des rochers écroulés forment un bas-fond qui interdit l'accès au rivage. [...]

Dans l'obscurité de la nuit le mont Vésuve brillait sur plusieurs points. La couleur rouge était avivée par la nuit (excitabatur tenebris noctis). Des villas abandonnées brûlaient dans la solitude (desertas villas per solitudinem ardere).

Il passe la nuit dans la villa de ses amis. Il dort. On le réveille. La terre tremble. Les maisons s'écroulent.

Déjà le jour se levait. Autour d'eux ce n'était qu'une nuit plus nocturne et plus dense que toute nuit (nox omnibus noctibus nigrior densiorque). On résolut d'aller sur le rivage et de voir de près si on pouvait prendre la mer : elle était trop grosse. [...]

Quand le jour revint, trois jours plus tard, son corps fut
retrouvé intact, et «recouvert des vêtements qu'il avait
revêtus quand il nous avait quittés, ma mère et moi. Son
aspect était celui d'un homme endormi (quiescenti) *plutôt*
que d'un homme mort (defuncto). »

Il y a une autre lettre de Pline le Jeune.

Il y a une seconde lettre de Pline à Tacite, écrit Quignard.
Tacite lui demande ce que lui, le neveu, a éprouvé le 24 août
79 à dix heures quinze du matin, tandis qu'il était resté à
lire un livre de Tite-Live (librum Titi Livi) *sur son lit et à*
en noter des extraits.
Arrive un Espagnol qui l'insulte en le voyant lire quand le
monde s'enflamme et meurt. Pline le Jeune lève les yeux, les
reporte sur la colonne d'écriture, continue de lire, déroulant
avec son pouce le volumen.
La lumière, dit-il, était comme malade (quasi languidus).
Les bâtiments se lézardaient. Les esclaves s'affolaient.
L'Espagnol était déjà parti. Pline le Jeune et sa mère se
décident enfin à quitter la villa. Ils s'associent à la foule
frappée de stupeur (vulgus attonitum) *qui presse et accélère*
leur marche. Une fois en dehors des endroits bâtis, ils voient
le rivage élargi, la mer retirée, une foule d'animaux marins
échoués sur le sable mis à sec. La nuée noire et effrayante
(atra et horrenda) a envahi le ciel. Pline tient le bras de sa*
mère alourdie par l'âge, l'embonpoint et l'effroi. « La cendre
tombait drue. Je me retourne (Respicio) *: une traînée noire*
et épaisse s'avançait sur nous par-derrière, semblable à un
torrent qui aurait coulé sur le sol à notre suite. »
Ils s'assoient sur le bord du chemin dans la nuit. Pline
précise : «la nuit comme on l'a dans une chambre fermée
toute lumière éteinte » (nox qualis in locis clausis lumine

extincto). *On entendait les gémissements des femmes, les vagissements des bébés, les cris des hommes. On ne pouvait percevoir les visages. On cherchait à reconnaître les voix. [...] La cendre en abondance était lourde.* « *Nous nous levions de temps en temps pour la secouer. Je ne geignais pas : je pensais que je périssais avec toutes les choses et que l'immense monde mourait en même temps que moi.* »

Dans son dernier livre, *The swerve. How the world became modern [La déviation. Comment le monde est devenu moderne]*, Stephen Greenblatt, qui enseigne les Humanités à l'université Harvard, évoque l'éblouissement tragique que causera, près de mille sept cents ans plus tard, le resurgissement à la lumière des villas et des habitants de Pompéi et d'Herculanum, enfouis sous la cendre et la lave du Vésuve.

Mais le sujet principal de son livre est un autre éblouissement.

Trois siècles plus tôt. Quand resurgira à la lumière la splendeur d'autres éclats de mondes disparus – des manuscrits perdus de l'Antiquité Romaine.

On a appelé cette période la Renaissance.

Quand débute la Renaissance ? De combien de naissances successives a-t-elle émergé ?

L'une des dernières s'est produite au début du Quattrocento italien. Quand ceux que l'on nommera *Les Humanistes* iront à la recherche des livres égarés, oubliés durant mille sept cents ans, pour les plus anciens, et tireront de l'oubli des manuscrits qu'on croyait perdus à jamais, dont, pour certains, on ignorait même l'existence.

Et des éclats de passé – des voix silencieuses – reviendront à la vie.

Ils étaient quatre amis.

Ils se réunissaient régulièrement chez l'un d'entre eux, Collucio Salutati, le chancelier de la république de Florence. C'est le tout début du xve siècle.

Il y a là Leonardo Bruni, qui fera traduire les grands philosophes de l'Antiquité grecque, et qui deviendra secrétaire de plusieurs papes, puis succédera à Salutati comme chancelier de Florence.
Il y a Niccolo Niccoli, le bibliophile, qui léguera sa riche bibliothèque à la ville de Florence.
Et il y a Gian Francesco Poggio Bracciolini – Le Pogge – qui sera secrétaire de plusieurs papes, avant, à son tour, de devenir chancelier de la république de Florence.

Quatre amis. Qui formaient un cercle de lettrés.

Poggio sera l'ami d'artistes, dont le peintre et sculpteur Donatello, et de penseurs, dont Nicolas de Cusa, qui deviendra cardinal, et qui écrira – un siècle avant Copernic – *la Terre ne peut être le centre de l'univers, ne peut pas ne pas être en mouvement.*
Poggio avait écrit une série de contes comiques et indécents – Les *Facetiae* – *Les Facéties*. Mais il devait sa notoriété à ses découvertes de manuscrits.
Depuis que le poète Pétrarque était devenu célèbre, vers 1330, en découvrant des manuscrits de Cicéron, et l'*Histoire de Rome* de Tite Live, l'Italie était fascinée par la recherche des manuscrits perdus.
Les textes découverts étaient copiés, diffusés, commentés, et formaient la base de ce qu'on appellera plus tard *les Humanités*.

Entre 1414 et 1418, Poggio se rend à de nombreuses reprises en Suisse, pour prendre part aux travaux du concile de Constance.

C'est une période de conflits religieux, de combats violents, de schisme, entre les papes de Rome et les papes qui
ont établi leur résidence à Avignon.

Une période où émerge un mouvement de retour aux
sources du christianisme qui donnera naissance à la
Réforme, au protestantisme.

En 1415, Jan Hus – recteur de l'université de Prague et
l'un des propagateurs de l'idée de Réforme – est convoqué
au concile de Constance, emprisonné, jugé et brûlé.

Entre 1414 et 1418, Poggio visite les abbayes de Saint-Gall,
de Reichenau, de Weingarten.

Et il y découvre des manuscrits perdus.

Des comédies de Plaute, des textes de Cicéron.

De Architectura, l'œuvre du grand architecte romain du
Ier siècle avant notre ère, Vitruve, une œuvre qui révolu-
tionnera l'architecture de la Renaissance.

Et l'œuvre majeure du grand rhétoricien romain du
Ier siècle de notre ère – l'avocat et professeur d'éloquence,
Quintilien – qui transformera l'enseignement dans les
universités à travers l'Europe.

Quintilien, qui évoque aussi l'éducation du petit enfant,
dès son plus jeune âge. Il prescrit un enseignement fondé
sur un travail d'amour, et non un devoir. Il propose
une éducation à l'école plutôt que par un précepteur, à
domicile, mais recommande que le nombre d'élèves par
classe ne dépasse pas le nombre d'élèves qui permet à l'en-
seignant de s'occuper de chacun d'entre eux.

Écoutons Pascal Quignard. C'est dans *Rhétorique spéculative*.

*Barthélemy de Montepulciano a montré le Pogge serrant
contre son sein, en pleurant, dans un grenier de l'abbaye de*

Saint-Gall, un Quintilien *complet souillé d'ordures, gluant de poussière, qui est le thésaurus de la rhétorique spéculative romaine.*

Des siècles et des siècles étaient passés. La langue dans laquelle ces livres avaient été écrits était morte.

Ils en recevaient cependant l'appel dans une intense émotion.

Pogge et Cusa se connaissaient, s'aimaient, dit Quignard.

L'un comme l'autre durent leur premier renom à la découverte de volumes anciens qu'ils avaient exhumés dans les monastères et les tombes anciennes, quelque temps qu'il fît, en quelque état que fussent les routes, les grèves, les lacets des montagnes, les bois, les chemins. [...]

Au cours des années les plus ensanglantées de l'Histoire de l'Italie médiévale, l'anarchie étant dans Naples, la Lombardie déchirée, le Milanais et la Vénétie dévastés, les États de l'Église et les villes indépendantes soit rançonnés, soit pillés, dans cet orage sans cesse crevé et sans cesse menaçant à nouveau, le Pogge vécut dans le calme.

Sa chambre était silencieuse. [...] il lisait.

Le secrétaire pontifical Poggio était d'une indifférence absolue en matière de religion. [...] Il collectionnait les livres. Parfois il prenait sa mule, il s'entourait de chariots, il grimpait dans une tour en ruine pour se réapprovisionner en livres disparus.

Cela s'appelle renaître.

Ce sont les premiers Renaissants.

C'est en janvier 1417, dans la bibliothèque d'un monastère, écrit Greenblatt, *que Le Pogge fit sa plus grande découverte. Un long poème de Titus Lucretius Carus* – De Natura Rerum – De la Nature des Choses.

Sept mille quatre cents lignes, divisées en six livres, écrites en hexamètres, les vers de six pieds non rimés dans lesquels écrivaient Virgile et Ovide.

Un poème d'une intense beauté lyrique, qui mêle des méditations philosophiques sur la religion, le plaisir et la mort, et des théories scientifiques sur la nature. Un sens du merveilleux. Et une compréhension étonnamment moderne de l'univers.

Une soixantaine d'années après la découverte du Pogge, le clergé de Florence interdira la lecture de Lucrèce.

Mais les poèmes, dit Greenblatt, *sont difficiles à faire taire.*

Il y a des moments rares et puissants où un écrivain disparu depuis longtemps semble se tenir devant vous et vous parler directement, comme s'il portait un message à votre intention.

Par chance, dit Greenblatt, *des copies de De Natura Rerum trouvèrent place dans quelques bibliothèques de monastères, qui avaient enterré, apparemment à jamais, l'idée même de la recherche du plaisir.*

Par chance, un moine, au IXe siècle de notre ère, copia le poème avant qu'il ne se dissolve.

Et par chance, cette copie échappa pendant encore cinq siècles aux incendies et aux inondations.

Jusqu'à ce qu'un jour, au début de l'année 1417, il tombe dans les mains d'un homme qui se nommait lui-même avec fierté Poggius Florentinus. Il tendit le bras, retira un très vieux manuscrit d'une étagère, et vit avec émotion ce qu'il venait de découvrir.

Ce sont des chaînes discrètes, dit Quignard, *des relais rares et indiscutables dans le monde, au cours du temps, et qui portent sur un si petit nombre d'hommes, presque silencieux, de lettré à lettré, ou entièrement silencieux, de lettre à lettre.*

Le manuscrit découvert par Poggio a été perdu, poursuit Greenblatt. *Ce qui a circulé, c'est une copie réalisée par son riche ami bibliophile, Niccolo Niccoli, qui la légua, avec tous ses livres, à la ville de Florence, où le manuscrit est toujours préservé.*

Il y a dans les textes de l'Antiquité qui resurgissent au début du XVᵉ siècle en Italie une coloration particulière qui irradiera la Renaissance et exercera une profonde influence longtemps après.

Un mélange d'émotion et de raison. D'art et de science. De beauté et d'utilité. Intimement mêlés.

Chez Quintilien, au cœur de l'art oratoire, et de l'éducation. Chez Vitruve, au cœur de l'architecture, l'harmonie des proportions, que Luca Pacioli évoquera dans son livre *De Divina Proportione*. Harmonie des proportions dont Léonard de Vinci s'était inspiré pour réaliser son célèbre dessin, *L'Homme de Vitruve*. Un homme inscrit dans un cercle, et dans un carré. Le cercle centré sur son nombril – son origine – et le carré sur son sexe – qui lui permettra, un jour peut-être, d'être lui-même une origine. Un microcosme inscrit dans un macrocosme, géométrique et généalogique.

Et ce mélange d'émotion et de raison sera retrouvé aussi chez Lucrèce, dans la forme même de son texte – un poème dont la beauté, dit-il, permet au lecteur d'accéder à la science.

Où est le perdu ? demande Pascal Quignard.

Où, et comment, a-t-il été retrouvé ?

Il y a eu deux grandes voies.

La première était passée par les philosophes, les astronomes, les médecins et les mathématiciens arabes et persans. Ils avaient traduit, étudié, commenté, diffusé les manuscrits de l'Antiquité grecque, les avaient enrichis de leurs propres découvertes, et ces textes ont commencé à gagner l'Europe durant le Moyen Âge, dès le Xe siècle.

L'autre voie, plus tard, était passée par les monastères, où dormaient depuis longtemps les manuscrits des géants de l'Antiquité grecque et romaine. C'est cette voie qu'a fait revivre Umberto Eco dans une passionnante fiction, *Le Nom de la Rose*. C'est cette voie qu'a empruntée Poggio.

Et parmi tous ces manuscrits, resurgissant du Ier siècle avant notre ère, un splendide poème scientifique, le *De Natura Rerum* de Lucrèce qui plonge ses racines loin dans le passé – dans l'œuvre d'Épicure et de Démocrite.

Il y a dans De Natura Rerum, *dit Greenblatt, des notions qui paraissent aujourd'hui anachroniques, datées : la génération spontanée des vers, l'idée que les tremblements de terre sont causés par le souffle des vents dans des cavernes souterraines, l'idée que le Soleil tourne autour de la Terre.*

Mais il y a aussi des notions d'une surprenante modernité.

Il y a l'idée que l'ensemble de l'univers, y compris l'univers vivant qui nous entoure et nous inclut, est émergence, transformations, métamorphoses.

L'idée que la nature – *natura*, littéralement *ce qui est en train de naître* – est en perpétuel devenir. Que la sensation d'éternel présent, d'éternel retour – le cycle des nuits et des jours, le cycle des saisons, le cycle des naissances, des croissances, des enfantements, du vieillissement et de la mort – et l'impression d'immuabilité scandée par la course des étoiles dans le ciel et les tremblements de la vie sur la Terre correspondent à une illusion.

L'idée que l'univers s'est construit et a évolué, à partir d'interactions, de recombinaisons aléatoires entre des composants élémentaires de la matière. En dehors de tout projet, de toute intentionnalité et de toute finalité. À partir d'un mélange de contingences et de contraintes, de relations de causalité. À partir, selon les mots attribués à Démocrite, *du hasard et de la nécessité*.

Les mêmes éléments qui forment le ciel, la mer, les terres, les fleuves, le soleil, écrit Lucrèce, *forment aussi les épis, les arbres, les êtres vivants.*
Mais les mélanges, l'ordre des combinaisons, les mouvements, voilà ce qui diffère.
Réfléchis.
Même dans les vers des poèmes, tu vois de nombreuses lettres communes à de nombreux mots. Et cependant, ces vers, ces mots, est-ce qu'ils ne sont pas différents, à la fois par le sens et par le son ?
Tel est le pouvoir des lettres quand seulement l'ordre en est changé.

Dix-neuf siècles avant que les sciences européennes modernes abandonnent la notion de vitalisme – l'idée que le caractère si particulier du vivant ne peut être dû qu'au fait qu'il est constitué d'une matière *vitale*, différente de la matière qui constitue l'univers matériel non vivant – Lucrèce déclare que la matière dont sont faits les êtres vivants est de la même nature que celle qui constitue l'ensemble de l'univers.
Seuls changent les mélanges, les combinaisons.

Il attribue un rôle essentiel à la contingence – au hasard – qu'il désigne sous le nom de *clinamen* – *une petite déviation initiale* – d'où Greenblatt a tiré le titre de son livre, *La déviation. Comment le monde est devenu moderne.* *Une petite déviation initiale,* écrit Lucrèce. *On ne saurait dire où ni quand, [mais] sans cet écart, il n'y aurait pas eu de rencontres, ni de chocs, et jamais la nature n'aurait rien pu créer.*

Car *ce n'est certes pas par réflexion, ni sous l'emprise d'une pensée intelligente que les atomes ont su occuper leur place. Ils n'ont pas concerté entre eux leurs mouvements.*

Mais comme ils sont innombrables et qu'ils s'abordent et s'unissent de toutes les manières possibles il est arrivé qu'après avoir tenté unions et mouvements à l'infini ils aient abouti enfin aux soudaines formations massives d'où tirèrent leur origine ces grands aspects de la vie : la Terre, le ciel, les espèces vivantes.

Et, dix-neuf siècles avant Charles Darwin, il évoque l'absence de projet, de finalité, d'intentionnalité à l'œuvre dans l'évolution du vivant :

Il existe un grave vice de pensée, écrit Lucrèce, *une erreur qu'il faut absolument éviter.*

Le pouvoir des yeux ne nous a pas été donné, comme nous pourrions le croire, pour nous permettre de voir. Toute explication de ce genre est à contresens et prend le contre-pied de la vérité.

Rien en effet ne s'est formé dans notre corps en vue de notre usage, mais ce qui s'est formé, nous l'utilisons. Tous nos organes existaient, à mon sens, avant que nous n'en fassions usage, et ce n'est donc pas en fonction de nos besoins qu'ils ont été créés.

Lucrèce ne connaît rien des lois de la nature, des contraintes, des relations de causalité, qui rendraient possible la vision de l'univers vivant qu'il propose. Mais sa vision – celle d'une nature en perpétuel devenir, en perpétuelle émergence, transformation, métamorphose, une nature en permanence en train de naître et de se modifier – exercera, pendant et après la Renaissance, une influence profonde et durable.

Monter sur les épaules des anciens.

Redécouvrir la source.

Revenir à la source.

Et se laisser emporter, plus loin, ailleurs, par le courant.

Rallumer à l'intensité de ce qui commence, tout ce qui succède, dit Quignard.

Retrouver l'aube.

Naître.

Pourtant, il y a un monde perdu qui demeurera inaccessible aux humanistes du Quattrocento.

C'est le monde étrange et merveilleux de Pompéi et d'Herculanum.

Il est enfoui sous la cendre et la lave, et restera enfoui pendant encore trois siècles.

L'éruption massive du mont Vésuve, dit Greenblatt, *détruisit entièrement non seulement Pompéi, mais aussi le petit lieu de villégiature en bordure de mer dans la baie de Naples, Herculanum.*

Enterré sous une vingtaine de mètres de débris volcaniques durcis à la densité du béton, ce site où de riches Romains passaient autrefois leurs vacances dans leurs élégantes villas à colonnades, fut oublié jusqu'au début du XVIIIe siècle, quand des ouvriers creusant un puits découvrirent quelques statues en marbre.

Alors seulement les splendeurs de Pompéi et d'Herculanum, préservées par le désastre de cendre, de lave et de pierre qui les avaient anéanties, ont commencé à resurgir de l'oubli.

Les deux théâtres. Les thermes. Les villas.

La maison du faune, la maison des chastes amants, la villa des mystères, leurs splendides peintures murales, leurs mosaïques, leurs statues de marbre et de bronze.

Et, dans la villa des papyrus, sera découverte, à la fin du XVIIIe siècle, une bibliothèque emplie de plus de mille livres. Plus de mille rouleaux de papyrus en grande partie calcinés, dont seuls quelques fragments sont encore lisibles.

Tenter de remonter encore le cours du temps.
Tenter de *retrouver le perdu*.

Tout près de là.
Trente-huit mille ans plus tôt.
Il y a quarante mille ans.

À moins de dix kilomètres à l'ouest de ce qui est aujourd'hui la ville de Naples, dans la région volcanique des Campi Flegeri – les *Champs Phlégréens*, du grec *brûlant* – se produit une gigantesque éruption volcanique.

La plus importante que la région méditerranéenne ait connue durant les deux cent mille dernières années :
l'éruption *Campanian Ignimbrite*, qui projette dans le ciel trois cents kilomètres cubes de cendres, qui vont se répandre sur plus de trois millions de kilomètres carrés, se dispersant sur une grande partie de l'Europe centrale et de l'Europe de l'Est.

C'est durant le dernier âge glaciaire, au moment où le climat a atteint son niveau de froid le plus extrême.

L'éruption, en assombrissant l'atmosphère, provoquera ce qu'on appelle un *hiver volcanique*, refroidissant encore de deux degrés Celsius le climat de l'hémisphère Nord durant trois ans.

C'est il y a quarante mille ans.

La période où les hommes et les femmes de Cro-Magnon, qu'on a désignés comme l'*Homme moderne*, et qui sont considérés comme nos ancêtres les plus récents, sont déjà arrivés en Europe et côtoient les hommes et les femmes de Neandertal qui les y ont précédés depuis longtemps.

La période où le plus ancien instrument de musique identifié à ce jour a été fabriqué, découvert dans la grotte de Hohle Fels, dans le Jura allemand, près de la ville d'Ulm. Une flûte de vingt-huit centimètres de long et de moins d'un centimètre de diamètre, cinq trous creusés sur l'une de ses faces, et l'extrémité modifiée pour servir d'embouchure. On ne sait quelle musique nos ancêtres faisaient surgir de cette flûte, ni à quelle occasion.

Mais une réplique de cette flûte a été fabriquée. Les sonorités qu'elle produit sont à la fois pures, étranges, et envoûtantes. Et la facture de cet instrument de musique d'il y a quarante mille ans suggère qu'il ne s'agit pas de l'une des premières flûtes qui aient été fabriquées.

C'est il y a quarante mille ans, cinq mille ans avant que soient peintes, à quatre cents kilomètres de la grotte de Hohle Fels, au Sud, les magnifiques fresques de la grotte Chauvet.

Les hommes et les femmes de Neandertal sont en train de disparaître.

La gigantesque éruption *Campanian Ignimbrite*, et la catastrophe climatique qu'elle a provoquée, ont-elles pu être la cause de leur disparition ?

C'est cette hypothèse qu'un groupe de chercheurs a récemment explorée.

Lors des éruptions volcaniques, de minuscules particules de verre, invisibles à l'œil nu – des *cryptotephra*, du grec *crypto*, qui signifie caché, invisible, et *tephra*, cendre – sont projetées, avec la cendre, la lave et les pierres.

Et ces minuscules *cryptotephra*, très légères, se répandent sur des étendues beaucoup plus vastes que les cendres et les pierres visibles à l'œil nu.

Elles peuvent être détectées au microscope, et l'analyse de leur composition chimique permet d'identifier la *signature* de l'éruption volcanique qui les a dispersées.

Et la découverte et l'étude de ces cendres invisibles dans des sites archéologiques permettent de dater précisément les objets, en fonction de l'éruption volcanique qui les a projetées.

Si ces *cryptotephra* sont retrouvées dans des strates supérieures par rapport à ces objets, c'est que ces objets ont été fabriqués avant l'éruption.

Les chercheurs ont découvert que ces cendres invisibles projetées par l'éruption *Campanian Ignimbrite* recouvrent les objets archéologiques fabriqués par les hommes et les femmes dits *modernes* dans plusieurs grottes préhistoriques situées dans des régions qui correspondent aujourd'hui à la Macédoine, la Bulgarie, la Serbie, et la Russie centrale.

La conclusion de leur étude, publiée en août 2012, est que les hommes et les femmes de Neandertal étaient déjà en voie de disparition avant cette éruption volcanique, et que l'éruption n'a donc pas été la cause de leur disparition.

Mais la part la plus intéressante de cette étude est la mise en évidence, par ce système de datation très précise, que des populations d'hommes et des femmes *modernes* étaient déjà présentes, il y a quarante mille ans, à travers l'Europe centrale et l'Europe de l'Est.

Et que la catastrophe volcanique de *Campanian Ignimbrite* semble ne pas avoir interrompu le développement de leur implantation.

Suggérant, comme le proposent les chercheurs, que leur arrivée en Europe il y a quarante-cinq mille ans ou plus, ait pu être la véritable catastrophe qui a causé la disparition des hommes et des femmes de Neandertal.

Très loin de là.

Longtemps avant.

Dans la profondeur des temps géologiques.

Dans des paysages qui n'ont rien de commun avec les nôtres.

Dans des paysages dont nous étions absents.

Un autre geyser de feu s'élève dans le ciel. Et un autre fragment de monde se fige sous la cendre et la lave.

Une Pompéi végétale.

C'est il y a trois cents millions d'années.

Cela fait sept cents millions d'années que le continent géant unique, Rodinia, s'est brisé en plusieurs continents, qui dérivent.

Et, il y a trois cents millions d'années, ces continents s'assemblent à nouveau pour former *Pangaea, La Pangée*, le continent géant dont Alfred Wegener avait, en 1912, proposé l'existence, dans un article intitulé *La dérive des continents*.

Pangaea, littéralement *Toute la Terre*, un seul continent géant entouré par un seul océan géant – *Panthalassa* – littéralement *Toute la mer*, *la mer universelle*.

Encore cent millions d'années, et *La Pangée* se brisera en deux continents, *Gondwana* et *Leurasia*, qui dériveront, et se fragmenteront à leur tour en plusieurs continents.

L'année 2007.

Dans une région qui se nomme aujourd'hui Wuda, au nord-ouest de la chaîne de montagnes des Helanshan, en Mongolie intérieure, au nord de la Chine – une région qui était, il y a trois cents millions d'années, située dans une grande île au large du bloc de la Chine du Nord –, des chercheurs découvrent, à l'intérieur d'une mine de charbon, des fossiles de feuilles, de branches, de fougères et de vignes merveilleusement préservés dans une couche de cendres de soixante centimètres d'épaisseur, une couche compacte, extrêmement dure de tuf volcanique.

Une forêt entière qu'une éruption volcanique, il y a trois cents millions d'années, a dévastée, détruite, et ensevelie sous la cendre et la lave, sur une longueur de dix kilomètres. Une forêt entière, dont il ne reste que des petits fragments compactés, fossilisés.

Et à partir de ces fragments fossilisés, une équipe de chercheurs a reconstitué cette forêt – a reconstitué le déploiement entier de la forêt sur une surface d'un kilomètre carré – telle qu'elle était juste avant que l'éruption ne l'emporte et la fige à jamais.

Une Pompéi végétale, écrivent les chercheurs.

Leur publication comporte de nombreuses et splendides photos en couleurs de ces fossiles végétaux, et une reconstitution, sous forme de peintures artistiques, de l'ensemble de la forêt.

C'est une étrange forêt tropicale, composée d'arbres, de fougères et de vignes depuis longtemps disparus. Une forêt qui poussait sur une tourbe recouverte de quelques centimètres d'eau.

La canopée est formée d'arbres fougères – des arbres *marattialéens*, hauts de dix à quinze mètres.

Par endroits, au-dessus de la canopée, surgissent les troncs élancés de grands arbres, hauts de plus de vingt-cinq mètres. Ceux qui s'élèvent le plus haut, et sont surplombés par leur plumet de feuillages, sont les *sagillaires*, une espèce aujourd'hui disparue.

Un peu moins haut sont les *cordaites*, une forme ancienne de conifères, dont l'aspect nous est plus familier.

En dessous de la canopée, sont les arbres *tingia* et *paratingia*, qui appartiennent au groupe des *noeggerathiales*, un groupe d'arbres à spores aujourd'hui disparu.

Et plus près du sol encore, une vigne, et de nombreuses espèces de fougères.

En tout, six groupes de plantes différentes, dont la répartition varie au long de la forêt reconstituée sur un kilomètre carré.

Et à mesure que nous nous avançons, au long de cette promenade imaginaire sous la canopée, il y a trois cents millions d'années, la forêt change, se transforme.

Mais il y a d'autres forêts fossiles, dont les étranges splendeurs sont plus anciennes encore.

L'une d'entre elles s'est figée dans les sédiments cent millions d'années avant l'éruption volcanique qui a détruit la *Pompéi végétale* de Wuda.

Cette forêt date d'il y a près de quatre cents millions d'années.

Elle a été découverte, durant les années 1920, aux États-Unis, dans l'État de New York, sur le site de Gilboa, dans une carrière.

Elle a été nommée, à l'époque, *la plus vieille forêt fossile* du monde.

Il y a quatre cents millions d'années, c'est la période où apparaissent les premiers arbres.

C'est une période de turbulences climatiques. Une période où la concentration de gaz carbonique, de dioxyde de carbone, diminue considérablement dans l'atmosphère.

Une période d'extinction massive des espèces.

Sur le site de Gilboa, les extraordinaires blocs de grès qui ont été découverts durant les années 1920 contiennent les souches fossilisées des arbres les plus anciens qui soient connus. Des *eospermatopteris*, qui appartiennent à un groupe d'arbres fougères, aujourd'hui disparu.

Des arbres élancés, au tronc probablement creux, qui s'élevaient jusqu'à environ six à huit mètres de hauteur.

Des arbres au tronc nu, dépourvu de branches, avec, au sommet, une couronne constituée de branches éphémères dépourvues de feuilles.

Ces arbres semblaient être les seuls qui peuplaient l'ancienne Gilboa.

Les vestiges de la *Pompéi végétale* de la région de Wuda, en Chine du Nord, révèlent la présence, il y a trois cents millions d'années, d'au moins quatre types distincts d'arbres ancestraux, dont les plus hauts s'élevaient jusqu'à vingt-cinq mètres de hauteur.

Et cent millions d'années plus tôt, les vestiges de la forêt de Gilboa, découverte au nord-est des États-Unis, suggèrent qu'il n'y avait encore qu'un seul type d'arbre.

Une simplicité originelle, une pauvreté originelle, dont auraient émergé, beaucoup plus tard, la richesse et la complexité.

Mais il s'agissait d'une illusion.

Et les forêts perdues qui émergent du passé ne cessent de révéler leurs secrets.

En 2010, pendant des travaux réalisés dans la grande carrière de Gilboa, d'autres fossiles d'arbres sont découverts dans une vaste étendue de sédiments, enfouis dans le sol de l'ancienne forêt.

Et une équipe de chercheurs va reconstituer la richesse de la forêt sur une surface de plus d'un kilomètre carré.

Les résultats de leur étude ont été publiés au printemps 2012.

Trois types très différents d'arbres aujourd'hui disparus coexistaient dans la forêt de Gilboa et occupaient chacun un étage de hauteur différente.

Il y a les arbres fougères *eospermatopteris*, qui s'élevaient le plus haut, jusqu'à six à huit mètres au-dessus du sol.

En dessous, jusqu'à deux à trois mètres de hauteur, d'autres arbres très différents, qui, eux aussi, étaient dépourvus de feuilles.

Et en dessous encore, poussait un troisième type d'arbres, très différent.

Ce sont les arbres les plus surprenants de cette forêt.

Ces arbres appartenaient au groupe des *progymnospermes*.

Ils avaient la particularité d'être des arbres dont le tronc poussait sous terre, sous la surface du sol, horizontalement, émettant des branches horizontales souterraines, des rhizomes, dont la longueur dépassait quatre mètres.

Des branches horizontales souterraines, d'où naissaient par endroits des racines, et où naissaient, à d'autres endroits, des branches qui traversaient la surface du sol, et s'élevaient verticalement jusqu'à une hauteur d'un mètre, à la base des arbres qui poussaient en hauteur dans la forêt, grimpant probablement au long du tronc de ces arbres, et interagissant avec eux.

Trois types d'arbres aujourd'hui disparus.

Et dans la forêt de Gilboa, les seuls arbres constitués d'une grande quantité de bois sont les arbres qui poussent horizontalement sous la terre.

Cette découverte conforte une hypothèse proposée il y a près de dix ans, selon laquelle la propagation des plantes constituées de bois n'a peut-être pas eu de lien, au début du moins, avec un effet du bois dans le soutien mécanique du tronc à mesure que les arbres poussaient de plus en plus haut. Le bois aurait eu pour effet une facilitation de la circulation des fluides et des gaz à l'intérieur des plantes.

Une facilitation qui aurait pu compenser, dans les premières plantes à bois, les problèmes causés, il y a un peu plus de quatre cents millions d'années, par la forte diminution dans l'atmosphère de la quantité de gaz carbonique dont les arbres tirent leur énergie.

Et ainsi, il y a environ quatre cents millions d'années, dans la forêt de Gilboa, l'émergence du bois dans les arbres débutait sous la terre.

Et ce n'est que plus tard que le bois deviendrait ce constituant, évident pour nous aujourd'hui, des troncs et des branches des arbres qui s'élancent vers le ciel, et qui leur permet de résister à la pesanteur en leur donnant leur extraordinaire solidité.

Dans le paysage végétal depuis longtemps disparu de la forêt de Gilboa, nous pouvons aujourd'hui nous engager dans une promenade imaginaire.

Nous découvrons une forêt qui se renouvelle sans cesse, faite d'arbres de taille et d'âge différents.

C'est une forêt où nous ne trouvons pas d'ombre, ou très peu, pour nous abriter du soleil, une forêt faite d'arbres sans feuilles.

C'est une forêt proche de la mer, que des élévations périodiques du niveau de la mer submergent fréquemment d'eau salée. Des inondations fréquentes, et parfois catastrophiques.

Une forêt qui meurt et qui renaît.

Et l'une de ces inondations a un jour figé à jamais la forêt de Gilboa dans les sédiments.

Comme l'éruption d'un volcan allait, une centaine de millions d'années plus tard, figer dans la cendre la Pompéi végétale de Wuda.

Et sur le site de Gilboa, écrivent les chercheurs, *nous entrevoyons une image très différente de l'image initiale d'une forêt rudimentaire, qui serait constituée d'un seul type d'arbre sans bois.*

Nous entrevoyons un paysage ancien déjà diversifié, préfigurant, en partie au moins, la complexité des écosystèmes terrestres plus récents.

De lointains éclats de mondes depuis longtemps disparus, des témoignages muets.

Que la recherche fait surgir de l'oubli.

Six publications, durant l'année 2012, qui nous permettent d'entrevoir des éclats de mondes depuis longtemps disparus.

Dont nous étions absents.

Des portions d'arbres, de racines, de branches et de feuilles fossilisés qui permettent de reconstituer et de faire resurgir, du fond des âges géologiques, deux forêts ancestrales.

Des fossiles de tout petits chevaux dans les alluvions d'un fleuve du continent Nord-Américain, où ils venaient boire, qui permettent de reconstituer les transformations que leurs corps ont subies pendant cent trente mille ans de réchauffement climatique.

Des pollens et des spores qui permettent de faire resurgir une forêt subtropicale qui se déployait tout près du pôle Sud.

Des traces de pas sur un sol que traversaient les imposants et lointains parents des éléphants d'aujourd'hui, et qui permettent de tenter de reconstruire leur mode de vie social.

Des objets archéologiques préhistoriques, recouverts de fragments de cendre invisibles à l'œil nu, qui témoignent de l'ancienneté de la présence, à travers l'Europe, des premières populations d'*Hommes modernes*.

Il y a quatre cents millions d'années.
Il y a trois cents millions d'années.
Il y a cinquante-cinq millions d'années.
Il y a cinquante-quatre millions d'années.
Il y a sept millions d'années.
Il y a quarante mille ans.

Des éclats partiels, disparates, incomplets de passé que la recherche fait surgir à partir des traces visibles que l'œil perçoit sur le sol ou dans les profondeurs du sol. Et que l'invisible permet d'interpréter.

Mais quand aucune trace, aucun vestige n'est visible. Peut-on encore, à partir de l'invisible, faire resurgir des éclats de mondes disparus ?

Des mondes invisibles

L'Univers visible n'est que l'apparence passagère
d'un état de l'Univers invisible.

Camille Flammarion.

Quand aucune trace, aucun vestige, n'est visible.
Peut-on, à partir de l'invisible, faire resurgir à la lumière
des éclats de mondes disparus ?
Non pas à partir de traces de pas, ou d'un fossile.
Mais à partir de quelques grammes de sol ou de glace sur
lesquels le regard ne peut rien distinguer de particulier.

Choisir un lieu. Creuser sous la surface. Prendre garde de
ne pas faire pénétrer dans la couche de terre ou de glace
– la tranche de passé – que l'on veut étudier des poussières
provenant des couches plus superficielles – des poussières
provenant d'un passé plus récent. Dater l'ancienneté des
sols. Prélever de tout petits fragments de terre ou de glace.
Et voir se dessiner, comme des fantômes, des animaux,
des plantes, des prairies et des forêts depuis longtemps
disparus.

À partir de l'invisible. À partir de ce qu'il y a à la fois de
plus universel, de plus singulier, et de plus microscopique
comme fossile identifiable dans tous les êtres vivants.
Quand il est demeuré intact.

À partir d'une molécule de quelques milliardièmes de mètre, de quelques millionièmes de millimètre – de quelques nanomètres – d'épaisseur.
À partir de l'ADN.

Combien de temps une portion d'ADN peut-elle persister, intacte, dans le sol, échapper à la destruction, et demeurer déchiffrable ?

Le recueil, l'isolement et l'analyse de l'ADN fossile posent des problèmes majeurs.

L'ADN fossile doit d'abord être amplifié, recopié à des millions d'exemplaires, pour que son analyse soit possible. Il est souvent partiellement dégradé. Et le risque essentiel est la contamination des échantillons anciens par des traces d'ADN moins ancien ou actuel, lors de son extraction et lors de toutes les étapes qu'implique son amplification.

Parmi les pionniers de cette extraordinaire aventure récente qui a permis de faire émerger, de reconstruire et d'analyser de l'ADN fossile, et de reconstituer ainsi des pans entiers d'un passé disparu, il y a Svante Pääbo, qui travaille à l'Institut Max Planck, en Allemagne.

Avec ses collaborateurs, il a isolé et analysé de l'ADN fossile à partir des ossements fossiles humains des temps préhistoriques – la découverte et l'analyse de fossiles invisibles dans un fossile visible – et a notamment publié, en 2010, la première analyse d'ADN extrait des os d'un être humain de Neandertal.

Et cette étude a causé une grande surprise, en révélant la présence, dans l'ADN d'une grande partie de la population humaine actuelle, d'un à quatre pour cent de séquences dont l'origine est caractéristique de l'ADN des Néandertaliens.

Suggérant ainsi que les populations de Neandertal et de Cro-Magnon ont eu des descendants communs, à une période qui se situerait entre il y a quatre-vingts mille ans et quarante-cinq mille ans, probablement au Moyen-Orient, où les deux populations coexistaient alors.

Suggérant que les hommes et les femmes de Neandertal sont non seulement nos cousins, mais aussi, pour partie, nos ancêtres.

Parmi les pionniers de cette extraordinaire aventure qui a permis de faire émerger, de reconstruire et d'analyser l'ADN fossile, il y a aussi Alan Cooper, d'Oxford, et Eske Willerslev, du Museum d'histoire naturelle de Copenhague.

Eske Willerslev et ses collaborateurs ont isolé et analysé de l'ADN ancien à partir de fossiles d'ossements d'êtres humains et d'animaux de la préhistoire, mais aussi à partir de l'invisible – à partir de quelques grammes de terre ou de glace prélevés dans les profondeurs du sol.

En 2003, Willerslev, Cooper et d'autres chercheurs publient les résultats d'une analyse de fossiles invisibles datant d'il y a trois cent mille à quatre cent mille ans.

Ils ont prélevé, en Sibérie, de petits morceaux de deux grammes de terre gelée en forant dans le permafrost – ce sol gelé en permanence qui recouvre encore environ un cinquième de la surface de la Terre et qui peut s'étendre jusqu'à plusieurs centaines de mètres sous la surface du sol. Et dans ces sédiments gelés, datant d'il y a trois cent mille à quatre cent mille ans, ils ont découvert de l'ADN de plantes appartenant à vingt-huit familles différentes – des arbres, des herbes et des mousses, dont, pour la plupart, les descendants vivent toujours dans la région, mais dont la séquence d'ADN, pour la moitié d'entre eux, a changé.

Et dans ces sédiments gelés, ils ont aussi découvert de l'ADN de nombreux animaux qui arpentaient la région il y a trois cent mille à quatre cent mille ans – des mammouths, des bisons, des rennes, des bœufs musqués.

Et ainsi, une partie au moins de la faune et de la flore de cette époque peut être reconstituée à partir des microfossiles – des nanofossiles – d'ADN, invisibles, qui ont traversé le temps, préservés, dans le sol gelé du permafrost de Sibérie.

En 2012, Willerslev et ses collaborateurs publient une autre analyse d'ADN fossile. Cet ADN, découvert dans des sédiments de plusieurs lacs en Norvège, est d'origine beaucoup plus récente. Il date d'il y a dix-sept mille ans et d'il y a vingt-deux mille ans – de la dernière époque glaciaire que notre planète ait connue.

Un certain nombre de travaux suggéraient que cette dernière époque glaciaire – qui a débuté il y a quarante-cinq mille ans et s'est achevée il y a neuf mille cinq cents ans – avait fait disparaître tous les arbres de la Scandinavie du Nord et les avait poussés à migrer vers l'Est et vers le Sud.

Ces travaux indiquaient que les arbres n'auraient recommencé à coloniser la Scandinavie du Nord qu'au moment de la fonte des glaces, il y a neuf mille cinq cents ans.

Mais l'étude de l'équipe de Willerslev suggère qu'en Scandinavie du Nord, durant cette période d'intense glaciation, il y a dix-sept mille et vingt-deux mille ans, des forêts boréales constituées d'arbres conifères, de pins et d'épicéas, ont persisté dans de petites régions refuges épargnées par la glace.

La comparaison entre cet ADN fossile et l'ADN des pins et des épicéas d'aujourd'hui permet de tenter une reconstitution de ces déplacements des forêts. Leur lente migration vers des régions plus chaudes, et, dans le même temps, leur retrait dans ces refuges, au milieu des glaces, en Norvège. Puis leur persistance dans ces refuges, durant la période de glaciation. Puis leur recolonisation des terres redevenues hospitalières, lors de la période de fonte et de retrait des glaces.

Les graines des arbres quittent les lieux habités par leurs parents. Et à l'échelle des siècles, de milliers d'années, de dizaines de milliers d'années, les forêts ont répondu aux variations climatiques extrêmes en se contractant et en se déployant. En se déplaçant, de générations en générations. Les forêts, qui nous semblent immobiles, arpentent la Terre.

En novembre 2011, ce sont les résultats d'une gigantesque étude des migrations, des expansions et des contractions de population, et des extinctions, depuis quarante mille ans, de plusieurs espèces de grands mammifères herbivores, en Amérique du Nord et en Eurasie, que publiaient Willerslev et plus de cinquante chercheurs de très nombreux pays. Ils avaient suivi les traces des déplacements des mammouths, des rhinocéros laineux, des bisons, des rennes, des chevaux et des bœufs musqués à travers les continents. Et à travers le temps. À partir de leurs ossements fossiles et de leur ADN fossile datant d'il y a quarante mille ans, d'il y a trente mille ans, d'il y a vingt mille ans, et d'il y a six mille ans.

La question qu'avaient posée les chercheurs était la suivante. Les migrations de ces animaux, les augmentations et les diminutions locales et globales de leurs populations, et les extinctions, ont-elles été dues aux variations du climat, ou aux contacts de ces animaux avec des populations humaines ?

Et la réponse semble complexe.

Pour certaines espèces – le rhinocéros laineux et le bœuf musqué d'Eurasie – les changements climatiques semblent suffire à expliquer leur extinction.

Pour d'autres espèces, comme les bisons des steppes d'Eurasie, il semble que ce soient à la fois les pressions climatiques et les chasses humaines qui ont entraîné leur extinction.

Des vestiges invisibles de mondes disparus. À l'intérieur de la terre, des sédiments gelés, du permafrost, à l'intérieur des fossiles des animaux.

Et dans les profondeurs de la glace.

En 2007, Willerslev et une trentaine de chercheurs de nombreux pays publiaient les résultats de leur recherche des fossiles invisibles d'ADN dans les profondeurs de l'énorme couche de glace qui recouvre le sud du Groenland.

Utilisant les carottes de glace que le projet de recherche climatique *Noyau de glace du Groenland* prélève jusqu'à deux kilomètres de profondeur, ils avaient révélé la présence d'ADN dans la glace à deux mille mètres sous la surface, l'avaient amplifié, et analysé.

Et fait émerger de la glace une forêt fantôme.

Il y a de huit cent mille à quatre cent cinquante mille ans, sur les sols des hauts plateaux de mille mètres d'altitude, que recouvrent aujourd'hui plus de deux mille mètres de glace, il y avait une forêt boréale.

Une forêt composée de différents arbres – des ifs, des aulnes, des pins, des épicéas, de nombreuses espèces d'herbes.

Et des scarabées et des papillons.

Une forêt très différente de celles du Groenland d'aujourd'hui.

Une forêt dont les traces invisibles dormaient depuis si longtemps, préservées dans la glace.

Dix pour cent de la surface de la Terre est aujourd'hui recouverte de glaciers, et de couches épaisses de glace.

Combien d'autres archives invisibles des mondes vivants disparus reste-t-il encore à découvrir dans ces bibliothèques gelées ?

Plus près de nous.

À une époque beaucoup plus récente.

Parmi les vestiges qui nous sont parvenus des réalisations des cultures de nos ancêtres que nous nommons préhistoriques.

Sur le site Manis, dans l'État de Washington, au nord-ouest des États-Unis, le squelette fossile d'un mastodonte, un *proboscidien* aujourd'hui disparu, l'un des cousins géants les plus éloignés des éléphants d'aujourd'hui, est découvert à la fin des années 1970 dans les sédiments d'un petit étang qui datent d'avant la fin de la dernière période glaciaire. Et les premières mesures au radiocarbone du fossile du mastodonte estiment son ancienneté à quatorze mille ans.

Il y a, incrustée dans l'une des côtes du mastodonte, une pointe osseuse qui semble provenir d'un projectile de fabrication humaine. Une arme.

Mais l'ancienneté du fossile, la nature de la pointe, et son origine vont faire l'objet de débats pendant près de quarante ans.

En octobre 2011, une équipe de chercheurs américains, en collaboration avec Willerslev, publie les résultats d'une analyse approfondie du fossile du mastodonte et de la pointe osseuse incrustée dans sa côte.

Le fossile de mastodonte et la pointe osseuse plantée dans ce qui est probablement sa quatorzième côte datent d'il y a treize mille huit cents ans.

La pointe osseuse, d'une longueur de trois centimètres et demi, a pénétré de deux centimètres et demi à l'intérieur de la côte, et le sommet de la pointe s'est brisé après son entrée.

L'analyse de l'ADN de la pointe osseuse indique qu'elle a pour origine un os de mastodonte.

Et ainsi, les populations humaines qui avaient traversé le détroit de Behring et qui étaient déjà présentes en Amérique du Nord il y a près de quatorze mille ans ont commencé par chasser les mastodontes avec des armes de jet qu'elles fabriquaient à partir des os mêmes des mastodontes qu'elles tuaient.

Peut-être avons-nous peint sur notre propre peau, avec l'ocre et le charbon, longtemps avant d'avoir peint sur la pierre, dit la poétesse et romancière canadienne Anne Michaels,
il y a quarante mille ans, nous avons laissé des empreintes de mains peintes sur les parois des cavernes de Lascaux, Ardennes, Chauvet.

Le pigment noir utilisé pour peindre les animaux à Lascaux était fait de dioxyde de manganèse et de quartz ; et près de la moitié du mélange était du phosphate de calcium. Le phosphate de calcium est produit en chauffant l'os à quatre cents degrés Celsius, puis en le broyant.

Nous avons fabriqué nos peintures à partir des os des animaux que nous peignions.

Aucune image, dit Anne Michaels,
Aucune image n'oublie cette origine.

Nous avons fabriqué nos peintures à partir des os des animaux que nous peignions.
Nous avons fabriqué nos armes à partir des os des animaux que nous chassions.

Les armes à pointe de pierre qui sont retrouvées dans la région sont un peu plus récentes, elles datent d'il y a moins de treize mille ans.
Et c'est donc dans le monde vivant qui les entourait que les populations de cette région ont puisé les premiers outils qui leur ont permis de commencer à le maîtriser.

Retrouver le perdu.
À partir de ses traces visibles et de ses traces invisibles.
Réinventer ce perdu dont nous ne connaissions pas l'existence.

Avoir soudain le sentiment de le retrouver, nous qui ne savions pas qu'il s'était perdu, ni ce qui s'était perdu.

Inscrire dans notre mémoire le souvenir de ce que nous n'avons jamais connu.
Inscrire le perdu dans un récit.
Dans un *il était une fois...* où il prend place, enfin, pour la première fois.
En nous.

Mais parfois, rarement, il est arrivé aussi que certains de ces éclats de mondes disparus, nous réussissions non seulement à les inscrire en nous, mais à les faire réellement renaître – à leur redonner vie.

Le mélèze de la Kolyma

> Il ne savait pas [qu'ils] allaient toucher de leurs mains
> cette branche dure, austère et rugueuse, qu'ils allaient
> contempler ses aiguilles d'un vert éblouissant – sa
> renaissance, sa résurrection – et qu'ils trouveraient
> dans son odeur non pas le souvenir du passé, mais le
> souffle de la vie.
>
> Varlam Chalamov.

Retrouver le perdu. Et le ramener à la vie.

Parfois, un éclat de monde disparu peut non seulement
resurgir, mais aussi revenir à la vie, renaître.

C'est il y a près de deux mille ans.

L'an 73 de notre ère. Six ans avant l'éruption du Vésuve qui
allait engloutir Pompéi et Herculanum et causer la mort de
Pline l'Ancien.

Sur une autre rive de la mer Méditerranée.

Dans une région dont Pline l'Ancien, dans son *Histoire
naturelle*, a écrit qu'elle était alors célèbre pour la qualité
des dattes qui y étaient cultivées et récoltées.

Près du lac Asphaltite – Asphaltitis limnè – le lac d'asphalte,
le lac de bitume, le nom de la mer Morte dans la langue
grecque, dans laquelle il a rédigé sa monumentale *Histoire
naturelle*.

Près du lac Asphaltite, écrit Pline l'Ancien, *il y a la ville d'Engada, qui ne le cédait qu'à Jérusalem pour ses bois de palmiers. Maintenant la ville est un monceau de cendres, comme Jérusalem.*

D'Engada on arrive à Massada, forteresse sur un rocher, qui n'est pas loin non plus du lac Asphaltite.

Et c'est là, dit Pline, *la limite de la Judée.*

C'est l'an 73 de notre ère.

Cela fait neuf ans que Pompée a conquis Jérusalem.

Et six ans que la révolte des zélotes contre l'occupation romaine a commencé.

Six ans que les zélotes ont repris aux légions romaines la forteresse de Massada, au sommet d'un pic rocheux qui surplombe la mer Morte – une forteresse qui protège un palais étagé, construits un siècle plus tôt, à même la roche, le palais d'Hérode.

Et cela fait trois ans que les légions de Titus ont rasé Jérusalem.

La dixième légion romaine assiège le dernier lieu de résistance, la forteresse de Massada.

Et plutôt que de se rendre, écrit Flavius Josèphe dans *La Guerre des Juifs*, sa chronique de la révolte dont il a été l'un des chefs avant de se rendre, et de devenir, à Rome, l'hôte et l'ami des empereurs Vespasien et Titus,

plutôt que de se rendre, les neuf cent soixante habitants et combattants de la forteresse de Massada décident de se tuer.

Quand la légion pénètre dans le palais, poursuit Josèphe, *il ne reste que deux femmes et cinq enfants vivants qui s'étaient cachés.*

C'est au milieu du XIXe siècle que la forteresse et le palais de Massada seront redécouverts et tirés de l'oubli.

Ils sont aujourd'hui classés par l'Unesco au patrimoine de l'humanité.

Les réserves stockées à l'intérieur de la forteresse avant sa chute, écrit Flavius Josèphe, *étaient d'une fraîcheur éclatante. Elles comprenaient d'énormes quantités de blé, d'énormes quantités de vin et d'huile, toutes sortes de légumes secs, et des monceaux de dattes.*

Durant les années 1960, les archéologues découvriront, sous des décombres, aux abords de la portion Nord du palais, des graines.

Des noyaux de dattes, des graines de dattes.

Et, en 2005, une équipe de chercheurs commencera à explorer ces noyaux de dattes.

Leurs résultats seront publiés trois ans plus tard.

Les chercheurs ont d'abord réalisé une datation au radio-carbone de deux des cinq noyaux qu'ils estiment intacts.

La mesure indique une période comprise entre le IIe siècle avant notre ère et le Ier siècle de notre ère.

Une durée qui englobe celle qui sépare la construction du palais de sa destruction.

Puis les chercheurs plantent les trois autres noyaux intacts.

Au bout de deux mois, l'une des trois graines commence à germer.

La plante se développe normalement.

Au bout de deux ans, les premières jeunes pousses, avec leurs feuilles, se sont développées.

Les chercheurs récupèrent alors des fragments de la paroi des noyaux qui sont restés accrochés à des radicelles, de petites racines, et ils refont une datation qui confirme les résultats obtenus précédemment avec les deux noyaux qui n'avaient pas été plantés.

La sécheresse du climat de Massada avait probablement contribué à préserver la fécondité des noyaux des fruits de ces palmiers dattiers.

Ces arbres avaient donné naissance à ces fruits au début de notre ère.

Il y a près de deux mille ans.

Mais y a-t-il une limite à cet état de vie suspendue, à cet état de sommeil d'où une plante peut soudain être tirée, comme une belle au bois dormant ?

Et si oui, quelle pourrait être cette limite ? Trois mille ans ? Quatre mille ans ? Cinq mille ans ?

Au printemps 2012, une réponse allait être donnée.

C'est au nord-est de la Sibérie, sur les rives de la rivière Kolyma.

À près de quarante mètres de profondeur sous le sol, dans le permafrost, dans des sédiments gelés en permanence, des chercheurs de l'Académie des sciences de Russie ont découvert soixante-dix chambres souterraines scellées – des terriers fossiles creusés et scellés il y a trente mille ans par des écureuils de l'Arctique, de l'espèce *urocitellus parryii*. Des écureuils qui vivent sur le sol.

Dans ces terriers où les écureuils entreposaient leurs réserves de nourriture, dort depuis trente mille ans une énorme quantité de graines et de fruits gelés.

Et les chercheurs ont tenté de faire revivre certaines de ces graines.

106

L'un des facteurs limitant la capacité des graines et des cellules qui composent les fruits gelés à rester viable est la quantité totale de radiations qu'ils accumulent au cours du temps, en raison de la radioactivité naturelle du sol. Pour cette raison, les chercheurs ont d'abord réalisé sur place des mesures de la radioactivité naturelle. Et leurs résultats indiquent que la quantité de radiations théoriquement accumulées durant trente-deux mille ans ne dépasse pas la limite au-delà de laquelle les expériences suggèrent que les radiations effacent la vie.

Les chercheurs peuvent commencer. Ils réussissent à induire les premières étapes de la germination dans des graines appartenant à trois espèces différentes de plantes, mais, dans tous ces cas, le développement s'interrompt prématurément.

Les graines qui paraissent s'engager le plus loin dans leur développement, avant qu'il ne s'interrompe, appartiennent à l'espèce *silene stenophylla*, une petite plante herbacée pérenne, qui produit de petites fleurs blanches.

Les graines des fruits non mûrs de *silene stenophylla* sont attachées à une partie du fruit qu'on appelle le placenta, et dont les cellules contiennent des réserves énergétiques importantes. Les chercheurs décident alors de recueillir des cellules du placenta, et d'essayer de les faire revivre dans un tube à essai.

Et ces cellules sortent de leur sommeil, redeviennent actives et fécondes, donnent naissance à des cellules filles, et se développent, faisant émerger des plantes.

Puis les fleurs apparaissent dans les plantes, et les chercheurs explorent leur capacité de reproduction sexuée, utilisant le pollen de certaines de ces fleurs pour tenter de fertiliser les autres fleurs.

Et une deuxième génération se développe à partir des graines des fleurs qui ont été tirées de leur long sommeil de plus de trente mille ans.

Elles ont certaines caractéristiques – le temps de développement, la forme des pétales des fleurs – qui sont légèrement différentes de celles des fleurs actuelles de la même espèce.

Elles ont traversé le temps.

Elles renaissent d'une époque où les mammouths et les rhinocéros laineux arpentaient la région. D'une époque où les populations d'hommes et de femmes que nous appelons *l'homme moderne* côtoyaient encore, dans certaines régions d'Europe, les derniers hommes et femmes de Neandertal.

Les chercheurs avaient fait repousser des fleurs à partir de fruits qui dormaient depuis un peu plus de trente mille ans.

Les fleurs sont immortelles, écrit le poète russe Ossip Mandelstam
Les fleurs sont immortelles. Le ciel est intact.
Et ce qui sera n'est qu'une promesse.

Nous ne savons rien, presque rien, de ce qui se passait au nord-est de la Sibérie, sur les rives de la rivière Kolyma, au moment où les fruits de *silene stenophylla* se sont endormis dans la glace.
Mais ce que nous savons, c'est que peu avant la fin de leur long sommeil, au-dessus des profondeurs du sol où elles reposaient, a eu lieu un désastre.

Je suis pareil à ces fossiles
qui resurgissent par hasard, écrira Varlam Chalamov.

Je suis pareil à ces fossiles
qui resurgissent par hasard
Pour livrer au monde la clef
Des mystères géologiques.

Sur les rives de la Kolyma, à partir de la fin des années 1920, s'étendra l'immense univers carcéral de l'Archipel du Goulag. Où des millions de personnes seront déportées, dans cet enfer blanc.

Ce que j'ai connu, un homme ne devrait pas le connaître, ni même savoir que cela existe, dira Chalamov.

Mais il racontera dans *Les Récits de la Kolyma* ses dix-sept ans enfermés dans le Goulag, de 1937 à 1953, dont il ne sortira qu'après la mort de Staline.

Il nous faut des miracles, dit Chalamov dans un des *Récits de la Kolyma – La résurrection du mélèze*. Il l'a écrit en 1966, treize ans après sa libération.

Il nous faut des miracles. Nous inventons les symboles qui nous font vivre.

C'est l'histoire d'une branche, une branche de mélèze de Sibérie des rives de la Kolyma, envoyée à Moscou par un ancien prisonnier.
Et Nadejda Iakovlevna, la veuve du poète Ossip Mandelstam, mort depuis longtemps, alors qu'il était déporté vers les camps de la Kolyma, la veuve du poète a mis la branche dans un vase.

La branche de mélèze, écrit Chalamov, *on la met dans de l'eau froide, à peine tiédie.*

D'autres forces se réveillent en elle, des forces secrètes.

Au bout de trois jours et de trois nuits, la maîtresse de maison est réveillée par une odeur étrange, confuse, de térébenthine, une odeur faible, fine et nouvelle. Dans la peau de bois rugueuse, de jeunes et nouvelles aiguilles vivantes, fraîches, ont éclos et jailli dans la lumière.

Le mélèze est vivant, il est immortel : ce miracle de la résurrection ne peut pas ne pas se produire puisque la branche de mélèze a été placée dans le bocal le jour anniversaire de la mort, à la Kolyma, du mari de la maîtresse de maison, un poète.

Même la mémoire du défunt participe à la renaissance, à la résurrection du mélèze.

L'odeur du mélèze était faible, mais nette et aucune force au monde n'aurait pu effacer, étouffer cette odeur, éteindre cette lumière, cette couleur verte.

Pendant combien d'années, le mélèze, déformé par les vents et les gelées, se tordant pour suivre le soleil, a-t-il tendu vers le ciel, à chaque printemps, ses jeunes aiguilles vertes ?

Pendant combien d'années ?

Cent. Deux cents. Six cents.

Le mélèze de Dahurie vient à maturité au bout de trois cents ans.

Trois cents ans !

Mêlant les différentes dimensions du temps, le mélèze a mis la mémoire humaine face à sa honte et rappelé l'inoubliable.

Dans l'appartement de Moscou, le mélèze respirait pour rappeler aux gens leur devoir d'homme, pour qu'ils n'oublient pas les millions d'hommes qui avaient péri à la Kolyma.

Une odeur faible, obstinée : c'était la voix des morts.

Le mélèze, c'est l'arbre de la Kolyma.

À la Kolyma, les oiseaux ne chantent pas. L'été est court, avec un air froid et sans vie : une chaleur sèche, et un froid saisissant la nuit.
Les fleurs de la Kolyma sont éclatantes, exubérantes, grossières, elles n'ont pas d'odeur.
Seul le mélèze remplit la forêt de sa vague odeur de térébenthine.

En expédiant cette branche, l'homme ne comprenait pas, ne savait pas, ne pensait pas qu'on allait la ranimer à Moscou, que, ressuscitée, elle exhalerait l'odeur de la Kolyma, qu'elle fleurirait dans une rue de la capitale, que le mélèze prouverait sa force, son immortalité. Six cents ans de vie pour un mélèze, c'est presque l'immortalité pour l'homme; il ne savait pas que les gens de Moscou allaient toucher de leurs mains cette branche dure, austère et rugueuse, qu'ils allaient contempler ses aiguilles d'un vert éblouissant – sa renaissance, sa résurrection – et qu'ils trouveraient dans son odeur, non pas le souvenir du passé, mais le souffle de la vie.

Il se trouve que les lieux où reposaient les plantes les plus anciennes qui aient été à ce jour ramenées à la vie ont été des lieux de tragédies humaines.

La forteresse de Massada
Les rives de la Kolyma

Nous déposons des fleurs sur les tombes. Nous faisons pousser des fleurs sur les tombes.

Des décombres de la forteresse de Massada
Et des profondeurs du sol gelé des rives de la Kolyma
Ce sont des plantes tirées d'un long sommeil qui sont revenues à la vie.

Comme un étrange rappel, comme un étrange témoignage, du caractère vivant de la mémoire.

Et de notre incapacité, quand il est encore temps, de notre incapacité à prévenir et à faire cesser les désastres.

De notre capacité, seulement, à nous en souvenir.

Aujourd'hui.

Devant les massacres.

Pouvons-nous attendre aujourd'hui, devant les souffrances humaines dans tant d'endroits du monde, que des survivants écrivent et publient leurs récits ?

Que des fleurs endormies resurgissent de leur sommeil ?

Devant les massacres, alors qu'un dirigeant, en Syrie, écrase et assassine son peuple. Alors que d'autres, ailleurs, font régner la terreur, dans le silence.

Qu'attendons-nous pour faire cesser ces massacres ?

Avant que notre mémoire, dit Chalamov, *nous confie à la honte* ?

Nous ne savons pas, dit Paul Celan,
Nous
ne savons pas, sais-tu
nous
ne savons pas
ce
qui
est vraiment important.

III

NOSTALGIE DE LA LUMIÈRE

Plus vaste est le temps que nous avons laissé derrière nous, plus irrésistible est la voix qui nous invite au retour.

Milan Kundera.

Ouvre-nous la porte...

Ouvre-nous la porte.
Apporte-nous la connaissance de l'univers infini.

Giordano Bruno.

La seule vérité durable, dit Octavia Butler,
La seule vérité durable est le changement.

La seule permanence est le changement.
L'émergence. Le devenir.
Le renouveau.

Cette vision nouvelle, ce bouleversement radical de perspective, débute il y a un peu plus de cent cinquante ans, avec la publication par Darwin de *L'Origine des espèces*.

C'est la conclusion – la dernière ligne – du livre :
Et pendant que notre planète continuait à décrire ses cycles réguliers selon la loi fixe de la gravitation, à partir d'un début si simple, une infinité de formes les plus belles et les plus merveilleuses ont évolué, et continuent d'évoluer.

Mais *nous sommes toujours lents*, dit Darwin,
nous sommes toujours lents à admettre tout grand changement dont nous ne pouvons voir les étapes intermédiaires. Nous ne percevons rien de ces lents changements en progression, jusqu'à ce que la main du temps ait marqué le long écoulement des âges.

Et *l'esprit ne peut pas appréhender la pleine signification du terme : un million d'années – il ne peut faire la somme et percevoir le plein effet de nombreuses variations minimes, accumulées durant un nombre presque infini de générations.*

Mais pour Darwin et ses contemporains – contrairement aux reliefs toujours changeants de notre Terre, et contrairement au monde vivant qui n'avait cessé d'évoluer, de se transformer, de se métamorphoser – l'ensemble de l'Univers était, globalement, demeuré inchangé.

L'exubérance éphémère et toujours renouvelée des formes *les plus belles et les plus merveilleuses* s'inventait dans un univers figé comme un inaltérable cristal.

Et cette vision allait persister durant encore un demi-siècle après la disparition de Darwin.

Au début du XXᵉ siècle, rappelait le communiqué de l'Académie royale de Suède qui présentait le prix Nobel de physique 2011, un communiqué intitulé *Écrit dans les étoiles, Au début du XXᵉ siècle, l'Univers était considéré comme un lieu calme et paisible, pas plus vaste que notre galaxie, la Voie lactée.*
L'horloge cosmologique battait le temps de manière fiable et régulière.
Et l'Univers était éternel.

Bientôt, pourtant, un changement radical allait bouleverser cette vision...

Bientôt, soudain, il allait apparaître que l'Univers n'avait cessé de se transformer, de se métamorphoser, de s'étendre et de se déployer – n'avait cessé d'évoluer.
Et cette vision nouvelle allait nous inscrire dans une généalogie beaucoup plus ancienne et beaucoup plus vaste, encore, que la seule généalogie du vivant.

Elle allait nous révéler que nous sommes nés de poussières d'étoiles. Et que ce qui semblait nous distinguer si radicalement des étoiles n'était qu'une succession d'éloignements plus ou moins importants, au long d'une généalogie commune qui se perdait dans la nuit des temps.

Découvrir ce passé immense, et entrevoir ces temps où le vivant se déployait – mais où nous n'étions pas encore.
Ces temps plus anciens encore où le Soleil puis la Terre émergeaient – mais où il n'y avait pas encore de vie sur Terre.
Ces temps où des étoiles brillaient déjà dans le ciel – mais où il n'y avait encore ni Terre ni Soleil.
Et ces temps où l'Univers se déployait déjà – mais où il n'y avait encore aucune étoile dans le ciel.

Les paysages que révélaient ces immenses étendues de temps jusque-là inconnues – les trois milliards et demi à quatre milliards d'années de métamorphoses du vivant – les quatre milliards et demi d'années de métamorphoses de notre système solaire – et les quatorze milliards d'années de métamorphoses de notre Univers – ces paysages n'avaient rien de commun avec nous.
Sauf de nous avoir donné naissance.

Parce que la lumière se déplace à travers l'espace avec une vitesse constante, finie – de près de trois cent mille kilomètres par seconde –, ce que nous voyons est toujours du passé.
Et voir loin dans l'espace, c'est voir loin dans le passé.
La source d'une lumière que nous percevons peut avoir disparu. Une étoile que nous voyons briller dans la nuit peut avoir disparu depuis longtemps.

Nous errons dans des temps qui ne sont pas les nôtres, dit Pascal.

Plonger notre regard loin dans le ciel, c'est plonger notre regard dans notre passé le plus lointain.
Celui dont nous étions absents.
C'est guetter le lent retour vers nous de la lumière, qui nous vient du fond des âges.
C'est ressentir la nostalgie d'un pays natal, à jamais disparu, dont les différents vestiges scintillent au loin – métamorphosés depuis longtemps, et continuant à se métamorphoser, mourant et renaissant sous des formes à chaque fois nouvelles.

Explorer les confins du ciel, c'est recomposer l'histoire de notre Univers.
C'est faire surgir un récit d'un temps dont personne n'a été le témoin.
Et que seule nous dévoile la lumière qui nous parvient à travers l'immensité de la nuit.

Nostalgie des débuts... *Nostalgie de la lumière.*

Dans la lumière qui voyage vers nous des confins de l'Univers, à travers l'espace et le temps – à travers l'immensité de la nuit, depuis la nuit des temps – dans la lumière qui nous révèle le passé le plus lointain de l'Univers, pouvons-nous aussi entrevoir son avenir ?
Pouvons-nous entrevoir s'il aura une fin ?
Et si tel est le cas, quelle sera cette fin ?

Certains disent que le monde finira dans le feu,
D'autres disent qu'il finira dans la glace.
Quel est le destin de l'univers ?
Il finira probablement dans la glace.

Ainsi débutait le communiqué de l'Académie royale de Suède qui annonçait l'attribution du prix Nobel de physique 2011 à Saul Perlmutter, Brian Schmidt et Adam Riess.

L'univers finira probablement dans la glace, si nous en croyons les lauréats de l'année 2011.
Ils ont soigneusement étudié, dans des galaxies très lointaines de la nôtre, plusieurs douzaines d'étoiles en train d'exploser, qu'on appelle des supernovae, et ils en ont conclu que l'expansion de l'Univers s'accélère.

Depuis environ sept milliards d'années, l'expansion de l'Univers n'a cessé de s'accélérer. Et si l'expansion de l'Univers s'accélère, les galaxies et leurs étoiles, les sources de lumière et de chaleur dans l'Univers, s'éloignent de plus en plus les unes des autres.
L'Univers entier se refroidit de plus en plus.
Et pour cette raison, *il finira probablement dans la glace.*

Et c'est l'étude de ces feux intenses et éphémères qui s'allument et brûlent au loin dans la nuit – les supernovas – qui a révélé le refroidissement croissant de l'Univers.
L'état de supernova est la dernière métamorphose de certaines étoiles, qui précède leur mort, une explosion thermonucléaire d'une extraordinaire luminosité – plusieurs milliards de fois plus brillante que notre Soleil, aussi brillante que la galaxie entière dans laquelle l'étoile est en train de mourir – qui dure quelques semaines.
Et ce que Perlmutter, Schmidt et Riess ont découvert, c'est que ces étoiles en train d'exploser s'éloignent de nous de plus en plus vite avant de s'éteindre.

Autour de nous s'enfuient les supernovas.

Au-delà des frontières de notre galaxie, les autres galaxies s'éloignent de nous, de plus en plus vite.

L'espace entre elles et nous s'étire, se distend.

De plus en plus vite.

Autour de nous, dans toutes les directions.

Non pas parce que notre galaxie, la Voie lactée, serait étrangement située au centre de l'Univers.

Mais parce que l'expansion, l'étirement de l'Univers fait que, autour de chaque galaxie, les sources de lumière s'éloignent dans toutes les directions.

Il n'y a pas de centre privilégié d'observation.

Tout point d'observation donne la même impression d'être au centre d'innombrables galaxies qui s'enfuient tout autour au loin.

Comme un écho étrange à l'image de l'Univers que proposait, au milieu du XVᵉ siècle, l'humaniste Nicolas de Cusa : *un cercle infini dont le centre est partout, et la circonférence nulle part.*

Et cette accélération de l'expansion de l'Univers est un mystère.

La découverte fut une surprise totale, poursuit le communiqué de l'Académie royale de Suède, *même pour les lauréats du prix Nobel.*

Ce qu'ils virent était semblable à ce qui se passerait si on jetait une balle en l'air, et que, au lieu de la voir retomber vers le sol, on la voyait disparaître de plus en plus rapidement dans le ciel. Comme si la force de gravitation n'arrivait pas à inverser la trajectoire de la balle.

Le taux d'accroissement de l'expansion de l'Univers implique que l'Univers est distendu par une forme d'énergie incorporée dans le tissu même de l'espace.

Cette énergie sombre *constitue une grande partie de l'univers*
– plus de soixante-dix pour cent.
Et cette énergie sombre constitue une énigme, peut-être
l'énigme la plus considérable de la physique d'aujourd'hui.
Il n'est donc pas étonnant que la cosmologie ait été boule-
versée dans ses fondations mêmes, lorsque deux groupes dif-
férents de chercheurs ont présenté de tels résultats durant
l'année 1998.

Une énergie sombre.

Obscure. Invisible.

Qui distendrait l'Univers. En contrecarrant les effets de la force de gravitation.

La matière visible, celle que nous connaissons, ne repré-senterait qu'environ cinq pour cent des constituants de l'Univers.

Le reste de l'Univers serait composé pour un peu plus de vingt pour cent de *matière sombre*, inconnue, invisible, et, pour près de soixante-quinze pour cent, *d'énergie sombre*, elle aussi obscure, invisible.

Et l'accélération de l'Univers serait due à cette mystérieuse *énergie sombre*, qui s'opposerait à la force de gravitation, à la force d'attraction universelle.

Mais l'existence de cette énergie sombre n'est encore, aujourd'hui, qu'une hypothèse, parmi d'autres.

Les lauréats du prix Nobel de physique 2011 ont contribué
à nous révéler un Univers qui est inconnu, à quatre-vingt-
quinze pour cent, à la science.
Ce n'est pas la première fois qu'une découverte en astronomie
a révolutionné nos idées en ce qui concerne l'Univers.

Tenter de mesurer l'étendue de l'Univers.

De cartographier l'Univers.

Découvrir qu'il est immense.

Qu'il est empli d'innombrables galaxies semblables à la nôtre.

Qu'il est en expansion.

Et que cette expansion s'accélère.

Découvrir que l'étendue de l'espace qui nous sépare des objets célestes les plus éloignés de nous, de ce qui nous apparaît comme les confins de l'Univers, c'est le temps qu'a mis la lumière à nous en parvenir.

Déviée par les amas de poussière cosmique.

Déviée par les agglomérats de galaxies dont la masse courbe l'espace-temps, modifiant le trajet de la lumière.

Déviée par les trous noirs super-massifs qui résident probablement au centre de toutes les galaxies, comme ce trou noir qui a été pour la première fois identifié il y a quatre ans, au centre de notre Voie lactée, d'une masse estimée à près de quatre millions de fois la masse de notre Soleil.

Lumière qui se disperse dans l'espace et, dont l'intensité faiblit à mesure qu'elle s'éloigne de sa source et qu'elle se rapproche de nous.

Cartographier les étendues les plus lointaines de l'Univers, c'est mesurer les étendues de temps que la lumière a mis à nous en parvenir.

DES CHANDELLES DANS LA NUIT

> J'appelle nuit la lumière dépensée dans l'espace qui se
> perd avant d'arriver jusqu'aux hommes.

Pascal Quignard.

L'hiver de l'année 1609.

Quelques semaines après avoir appris l'invention hollandaise de la lunette – le verre qui permet d'espionner – Galileo Galilei construit sa propre lunette en fixant des lentilles concaves et convexes aux extrémités opposées d'un tube de carton d'un mètre de long.

Il a élevé sa lunette vers le ciel, et la pointe vers la Lune, vers Jupiter, vers Vénus, vers le Soleil.

Et il voyage, immobile, à leur rencontre.

Un voyage qu'il racontera l'année suivante dans *Sidereus Nuncius – Le messager des étoiles*.

Découvrant, écrira-t-il, *les vues les plus belles et les plus agréables. Des sujets de grand intérêt pour tous les observateurs des phénomènes naturels.*

Premièrement, en raison de leur beauté naturelle. Deuxièmement, en raison de leur absolue nouveauté.

Et parmi les *vues les plus belles et les plus agréables* que lui révèle sa lunette, il y a des étoiles que personne n'avait vues jusque-là.

Des lumières invisibles à l'œil nu.

Dans la constellation des Pléiades, on distingue à l'œil nu les sept sœurs – les sept étoiles – de la mythologie grecque, et quelques-unes en plus.

Quand Galilée élève sa lunette vers la constellation des Pléiades, il voit des dizaines d'autres étoiles.

Aujourd'hui, on en a compté plus de trois mille...

Plus tard, les premiers télescopes permettront de percevoir de nouvelles lumières dans le ciel. Et notre galaxie, notre Voie lactée, deviendra de plus en plus riche d'étoiles.

Mais il y a le mystère des *nébuleuses* – des nuages lumineux, à l'intérieur desquels on ne distingue pas d'étoiles, ou très peu.

S'agit-il de nuages de poussières brillantes, ou de quelques étoiles, aux confins de notre Voie lactée ?

Ou s'agit-il de galaxies très lointaines, pareilles à la nôtre ?

À la fin du XVIIIe siècle, l'astronome William Herschel – qui a découvert Uranus, une planète de notre système solaire invisible à l'œil nu – propose que les nébuleuses, comme Andromède, sont d'immenses galaxies, dont nous ne distinguons pas les étoiles à cause de leur distance.

À la même période, le philosophe Emmanuel Kant considère lui aussi qu'il s'agit de galaxies, qu'il appelle des *univers-îles*. Notre galaxie ne serait que l'une de ces innombrables *îles* dans l'immense océan d'un univers qui s'étendrait très loin au-delà de la Voie lactée.

Il est beaucoup plus naturel et raisonnable, écrit Kant, *de considérer qu'une nébuleuse n'est pas un soleil unique et solitaire, mais un système constitué de nombreux soleils.*

Mais si chaque nébuleuse est, à elle seule, une Voie lactée, les nébuleuses doivent être très lointaines pour qu'on ne voie pas les myriades d'étoiles qui les composent.

Les nébuleuses sont soit de la poussière d'étoiles, à la périphérie de la Voie lactée.

Soit d'autres galaxies, très loin de la nôtre.

Dans le premier cas, comme on le pensait depuis Aristote, les frontières de l'Univers se confondent avec les frontières de notre Voie lactée.

Dans le cas contraire, les dimensions de l'Univers sont sans commune mesure avec les dimensions de notre Voie lactée.

Il y a seulement cent ans, au début du XXᵉ siècle, l'Univers était considéré comme un lieu calme et paisible, pas plus vaste que notre propre galaxie, la Voie lactée.

Bientôt, pourtant, un changement radical allait bouleverser cette vision.

Au début du XXᵉ siècle, poursuit l'Académie royale de Suède, *l'astronome américaine Henrietta Swan Leavitt découvre un moyen de mesurer les distances qui nous séparent des étoiles lointaines.*

À cette époque, on interdisait aux femmes astronomes l'accès aux grands télescopes.

Elles étaient souvent cantonnées à la tâche fastidieuse d'analyse des plaques photographiques.

Henrietta Swan Leavitt a commencé à travailler à l'observatoire de l'université Harvard en 1893, à l'âge de vingt-cinq ans.

L'observatoire d'Harvard abrite l'un des plus grands télescopes de l'époque. L'addition au télescope de plaques photographiques a permis non seulement de garder une trace matérielle des observations – ce qui donne un caractère reproductible et comparable aux données recueillies à différentes périodes – mais aussi, en raison de la sensibilité des plaques photographiques quand elles sont exposées sur des temps longs, de révéler l'existence de points lumineux qui ne sont pas visibles aux astronomes qui observent directement le ciel à travers le télescope.

Une nouvelle lumière émerge de l'obscurité de la nuit.

Et le ciel se peuple d'étoiles que l'œil humain ne peut percevoir.

Les plaques photographiques sont étudiées en négatif. Les étoiles, dans la nuit, se détachent comme des points noirs sur un fond de ciel nocturne blanc.

Un grand observatoire doit être organisé minutieusement et administré comme une compagnie de chemin de fer, écrit le directeur de l'observatoire d'Harvard, l'astronome Edward Pickering.

On peut effectuer de grandes économies si on emploie des personnes non qualifiées, et pour cette raison peu payées, à condition, bien sûr, de les superviser attentivement.

Et ces *personnes non qualifiées et peu payées* seront des femmes.

Pickering emploiera d'abord la gouvernante qui s'occupe de son domicile, puis deux autres femmes sans qualification particulière.

Henrietta Leavitt, elle, est diplômée de l'université Radcliffe, une annexe de l'université Harvard réservée à l'éducation des femmes.

Elle veut devenir astronome.

Mais la seule activité à laquelle elle pourra accéder sera celle de *computer* – de calculatrice – qui consiste à noter sur les plaques photographiques la position et la luminosité des étoiles et à établir leurs coordonnées dans le ciel.

Pickering confie à Henrietta Leavitt la tâche d'observer les *étoiles* dites *variables*.

Leur particularité est d'avoir une luminosité qui oscille, par pulsations, avec une fréquence, une période régulière.

Leur luminosité passe, à intervalles réguliers, par un maximum et un minimum.

Leur cycle de luminosité bat le temps, toujours au même rythme, comme une horloge céleste.

Il y a des étoiles *variables* à période courtes, de l'ordre d'un à quelques jours. D'autres à période plus longue, d'une à quelques semaines. D'autres à périodes plus longues encore, d'un à plusieurs mois.

Ces étoiles *variables*, pulsatiles, ont été nommées des *céphéides*, parce que la première a été découverte, en 1784, dans la constellation de Céphée. Mais toutes les étoiles variables ne sont pas des *céphéides*.

Henrietta Leavitt étudie des milliers de points lumineux sur les plaques photographiques de l'observatoire de Harvard.

Elle identifie les étoiles variables de la manière suivante.

Elle dépose une plaque photo, où les étoiles apparaissent comme des points blancs sur fond noir, sur une autre plaque photo, en négatif, de la même portion de ciel, prise lors de nuits différentes – une plaque en négatif où les étoiles apparaissent comme des points noirs sur fond blanc. Puis elle regarde en transparence les deux plaques superposées.

Si les points blancs – sur la plaque photo – et les points noirs – sur la plaque photo en négatif – sont de même taille, ils se superposent et s'annulent, et l'ensemble des deux plaques superposées devient gris.

Cela signifie que la luminosité des étoiles n'a pas varié au cours du temps.

Il n'y a donc pas d'étoile *variable* sur les photos de cette portion du ciel.

En revanche, si un halo blanc ou noir apparaît autour d'un point, c'est qu'il y a, dans cette portion du ciel, une étoile variable.

L'observatoire de l'université Harvard a établi une station au Pérou – l'observatoire d'Arequipa – pour observer les étoiles dans le ciel de l'hémisphère Sud.

Et dans le ciel de l'hémisphère Sud, il y a, bien visibles, deux petites nébuleuses proches de la Voie lactée.

Elles ont été décrites pour la première fois au Xe siècle de notre ère par l'astronome persan Abd Al-Rahman Al Soufi, dans son traité d'astronomie, *Le livre des étoiles fixes*.

Au début du XVIe siècle, l'explorateur Americo Vespucci, qui a donné son nom au continent des Amériques, les décrit à nouveau.

Mais on leur donnera le nom de Magellan, qui les a observées durant son long voyage à travers les mers, qui lui fait faire le tour complet de la Terre, entre 1519 et 1522.

Des nuages blancs, lumineux, dira Magellan. Et on les nommera le petit Nuage et le grand Nuage de Magellan.

La nouvelle mission de Henrietta Leavitt est de rechercher des étoiles variables dans les plaques photographiques qui parviennent à Harvard de l'antenne péruvienne d'Arequipa. En 1904, elle découvre des dizaines d'étoiles variables dans le petit nuage de Magellan. Puis *un nombre extraordinaire*, dit-elle.

En 1908, elle publie un article d'une vingtaine de pages dans les *Annales de l'Observatoire astronomique de l'université Harvard*.

Le titre de l'article est : *1 777 Étoiles* variables *dans les Nuages de Magellan*.

Parmi ces 1 777 *variables*, elle en présente seize, dont elle a noté, pour chacune, à la fois le rythme régulier – la période – des oscillations régulières de leur luminosité, et l'intensité maximale de leur luminosité au cours de ces oscillations.

Et elle écrit : *Cela vaut la peine de noter que les étoiles variables les plus lumineuses ont la période la plus longue.*

Que veut-elle indiquer par cette phrase sibylline ?

Elle donnera la réponse, quatre ans plus tard, sous une forme claire.

Henrietta Leavitt est de santé fragile. Elle sera atteinte d'une surdité progressive. Et durant toute sa carrière, ses maladies, fréquentes, l'obligeront à des absences répétées de plusieurs années.

Après son article de 1908, elle retombe malade.

Puis elle reprend son travail.

Et en 1912, ses nouveaux résultats sont publiés dans un article signé du seul nom de son directeur, Edward Pickering, mais avec la mention : *les conclusions suivantes, concernant les périodes de vingt-cinq étoiles* variables *du petit Nuage de Magellan ont été établies par Miss Leavitt.*

Dans cette publication, Henrietta Leavitt a disposé les résultats de ses observations concernant ces vingt-cinq étoiles variables sur un graphe, avec en abscisse la période des oscillations de leur luminosité – la durée de leurs oscillations régulières – et en ordonnée l'intensité moyenne de leur luminosité – la moyenne entre leur luminosité maximale et minimale au cours de ces oscillations.

Et elle écrit :

Une relation remarquable entre la luminosité de ces étoiles variables et la longueur de leur période sera notée. Et comme ces étoiles variables sont probablement à la même distance de la Terre, leurs périodes sont apparemment associées à leur véritable émission de lumière.

Ce que conclut Henrietta Leavitt, c'est que, comme toutes ces étoiles variables sont localisées à un même endroit – dans le petit Nuage de Magellan – elles sont probablement toutes à peu près à la même distance de la Terre. Celles qui sont plus lumineuses ne le sont donc pas parce qu'elles seraient plus proches de nous, et celles qui sont moins lumineuses ne le sont pas parce qu'elles seraient plus éloignées de nous.

Les différences de luminosité moyenne entre ces vingt-cinq étoiles variables reflètent donc bien une différence réelle d'émission de lumière.

Et Leavitt révèle que plus une étoile variable émet une quantité importante de lumière et plus le rythme de ses oscillations régulières est lent, plus sa période est longue, plus son clignotement est lent.

Ce que propose Leavitt, c'est un nouvel instrument de mesure des dimensions de l'Univers, partout où l'on peut voir ou photographier des étoiles *variables*.

Il suffit, dit Leavitt, de mesurer la période de pulsation de la luminosité de l'étoile pour pouvoir en déduire sa luminosité réelle, la quantité réelle de lumière qu'elle émet.

Et il suffit alors de comparer cette luminosité réelle, calculée à partir de sa période, à la luminosité apparente de l'étoile, celle qui nous parvient lorsqu'on la photographie à travers un télescope, pour en déduire la distance qui nous sépare de cette étoile *variable*.

Si cette étoile nous apparaît comme moins lumineuse qu'une étoile qui oscille au même rythme – et qui émet donc la même quantité réelle de lumière – c'est qu'elle est plus loin de nous que le petit Nuage de Magellan.

Et on peut quantifier, mesurer cet éloignement, dit Leavitt. Parce que, en voyageant à travers l'espace, et en se dispersant dans l'espace, la lumière qui nous parvient d'une étoile diminue en intensité. Et que l'intensité de lumière qui nous parvient est inversement proportionnelle au carré de la distance que la lumière a parcourue.

Tout du moins si l'on ne tient pas compte de la courbure de l'espace-temps, une notion encore inconnue à l'époque – Einstein venait tout juste de publier son premier article suggérant l'existence d'une déviation du trajet de la lumière sous l'influence de la gravitation.

Mais revenons à Henrietta Leavitt. Ce qu'elle suggère, c'est que si une étoile *variable*, découverte quelque part dans le ciel, nous paraît quatre fois moins lumineuse qu'une étoile *variable* qui oscille avec la même période – et émet donc la même quantité réelle de lumière – située dans le petit Nuage de Magellan, cela signifie que l'étoile *variable* découverte est deux fois plus éloignée de nous que le petit Nuage de Magellan.

Si une étoile *variable*, découverte quelque part dans le ciel, nous paraît neuf fois moins lumineuse qu'une étoile *variable* qui oscille avec la même période – et émet donc la même quantité réelle de lumière – et qui est située dans le petit Nuage de Magellan, cela signifie que l'étoile *variable* découverte est trois fois plus éloignée de nous que le petit Nuage de Magellan...

Et ainsi, le rythme des pulsations de lumière d'une étoile *variable* nous révèle la distance qui nous sépare d'elle.

Le rythme des pulsations de lumière d'une étoile *variable* – le battement du temps – nous révèle l'intensité réelle de sa flamme.

Et la comparaison entre l'intensité réelle de sa flamme, et l'intensité apparente que nous percevons – la quantité de lumière qui est parvenue jusqu'à nous – nous révèle la distance qui nous sépare de l'étoile.

Il faut espérer, aussi, avait conclu Henrietta Leavitt, *que la distance de certaines [au moins] des étoiles variables pourra être mesurée.*

Il restait en effet à mesurer la distance réelle qui nous sépare des nébuleuses de Magellan – du petit et du grand Nuage de Magellan.

Et à transformer alors ces distances relatives – quatre fois plus éloignées de nous que le petit Nuage de Magellan, neuf fois plus éloignées de nous que le petit Nuage de Magellan – en distances réelles.

Il fallait mesurer la distance réelle, par rapport à la Terre, d'au moins l'une de ces étoiles *variables* qui clignotaient dans la nuit – d'au moins l'une de ces étoiles dont la flamme oscillait régulièrement dans la nuit.

Et toutes les mesures de distances relatives pourraient alors être converties en distances absolues, réelles, par rapport à la Terre.

Un an seulement après la publication d'Henrietta Leavitt, l'astronome danois Ejnar Hertzsprung mesurera la distance qui nous sépare de plusieurs étoiles *variables* situées dans la Voie lactée, puis la distance qui nous sépare du petit Nuage de Magellan. Mais il fera une erreur importante de mesure.

Aujourd'hui, nous connaissons l'étendue de notre galaxie, la Voie lactée.

Elle a un diamètre que la lumière met cent mille ans à parcourir.

Un diamètre d'une longueur de cent mille années-lumière.

Et aujourd'hui, nous savons que le petit Nuage de Magellan – cette petite nébuleuse, qu'on avait longtemps crue faite de poussière d'étoiles, à la périphérie de la Voie lactée – est situé à sept cent mille années-lumière de notre planète.

Au-delà des frontières de notre Voie lactée.

À partir de ces chandelles clignotant dans la nuit qu'Henrietta Leavitt avait découvertes dans le petit Nuage de Magellan, les astronomes commenceront à arpenter le ciel, de plus en plus loin de notre Voie lactée, mesurant les distances de galaxies de plus en plus lointaines, dans lesquelles clignotent d'autres *céphéides*, d'autres étoiles variables dont la lumière peut être perçue par les télescopes.

Une chandelle standard fiable était née, dit l'Académie royale de Suède, *une première marque sur l'étalon de mesure cosmique qui est toujours utilisée aujourd'hui.*

Et en utilisant les céphéides, les astronomes allaient bientôt conclure que la Voie lactée n'était que l'une des très nombreuses galaxies dans l'Univers.

Henrietta Leavitt meurt en 1921, à l'âge de cinquante-trois ans.

On donnera son nom à un cratère de la Lune. Et à un astéroïde, l'astéroïde 5383.

Mais elle demeurera méconnue.

En 1925, quatre ans après la mort d'Henrietta Leavitt, l'astronome Edwin Hubble présente une communication devant un congrès de l'*American Society of Astronomy*.

Sa communication est intitulée : *Des étoiles céphéides dans les nébuleuses en spirales*. On peut mesurer la distance qui nous sépare de toutes les nébuleuses dans lesquelles on peut distinguer les pulsations de lumière émises par une étoile variable.

Et ces mesures révèlent que ces nébuleuses sont très lointaines, et que leur taille est gigantesque. Ce sont des galaxies.

Andromède, une nébuleuse visible à l'œil nu dans l'hémisphère Nord, est une galaxie distante de plus de deux millions d'années lumière de notre Voie lactée.

Sa lumière que nous percevons aujourd'hui a été émise il y a plus de deux millions d'années.

L'Univers, soudain, devient immense.

La lumière qui nous parvient de ses confins, à travers la nuit, peut avoir voyagé durant des millions d'années. Des centaines de millions d'années.

L'Univers a-t-il des frontières ? Et si oui lesquelles ?

L'année 1925. C'est l'année du célèbre procès de John Thomas Scopes dans l'État du Tennessee.

Il sera condamné parce qu'il a enseigné à ses élèves, au lycée, la théorie darwinienne de l'évolution du vivant.

Le vivant, dit la loi dans l'État du Tennessee, n'a pas évolué. Tous les êtres vivants non humains, et les êtres humains, ont été, comme le dit *La Genèse*, créés sous leur forme actuelle.

Mais c'est aussi durant ces années que, dans le même pays, aux États-Unis, Edwin Hubble commence à confirmer expérimentalement une théorie que le mathématicien russe Alexandre Friedmann et le physicien et prêtre belge Georges Lemaître ont proposée, de manière indépendante : l'Univers, lui-même, a évolué.

L'Univers est en train d'évoluer. Il est en expansion.

De quoi s'agit-il ?

La lumière qui nous parvient des galaxies, et de leurs étoiles, ne nous apporte pas seulement un témoignage de leur présence passée, et une indication sur leur distance. Elle nous apporte aussi d'autres données. Sur la composition atomique de ces étoiles, et sur les réactions qui ont lieu dans leurs fournaises. Et sur leurs mouvements par rapport à notre planète, par rapport à notre galaxie.

Quand la fréquence – la période, le rythme – des oscillations d'une onde sonore est élevée, nous percevons un son aigu. Quand elle est lente, nous percevons un son grave. Pour la lumière, quand la fréquence – la période, le rythme – des oscillations d'une onde lumineuse est élevée, nous percevons une couleur bleue. Quand elle est lente, nous percevons une couleur rouge.

Le physicien autrichien Christian Doppler avait découvert au XIXe siècle ce qu'on a depuis appelé l'*effet Doppler*. Quand la source d'une onde sonore de fréquence donnée se déplace vers nous, nous percevons sa fréquence comme plus rapide : le son nous paraît plus aigu. Quand la source de cette onde sonore s'éloigne de nous, nous percevons sa fréquence comme plus lente : le son nous paraît plus grave. Nous avons tous vécu cette impression.

Une voiture de pompiers s'approche de nous, et sa sirène nous semble de plus en plus aiguë. Puis la voiture nous dépasse et s'éloigne de nous, et la sirène nous semble de moins en moins aiguë, de plus en plus grave.

Le même effet se produit avec la lumière, avec les ondes lumineuses.

Si la source d'une onde lumineuse de fréquence donnée se déplace vers nous, sa fréquence semble s'accélérer, et la lumière bleuit.

Si la source d'une onde lumineuse s'éloigne de nous, sa fréquence semble ralentir, et la lumière rougit.

Hubble et ses collègues explorent la longueur d'onde de la lumière qui nous parvient des galaxies.

Et, en 1927, après avoir repris les premières mesures réalisées une dizaine d'années plus tôt par l'astronome Vesto Slipher, ils confirment, à l'aide de leurs propres mesures, que la quasi-totalité des galaxies sont en train de s'éloigner de nous.

De nous fuir.

L'Univers est en train de s'étendre. Il est en expansion.

Comment plonger plus loin encore le regard à travers l'espace et à travers le temps, vers ces sources de lumière qui s'enfuient dans la nuit ? Comment mesurer les confins d'un univers qui ne cesse, de toutes parts, de s'éloigner de nous ?

Après les étoiles variables, les céphéides – les chandelles clignotantes d'Henrietta Leavitt – d'autres chandelles beaucoup plus brillantes vont commencer à être utilisées pour baliser l'étendue de l'Univers – les supernovas. Certaines supernovas – dites de type 1a – semblent émettre, où qu'elles soient, la même quantité réelle de lumière. Comme les étoiles variables, mais une quantité beaucoup plus importante de lumière. Et comme les étoiles variables, leur luminosité apparente, celle qui nous parvient, nous permet de déduire la distance qui les sépare de nous.

La première description d'une supernova avait été publiée il y a plus de quatre cents ans, par un astronome danois, Tycho Brahe, qui observait à l'œil nu les objets célestes, dans les deux observatoires qu'il avait fait construire sur l'île de Hven, dans les environs de Copenhague – Uraniborg, le Palais des Cieux, et Stjerneborg, le Palais des Étoiles.

En 1573, Tycho Brahe publie *De Stella Nova – À propos d'une étoile nouvelle*.

Il a observé, l'année précédente, l'apparition d'un nouvel objet brillant dans le ciel – la naissance d'une étoile nouvelle. Mais il ne pouvait savoir ce qu'était cette étoile nouvelle qu'il avait vue apparaître, cette *stella nova* qu'on a appelée, en son honneur, la *nova de Tycho*.

C'était non pas la naissance d'une étoile, mais la mort d'une étoile. L'explosion d'une supernova, un événement qui se produit en moyenne une fois tous les cent à deux cents ans dans chaque galaxie.

Et cette extraordinaire explosion de lumière qui parvenait aux yeux de Tycho Brahe constituait le chant du cygne d'une étoile située à l'intérieur de notre Voie lactée, une étoile distante de la Terre d'environ sept mille cinq cents années-lumière.

L'explosion qu'il voyait n'était pas seulement lointaine.

Elle était aussi ancienne. La lumière avait mis sept mille cinq cents ans à lui parvenir.

Mais pour Tycho Brahe, cette notion même n'avait aucun sens. Ce n'est qu'un siècle plus tard, en 1676, qu'un autre astronome danois, Ole Christensen Rømer, proposera que la lumière se déplace à travers l'espace à une vitesse finie. Que la lumière, comme les planètes – *planêtês*, littéralement *errantes, vagabondes* – que la lumière elle aussi est *vagabonde, errante*, à travers le ciel.

L'estimation de la vitesse de la lumière que fera Rømer correspond à l'équivalent de 220 000 kilomètres par seconde, une valeur très proche de la vitesse réelle de la lumière – près de 300 000 kilomètres par seconde.

Et ainsi, Rømer révélera que la lumière n'est pas instantanément visible au moment où elle est émise, mais qu'elle voyage, et qu'elle met d'autant plus de temps à nous parvenir que sa source est loin de nous. Que voir loin dans l'espace, c'est voir loin dans le passé.

Et ainsi, sans le savoir, en plongeant son regard loin dans l'espace, Tycho Brahe voyageait à travers le temps.

Et ce qu'il croyait voir apparaître était en train de disparaître.

En 1998, les deux équipes de physiciens, dont les animateurs seront distingués, en 2011, par le prix Nobel de physique, découvriront, en étudiant ces chandelles célestes éphémères, extraordinairement lumineuses – les explosions des supernovas – que l'expansion de l'univers va en s'accélérant.

Et ainsi, les arpenteurs du ciel, lancés dans l'aventure de la mesure des dimensions d'un Univers qu'ils ont longtemps cru limité aux étoiles de notre Voie lactée, déchiffreront progressivement les mystères des voyages de la lumière à travers l'espace et à travers le temps, et découvriront un Univers étrange, immense, en évolution, en expansion depuis environ quatorze milliards d'années – et dont l'expansion ne cesse de s'accélérer depuis environ sept milliards d'années.

J'appelle nuit la lumière dépensée dans l'espace qui se perd avant d'arriver jusqu'aux hommes, dit Pascal Quignard.

Que le ciel nocturne soit obscur est obscur. [...]
Le ciel nocturne est nocturne faute de temps.

La lumière depuis la formation des premières étoiles dans l'espace ne cesse de ne pas avoir le temps de parvenir jusqu'aux yeux des animaux qui les voient.
Ténèbre est cette lenteur de l'espace. (Lenteur non pas à rayonner : lenteur à percevoir l'immensité qui rayonne.) [...]
Nuit n'est qu'une lumière infinie.

Toute lumière se propageant dans l'espace avec une vitesse finie est infiniment inaccessible. [...]
Telle est la nuit noire dans le ciel.
Le ciel baigne dans une lumière inaccessible.

CONTEMPLER LE SEUL AÏEUL...

Je levais les yeux.
Contempler le ciel, qui n'est pas vivant, pour tout ce qui
est vivant, c'est contempler le seul aïeul.

Pascal Quignard.

Aujourd'hui, l'observatoire de l'Université Harvard – où
Henrietta Leavitt avait découvert les premières chandelles
célestes qui allaient permettre d'arpenter le ciel au-delà des
frontières de la Voie lactée – l'un des plus grands observatoires du monde, lors de sa mise en route en 1847, n'est plus
en activité.
Il a été remplacé par d'autres observatoires géants.
D'abord en Californie, l'observatoire du Mont Wilson, où
travaillera l'astronome Edwin Hubble, qui établira, pour
la première fois, la preuve de l'expansion de l'Univers,
en analysant la longueur d'onde de la lumière – le rou-
geoiement de la lumière – qui nous parvient des galaxies.
Et aujourd'hui, les observatoires géants de Mauna Kéa, à
Hawaï, et de Cerro Tololo, au Chili, d'une puissance et
d'une capacité d'analyse sans aucune commune mesure
avec les observatoires du passé.
Ce ne sont plus des femmes *computers* qui étudient les
plaques photographiques, une à une, mais des ordinateurs
qui analysent les ondes lumineuses et électromagnétiques

qui nous arrivent de l'espace le plus lointain. De notre passé le plus lointain.

Ces observatoires géants ont été construits dans des régions inhabitées, de plus en plus haut, au sommet des montagnes, pour être plus près du ciel, et plus loin des lumières artificielles des villes et des poussières de la pollution.
Les plus grands télescopes du monde ont été construits, depuis le milieu des années 1960, dans les montagnes d'un désert. Au nord du Chili.
Le désert d'Atacama.

Le désert d'Atacama est le lieu le plus sec de notre planète. Des dizaines d'années peuvent s'écouler sans qu'il pleuve. Le ciel est pur de toute interférence de vapeurs d'eau.

C'est à partir des observations réalisées par le Very Large Telescope et le radiotélescope APEX, dans les montagnes du désert d'Atacama, que les astronomes ont pour la première fois confirmé l'existence d'un trou noir super-massif au centre de la Voie lactée.
Il est situé à une distance d'environ vingt-sept mille années-lumière de notre Soleil.

Les étoiles qui scintillent aux confins de notre Voie lactée, comme notre Soleil, tournent autour de ce trou noir.
À une très grande vitesse. La plupart des étoiles qui composent notre galaxie tournent autour du trou noir à une vitesse d'environ cent kilomètres par seconde – environ trois cent soixante mille kilomètres par heure.
Et certaines – qu'on a appelées des étoiles *hypervéloces* – accomplissent leur orbite en voyageant encore plus vite, dix fois plus vite, à la vitesse d'environ mille kilomètres par seconde – plus de trois millions de kilomètres par heure.

Les trous noirs, comme leur nom l'indique, sont invisibles – ils n'émettent pas de rayonnements.

Mais ce sont leurs effets d'attraction sur les objets célestes qui orbitent à leur proximité qui permettent d'en déduire, indirectement, la présence.

Et durant l'automne 2008, ces deux très puissants télescopes détecteront pour la première fois des indices indirects de la présence et de la localisation précise du trou noir qui occupe le centre de notre Voie lactée.

D'une part, une jeune étoile est identifiée, qui accomplit, en seize ans seulement, un tour complet autour de cette masse invisible. Décrivant ainsi, comme le contour d'une cible, cette masse obscure qui l'attire et la met en orbite autour d'elle.

Et d'autre part, de violents éclairs infrarouges sont détectés à proximité de ce lieu. Il semble s'agir de nuages de gaz émis par des étoiles proches, des nuages de gaz qui ont commencé à entrer en orbite autour du trou noir, et qui se déchirent au moment où ils y sont attirés, avant de s'y engouffrer et d'y disparaître.

Et ainsi, notre Terre, dont la surface tourne à une vitesse d'environ mille cinq cents kilomètres à l'heure autour de son axe, et à une vitesse d'environ cent mille kilomètres à l'heure autour du Soleil, est emportée par le Soleil, à une vitesse de probablement huit cent mille kilomètres à l'heure, dans une course folle autour d'un trou noir au centre de notre galaxie.

C'est sur les hauts plateaux de Chajnantor, à cinq mille mètres d'altitude, dans le désert d'Atacama, que le premier Télescope global – ALMA – a récemment vu le jour.

Soixante-six antennes receveuses, qui ressemblent à des soucoupes tournées vers le ciel, ont été disposées de manière à combiner les différentes ondes qu'elles reçoivent de l'espace pour reconstituer des images globales de l'Univers d'un extraordinaire degré de résolution.

En octobre 2011, les seize premières antennes sont entrées en activité.

Ce télescope ne détecte pas seulement la lumière qui nous parvient des lointains objets célestes chauds et brillants – les galaxies, leurs étoiles, les explosions de leurs supernovas, et les nuages de gaz lumineux où naissent les étoiles.

Il détecte aussi le spectre des ondes électromagnétiques, entre les ondes infrarouges et les micro-ondes, qui sont émises par des objets célestes extrêmement froids – d'une température entre 10 et 50 kelvins, proches du zéro absolu – le zéro absolu correspondant à une température de près de -273° Celsius.

Les régions les plus froides et les plus obscures de l'Univers, à distance des étoiles.

Les observatoires géants du désert d'Atacama explorent la naissance des étoiles. La naissance des planètes dans l'environnement de jeunes étoiles. La composition chimique des disques de gaz et de poussière qui entourent ces jeunes étoiles.

Ils recherchent aussi, à travers l'espace, la présence possible de molécules organiques – les molécules à partir desquelles s'est formée la vie.

Des acides aminés, qui auraient pu se former dans l'espace interstellaire, puis pleuvoir sur notre toute jeune Terre lors des premiers grands bombardements de météorites, ou être apportés par des comètes.

Sur notre jeune Terre, et peut-être – qui sait ? – sur d'autres planètes de notre système solaire, ou sur des exoplanètes, dont on a, depuis quelques années, identifié des centaines, qui gravitent, dans d'autres galaxies, autour d'étoiles plus ou moins semblables à notre Soleil.

Les matériaux de base de la vie voyagent-ils dans l'espace ? La vie est-elle née ailleurs dans l'espace ? Nous est-elle parvenue d'ailleurs ? Du ciel ?

Des formes résistantes de vie originelle, peut-être semblables à des bactéries, sous leur forme de spores – l'équivalent de graines, dans lesquelles la vie est temporairement suspendue – auraient-elles pu voyager à travers le ciel et ensemencer notre planète il y a trois milliards et demi à quatre milliards d'années ?

C'est l'une des théories sur l'origine de la vie, proposée notamment par Francis Crick, le co-découvreur avec James Watson, il y a plus d'un demi-siècle, de la structure en double hélice de l'ADN – l'acide désoxyribonucléique, le support moléculaire de l'hérédité.

La vie pourrait-elle être née loin de nous dans l'espace ? Et nous être parvenue d'ailleurs ?

Si nous ne pouvons pas remonter à travers le temps pour observer le moment où la vie a émergé sur Terre, il y a d'autres façons d'explorer cette question.

L'une consiste à rechercher d'éventuelles traces de vie présentes ou fossilisées dans l'espace, sur des planètes lointaines, dans le système solaire et au-delà.

L'autre consiste à rechercher des traces de vie extraterrestre sur notre planète. Rechercher si des formes simples de vie – ou des formes de vie fossilisées, des fossiles de micro-organismes, des fossiles de l'équivalent de bactéries – pourraient être présentes sur certains des cailloux extraterrestres, des météorites qui s'écrasent chaque année sur notre planète, et qui se sont écrasés sur la Terre depuis sa naissance.

La quasi-totalité des météorites qui tombent sur la Terre sont des fragments d'astéroïdes, des vagabonds du ciel de la taille d'une montagne et parfois d'un pays, qui ont émergé au tout début du système solaire, avant même la formation de notre planète. Et qui depuis voyagent, pour la plupart, à l'intérieur de la ceinture d'astéroïdes, entre Mars et Jupiter.

Parmi les météorites qui ont été découvertes sur Terre, une infime minorité nous vient, non pas des astéroïdes, mais de la Lune, ou de la planète Mars. C'est le cas d'une météorite devenue célèbre – la météorite ALH 84001.

Il y a seize ans, le 16 août 1996. Le président des États-Unis convoque la presse pour faire une déclaration.

Aujourd'hui, dit Bill Clinton, *à travers des milliards de kilomètres et des millions d'années, la roche ALH 84001 nous parle.*

Elle nous parle de la possibilité de vie.

Si cette découverte est confirmée, elle constituera probablement l'une des révélations les plus stupéfiantes sur notre univers que la science ait jamais produite.

Les implications d'une telle découverte sont aussi considérables et aussi impressionnantes qu'on peut l'imaginer.

Cette déclaration faisait suite à la publication, le même jour, dans la revue *Science*, d'une étude réalisée par une équipe de chercheurs des États-Unis et du Canada.

Le titre de l'article était : *La recherche d'une vie ancienne sur la planète Mars : Une relique possible d'une activité biologique dans la météorite martienne ALH 84001.*

La météorite ALH 84001 avait été découverte douze ans plus tôt par une expédition de chercheurs, dans l'Antarctique, dans les Allan Hills, les Collines d'Allan – d'où son nom ALH.

Elle se serait détachée de la planète Mars il y a seize millions d'années, lors d'une collision avec un astéroïde ou une comète. Et ce morceau de la planète Mars semble avoir vagabondé pendant seize millions d'années à travers le système solaire, avant de s'écraser sur Terre, il y a treize mille ans.

La météorite, de près de deux kilos, sera découverte treize mille ans plus tard, en 1984.

Encore douze ans, et en 1996 est publiée la découverte – à la surface et à l'intérieur de la météorite – de microscopiques structures en formes de globules et de bâtonnets, constitués de carbonates, avec la présence de composés organiques.

Ces minuscules globules et bâtonnets, disent les chercheurs, pourraient avoir été produits par des micro-organismes qui ont vécu, il y a longtemps, sur Mars.

Voire être des fossiles de minuscules bactéries – mais d'une taille cinq à dix fois plus réduite que les plus petites bactéries connues sur Terre.

Et la conclusion de leur publication dans *Science* est la suivante :

Aucune des caractéristiques que nous avons décrites ne permet, à elle seule, de conclure à l'existence d'une vie passée sur Mars.

Il y a une explication alternative – une origine non orga-nique, purement minérale – pour chacune de ces caractéris-tiques, quand elles sont prises en compte individuellement.
En revanche, quand on prend en compte ces caractéristiques dans leur ensemble, notre conclusion est qu'elles constituent des preuves en faveur de l'existence de formes de vie primitive sur la planète Mars, quand elle était plus jeune.

Une forme de vie a-t-elle pu exister sur Mars ? Une forme de vie dont la roche ALH 84001 aurait, il y a seize millions d'années, emporté les vestiges, les fossiles, dans ses errances à travers l'espace et le temps, avant de s'écraser sur notre Terre ?

Depuis plus de quinze ans, après de nombreuses recherches, aucune preuve n'a été apportée en faveur de l'hypothèse que les globules et bâtonnets de carbonate découverts sur la météorite ALH 84001 seraient des fossiles de micro-orga-nismes martiens, ou des traces d'une activité ancienne de micro-organismes martiens.

D'une manière plus générale, aucune preuve de vie extra-terrestre, et aucune preuve de l'existence de fossiles de vie extraterrestre n'ont été à ce jour identifiées sur aucune météorite ni sur aucun astéroïde tombé sur notre planète. Ni sur aucune planète, astéroïde ou comète que les sondes spatiales ont pu examiner. Les recherches se poursuivent.

Et huit ans après les robots *Spirit* et *Opportunity*, le 6 août 2012, après un voyage de plus de huit mois à travers l'espace, le robot *Curiosity* s'est à son tour posé sur le sol de la planète Mars.

À la recherche de molécules organiques, de traces de vie ancienne, qui pourraient remonter aux premiers temps de formation de Mars, une époque où il est possible qu'il y ait eu de l'eau sur la planète rouge.

Mais l'étude des météorites qui pleuvent sur notre planète peut conduire à d'autres découvertes surprenantes.

Durant la nuit du 27 juin 1931, un bruit de détonation et une lueur intense sont observés dans le ciel, au-dessus du désert, en Tunisie, près du village de Tataouine.
Une météorite vient de se désintégrer en entrant dans l'atmosphère, et des centaines de fragments se dispersent sur le sol sur une surface de moins d'un kilomètre carré.
Le jour même de la chute, un grand nombre de ces cailloux extraterrestres sont recueillis, et envoyés à Paris, au Muséum national d'Histoire naturelle.

Soixante-trois ans s'écouleront.
Et en 1994, une équipe de chercheurs français part dans le désert de Tataouine pour recueillir d'autres fragments de la même météorite, dans le but de comparer ces fragments fraîchement collectés aux fragments conservés à Paris depuis 1931.
Leurs résultats sont publiés en 1998 dans la revue *Science* – deux ans après la publication, dans la même revue, des résultats de l'analyse de la météorite ALH 84001 et des conclusions étonnantes qu'en avaient tirées les chercheurs qui l'avaient réalisée.

L'étude des fragments de la météorite Tataouine prélevés en 1994 révèle la présence de carbonates, avec de minuscules structures en forme de bâtonnets, qui ressemblent à des fossiles de bactéries – mais de taille de cinq à dix fois plus réduite que les plus petites bactéries connues sur Terre.

Le même type de structures mystérieuses que celles qui avaient été décrites sur la météorite martienne ALH 84001.

Mais ces carbonates et ces structures en bâtonnets sont absents des fragments de la météorite Tataouine qui avaient été prélevés le jour même de sa chute sur Terre, le 27 juin 1931.

Ils n'ont donc pas été apportés sur la Terre à partir de l'espace – ils sont d'origine terrestre.

Ceci démontre que les météorites peuvent acquérir des minéraux terrestres en un temps très court, concluent les auteurs de l'article.

Mais qu'en était-il des structures en bâtonnets ? S'agissait-il de formations minérales ? Ou pouvait-il s'agir de minuscules bactéries ?

L'article ne concluait pas.

Mais ce qu'il impliquait à l'évidence, c'est que, s'il s'agissait de bactéries, il ne pouvait s'agir de bactéries extraterrestres, ou de fossiles de bactéries extraterrestres.

Deux ans passeront.

Et en 2000, la même équipe de chercheurs réussit à isoler – à partir des grains de sable collés sur un fragment de la météorite Tataouine recueillie en 1994 – une minuscule bactérie vivante.

Encore trois ans, et la même bactérie, vivante, est isolée à distance de la météorite, dans les sables du désert de Tataouine. Elle appartient à une famille de bactéries terrestres jusque-là inconnue, et sera nommée *ramlibacter tataouinensis*.

La vie est cette exubérante colonisation du moindre fragment, de la moindre fissure, dit Pascal Quignard.

La minuscule bactérie terrestre du désert de Tataouine avait colonisé le vagabond du ciel.

Et c'était l'étude d'une météorite tombée du ciel qui révélait l'existence, sur Terre, d'une famille de bactéries jusque-là inconnue.

Encore huit ans.

Et en septembre 2011, un article était publié par plusieurs équipes de chercheurs français. Il décrivait les particularités étonnantes du mode de vie de cette toute petite bactérie du désert.

La bactérie a une forme de petite sphère. Elle est protégée par une paroi épaisse, qui lui permet de résister aux agressions des rayons ultraviolets, à la chaleur et au dessèchement.

Ces formes sphériques ressemblent à des spores.

Mais contrairement aux spores des autres familles de bactéries – qui sont dormantes, comme des graines, se maintenant dans un état de vie suspendue, jusqu'à ce que l'environnement redevienne plus favorable – contrairement aux spores, les petites sphères de *ramlibacter tataouinensis* sont en pleine activité.

Elles se multiplient, donnant naissance à des bactéries filles. Mais leur armure de protection les empêche de se déplacer. Elles demeurent immobiles sur le sol du désert où elles se reproduisent.

Ces minuscules bactéries peuvent aussi adopter une autre forme.

Elles peuvent se transformer spontanément en bâtonnets, qui sont capables de se déplacer, mais qui sont, en revanche, très sensibles aux rayons ultraviolets et au dessèchement, et qui sont incapables de se reproduire.

Et c'est la nuit – à la périphérie, au pourtour de la colonie – qu'une partie des bactéries sphériques se transforment en bâtonnets. Les bâtonnets quittent alors la colonie, et s'aventurent à distance.

Dès le jour revenu, les bâtonnets se retransforment en bactéries sphériques, résistantes, et immobiles, qui commencent à se reproduire sur leur nouveau territoire.

Et ainsi, de nuit en nuit, la colonie se propage à travers le désert, par cercles concentriques, comme des ronds dans l'eau.

Se déplaçant dans la pénombre.

Et se reproduisant à la lumière.

Et c'est au cours de leurs pérégrinations à travers le désert qu'elles ont, un jour, rencontré et colonisé la météorite Tataouine, tombée du ciel.

Dans sa forme sphérique comme dans sa forme en bâtonnet, la bactérie possède un système particulièrement complexe de perception de la lumière, et de réponse à la lumière.

Elle fabrique six photorécepteurs – six récepteurs différents qui, chacun, répond à la lumière. Deux des photorécepteurs répondent à la lumière rouge et infrarouge, et quatre photorécepteurs répondent à la lumière bleue – la lumière du jour, et particulièrement du début et de la fin du jour, la lumière de l'aube et du crépuscule.

Percevoir ces différentes ondes lumineuses, et y répondre, c'est l'un des mécanismes qui permet à *ramlibacter tataouinensis* de commencer, dès l'aube, à se transformer en sa forme sphérique, à résister ainsi à la lumière, aux rayons ultraviolets et à la chaleur du soleil, et à donner naissance à ses descendants.

Et c'est l'un des mécanismes qui lui permet de commencer, dès le crépuscule, à se transformer en sa forme en bâtonnet, et à voyager dans l'obscurité de la nuit.

L'alternance des jours et des nuits – l'alternance de la lumière et de l'obscurité – bat le rythme des déplacements et des haltes de *ramlibacter tataouinensis* sur le sol du désert.

Mais il y a probablement, chez la petite bactérie des déserts, non seulement une capacité à percevoir la lumière, mais aussi une capacité à mesurer l'écoulement du temps.

Mesurer l'écoulement du jour.
Au long d'une période de vingt-quatre heures.

Il y a un peu plus de quarante ans, en 1971, deux chercheurs américains, Ron Konopka et Seymour Benzer, identifiaient pour la première fois l'un des gènes qui permettent aux êtres vivants de fabriquer, dans chacune de leurs cellules, une horloge biologique. Une horloge biologique interne, qui bat, de manière autonome, au rythme de vingt-quatre heures. Une horloge *circadienne* – *circa* – autour de, au long de, ou encore à peu près – et *dies* – un jour. Une horloge qui continue à battre les jours, même lorsque l'organisme est plongé dans une obscurité permanente. Et qui est remise à l'heure, qui se synchronise à la lumière du Soleil.
Cette découverte avait été faite chez un tout petit animal, la mouche du vinaigre.
Mais les recherches allaient identifier des horloges semblables dans nos cellules, dans les cellules de mammifères, dans les cellules des oiseaux, des poissons, de tous les animaux.

Dans les cellules de toutes les plantes.

Dans des organismes animaux et végétaux unicellulaires.

Et dans certaines bactéries.

Parmi toutes les horloges circadiennes qui ont été identifiées dans le monde vivant, la plus simple a été découverte chez les *cyanobactéries* – des bactéries qui, comme les plantes, produisent leur énergie en réalisant la photosynthèse.

Contrairement aux horloges circadiennes plus complexes qui battent les jours dans nos cellules, et dans les cellules des animaux et des plantes, l'horloge de la cyanobactérie repose sur les interactions entre seulement trois molécules, trois protéines – qui ont été appelées *KaiA, KaiB,* et *KaiC* – fabriquées à partir de seulement trois de ses gènes. En 2005, ces trois protéines ont été isolées de la cyanobactérie, et placées dans un tube à essai.

Et là, en présence d'une source d'énergie biologique, ces trois protéines peuvent continuer à interagir et à battre le temps, jour après jour, au rythme de 24 heures, même si le tube est placé dans l'obscurité complète.

L'horloge fonctionne, oscillant régulièrement en dehors de la cellule qui l'a fait naître.

Parmi ces trois protéines qui composent l'horloge circadienne des cyanobactéries, *KaiC* semble être la plus ancestrale. Elle est fabriquée par de nombreuses autres bactéries, en l'absence de *KaiA* et *KaiB*.

Et des travaux récents suggèrent que la protéine *KaiC*, à elle seule, peut permettre la construction, non pas d'une horloge biologique autonome – mais de l'équivalent d'un *sablier* biologique.

Un sablier qui s'écoule pendant vingt-quatre heures – et qui doit ensuite être retourné, remis en route, le jour suivant, par la lumière.

À la différence d'une horloge biologique autonome, qui oscille régulièrement avec une période de vingt-quatre heures, un sablier biologique s'arrêtera de fonctionner au bout de vingt-quatre heures si la bactérie est plongée dans une obscurité permanente.

En d'autres termes, contrairement à une horloge, un sablier ne bat pas les jours – il indique l'écoulement du temps pendant une durée de seulement vingt-quatre heures.

La présence de *KaiC* dans la bactérie *ramlibacter tataouinensis* suggère qu'elle possède un tel sablier.

Et ce sablier lui permettrait, avant même la fin de la nuit, avant même les premières lueurs de l'aube, de répondre à la venue prochaine du jour et de se protéger de la lumière et de la chaleur.

Et jour après jour, c'est la lumière du Soleil qui retournerait, qui remettrait en marche, pour vingt-quatre heures, ce sablier qui permet à la minuscule bactérie de se préparer à la venue et au départ de la lumière.

Dans les sables des déserts.

Dans ces régions arides, qui constituent près d'un tiers de la surface des sols sur notre planète, se développent des formes de vie étranges, ancestrales, que nous connaissons si mal et qui nous renvoient au passé lointain du vivant.

Et au-dessus.

Au-dessus des sables des déserts. Se déploient les lumières qui parcourent le ciel, et que captent les télescopes des observatoires géants.

À travers les immenses étendues de l'espace.
À travers les immenses étendues de notre passé le plus lointain.
Longtemps avant la naissance de notre Soleil.

Et quand tu n'es pas là...

Et quand tu n'es pas là
Je rêve que je dors – je rêve que je rêve
Je te cherche par-delà l'attente
Par-delà moi-même
Et je ne sais plus – tant je t'aime
Lequel de nous deux est absent.

Paul Éluard.

Au-dessus des sables des déserts se déploient les lumières qui parcourent le ciel, et que captent les télescopes des observatoires géants. À travers les immenses étendues de l'espace. À travers les immenses étendues de notre passé le plus lointain. Longtemps avant la naissance de notre Soleil.

Les observatoires géants des hauts plateaux du nord du Chili. À cinq mille mètres d'altitude.
Dans le désert d'Atacama.

Notre planète humide, notre planète bleue, vue du ciel, n'a à sa surface qu'une seule tache de couleur brune, un lieu dépourvu du moindre degré d'humidité.
C'est l'immense désert d'Atacama, enveloppé de poussières d'étoiles.
Les scientifiques du monde entier ont construit ici les plus grands télescopes de la Terre. La science s'est éprise du ciel du Chili.

C'est un extrait d'un des films les plus beaux et les plus bouleversants que j'aie vus, un film de Patricio Guzman – *Nostalgie de la lumière*.

Il s'agit de découvrir l'origine de l'humanité, dit Gaspar Galaz, l'un des astronomes chiliens qui travaillent à l'observatoire de Cerro Tololo – sur les hauts plateaux du désert d'Atacama.

Il s'agit de découvrir l'origine de l'humanité, l'origine de notre planète, l'origine de notre système solaire. D'où nous venons. C'est une question essentielle...

Visuellement stupéfiant, le film Nostalgie de la lumière *réussit à saisir la désolation du désert et la beauté de la Voie lactée qui voyage au-dessus du ciel chilien*, écrit Salman Hameed dans la revue *Science*.

Le sentiment d'évasion, procuré par les vastes échelles de temps astronomique, et la connaissance que nous avons d'être tous faits de poussière d'étoiles. Un essai poétique centré sur l'expérience humaine, et la perspective, plus vaste encore, qu'apporte la science.

Nostalgie de la lumière *n'est pas seulement le chef-d'œuvre de Patricio Guzman*, écrit Jacques Mandelbaum dans le journal *Le Monde*. *C'est l'un des plus beaux essais cinématographiques qu'on ait vus depuis longtemps.*

Un sommet de poésie.

Dans le désert d'Atacama, il n'y a pas seulement des astronomes, qui lèvent les yeux et interrogent le ciel sur nos origines.

Il y a aussi, depuis des dizaines d'années, des archéologues qui baissent les yeux et interrogent les sols sur notre histoire.

L'extrême sécheresse du désert a permis la préservation des traces laissées par d'anciennes civilisations amérindiennes qui datent de la période précolombienne.

De splendides peintures et gravures précolombiennes sur les roches, et des corps momifiés, avec leurs parures et leurs armes, sur la terre sèche et craquelée et sur le sable.

Les momies peintes à l'ocre rouge, du peuple Chinchorro, à l'extrême nord du Chili, et au sud du Pérou, dont certaines dateraient d'il y a sept mille ans, sont probablement les plus anciennes qui aient été découvertes à ce jour, plus anciennes que les momies de l'Égypte des pharaons.

Et il y a, dans le désert d'Atacama, comme dans le désert de Nazca, au sud du Pérou, des géoglyphes, ces grands dessins réalisés en posant des cailloux sur le sol, ou au contraire, en retirant les pierres rouges qui jonchent le sol, et en découvrant le sol gris blanc qu'elles recouvrent.

Le plus grand est *El Gigante de Atacama – Le Géant d'Atacama –* sur les pentes du Cerro Unida, un immense dessin, de près de quatre-vingts mètres de long, représentant une figure humaine avec un visage de félin, et qui daterait de la fin du premier millénaire de notre ère.

Il y a plus de vingt autres géoglyphes sur le flanc de cette montagne, et plus de quatre cents, non loin de là, sur les pentes du Cerro Pintados.

Nostalgie de la lumière *est une méditation sur le temps et la mémoire*, écrit Salman Hameed.

Nostalgie.

Plus vaste est le temps que nous avons laissé derrière nous dit Milan Kundera*, [et] plus irrésistible est la voix qui nous invite au retour.*

La maison natale que chacun porte en soi ; le sentier redé-
couvert où sont restés gravés les pas perdus de l'enfance ;
Ulysse qui revoit son île après des années d'errance ; le retour,
le retour, la grande magie du retour.
Le retour, en grec, se dit nostos. Algos *signifie souffrance.*
La nostalgie est donc la souffrance causée par le désir inas-
souvi de retourner. [...]

Añoranza, *disent les Espagnols ;* saudade, *disent les Portugais.*
[...] Les Tchèques, à côté du mot nostalgie pris du grec, ont
pour cette notion leur propre substantif, stesk, *et leur propre*
verbe ; la phrase d'amour tchèque la plus émouvante : stýská
se mi po tobě *: j'ai la nostalgie de toi ; je ne peux supporter*
la douleur de ton absence. En espagnol, añoranza *vient du*
verbe añorar *(avoir de la nostalgie) qui vient du catalan*
enyorar, *dérivé, lui, du mot latin* ignorare *(ignorer). Sous*
cet éclairage étymologique, la nostalgie apparaît comme la
souffrance de l'ignorance. Tu es loin, et je ne sais pas ce que
tu deviens.

Tu es loin.

Nostalgie de la lumière parle de cette souffrance.

Un film lent et poétique, écrit Allison Abbott dans la revue
Nature.
Un film lent et poétique qui contemple des questions existen-
tielles – d'où nous venons, où nous allons, et comment nous
arrivons à vivre avec les souffrances du présent.

J'aimerais que les télescopes ne regardent pas seulement le
ciel, dit une femme à Patricio Guzman, *j'aimerais que*
les télescopes regardent à travers la Terre, pour pouvoir les
retrouver.
Depuis plus de trente ans, jour après jour, à l'ombre des
observatoires géants, des femmes marchent sur les plaques

de terre craquelées et les sables du désert et creusent les sols, à la recherche des restes de leurs bien-aimés disparus.

Et quand tu n'es pas là, dit Éluard,

Et quand tu n'es pas là
Je rêve que je dors – je rêve que je rêve
Je te cherche par-delà l'attente
Par-delà moi-même
Et je ne sais plus – tant je t'aime
Lequel de nous deux est absent.

Ceux qui ont de la mémoire peuvent vivre dans le fragile temps présent, dit Patricio Guzman. *Ceux qui n'ont pas de mémoire ne vivent nulle part.*

Une fin d'été.
Un 11 septembre.
Il y a trente-neuf ans.
Le 11 septembre 1973.

L'armée renverse le régime démocratique de Salvador Allende, et Augusto Pinochet installe la dictature militaire au Chili.
La dictature durera dix-huit ans.
Plus de trois mille opposants politiques seront assassinés.
Trente-cinq mille seront torturés.
Un million de citoyens chiliens partiront en exil, dont le cinéaste Patricio Guzman, qui s'est installé à Paris, comme le cinéaste Raoul Ruiz, qui est mort en 2011.
Parmi les huit cents prisons secrètes de la dictature, il y a des camps construits dans le désert d'Atacama.
Et depuis la fin des années 1980, des archéologues enseignent aux femmes de Calama, les femmes de la ville de Calama, comment reconnaître, à partir de la disposition

des cailloux et des grains de sable sur le sol, les endroits où les corps qu'elles recherchent pourraient être enterrés.

Ce qui a été perdu, dit Michael Ondaatje,

Ce qui a été perdu.
Le poème d'amour intérieur
les niveaux plus profonds du soi
des paysages de la vie quotidienne

des dates auxquelles l'abandon
de certains principes eut lieu.

L'art de se peindre les yeux.
Les gestes des amants.
Les limites de la trahison.
Neuf mouvements des doigts et des yeux
pour signaler des émotions essentielles.

Des chants qui s'élevaient – de l'amour – dans les airs.

La cause principale de mort – fut les « exécutions extra-judiciaires » – et les « meurtres pour l'exemple. »

Nos archéologues creusaient le sol
vers les corps disparus.

Enterrés est un poème qui évoque les disparus des massacres de la guerre civile dans le pays natal de Michael Ondaatje, le Sri-Lanka.
Au Sri-Lanka, comme au Chili, comme dans beaucoup d'autres régions du monde, ce sont les archéologues qui aident à retrouver les disparus. Qui creusent vers le passé. Qui aident la mémoire à faire son deuil.

C'est le mot de Toukârâm, dit Quignard. *J'ai souffert des maux effrayants. J'ignore ce que me réserve encore mon passé.*

160

Combien le temps est long avant que la mémoire remonte à la lumière. Dans cette nuit qui enveloppe les proches des victimes dans le silence.

La douleur du retour.
La douleur du retour d'un monde à jamais disparu.

Nostalgie de la lumière.

En 2008, dit Patricio Guzman, les astronomes confirment l'existence d'un trou noir, au centre de notre galaxie, au centre de la Voie lactée.
Un trou noir qui traverse chaque nuit le ciel au-dessus du désert d'Atacama.

La société comprend mieux les astronomes dans leur quête du passé, dit Gaspar Galaz,
La société comprend mieux les astronomes dans leur quête du passé qu'elle ne comprend ces femmes à la recherche d'un passé qu'elles ne peuvent retrouver, à la recherche de ce qui reste de leurs bien-aimés.
Et pourtant nous, les astronomes, notre quête ne trouble pas notre sommeil. Nous pouvons dormir en paix, chaque nuit consacrée à observer le passé.

Lautaro Núñez est un archéologue qui a suivi, pendant des dizaines d'années, les traces des anciennes civilisations qui ont parcouru le désert d'Atacama.
Aujourd'hui, il aide les femmes à chercher leurs disparus.
Il dit que la mémoire de notre histoire récente, tragique et douloureuse, est beaucoup plus cachée, beaucoup plus lente à émerger à la lumière, que la mémoire de notre histoire ancienne.

Les faits les plus obscurs de nos peuples, disait le poète chilien Pablo Neruda,
Les faits les plus obscurs de nos peuples doivent être brandis en pleine lumière.

Dans Nostalgie de la lumière, écrit Allison Abbott dans la revue *Nature, il y a aussi Luis, qui a passé des années dans l'un des camps de concentration dans le désert, où un autre prisonnier politique lui a enseigné l'astronomie. Aujourd'hui, regarder les étoiles l'aide à ne pas oublier cette période de sa vie.*
Il y a Miguel, un architecte, qui a survécu à cinq de ces camps. Il les a dessinés de mémoire quand il est redevenu libre, pour que personne ne puisse jamais nier leur existence. Vers la fin de la dictature, les soldats de Pinochet ont creusé des fosses communes dans le désert et jeté des corps dans la mer.

Le film accompagne deux des veuves, Victoria et Violetta, qui parlent de manière bouleversante de leur recherche sans fin.

Et il y a Valentina. Dont la mère et le père font partie des disparus.

Valentina a été élevée, enfant, par ses grands-parents. Elle dit qu'ils lui ont donné la force et le désir d'aller de l'avant, d'écrire sa propre histoire, pas seulement sous le signe de la souffrance, mais aussi sous le signe de la joie.
Ils lui ont aussi appris à observer le ciel nocturne.
Et elle est devenue astronome.

Comprendre l'univers infini, dit Valentina, *m'a permis de trouver une forme de sérénité.*
Je me dis que tout fait partie d'un cycle qui n'a pas commencé avec moi, et ne se terminera pas avec moi, ni avec mes parents, ni avec mes enfants.

Nous faisons tous partie d'un courant, d'une énergie, d'une matière qui renaît sans cesse sous d'autres formes. C'est le cas des étoiles, de la mort des étoiles, dont naissent d'autres étoiles, d'autres planètes – une vie nouvelle.

Quand je pense à cela, je me dis que ce qui est arrivé à mes parents, et leur absence, prend une autre dimension. Un autre sens.

Et me libère un peu de cette grande souffrance, parce que je me dis que rien ne se termine jamais, tout continue toujours.

De l'image tremblante de cette jeune orpheline, écrit Mandelbaum dans *Le Monde,*

De l'image tremblante de cette jeune orpheline, avec son bébé dans ses bras, on tient la beauté ultime du film – tirer d'une histoire inhumaine la force de chercher encore – et donc d'espérer encore.

Il aura fallu à Patricio Guzman quarante ans de mémoire à vif et de souffrance intime pour aboutir à cette œuvre d'une sérénité cosmique, d'une lumineuse intelligence, et d'une sensibilité à fendre les pierres.

À un tel niveau, le film devient davantage qu'un film – un chant stellaire pour les morts – une leçon de vie.

J'ai soif du retour
vers ce ciel – vers ce ciel si clair,
dit le poète chinois Dài Wàngshū

J'ai soif du retour
vers ce ciel – vers ce ciel si clair.
Là, je peux dormir tranquille – là je peux et vivre et disparaître
Comme rit et pleure en silence
un enfant dans le sein de sa mère.

IV

Un éclair dans la nuit

Ces temps, et ces mondes, nous les avons faits nôtres.
Parce que nous les avons rêvés, ressentis, pensés. Réinventés.
Parce que nous les avons fait vivre, en nous, en les vivant.
Parce que, même quand nous les imaginons vides de notre
présence, nous y sommes encore, présents, à les imaginer.

Parce que nous ne savons pas – parce que nous ne pouvons
vraiment savoir – ce qu'est le temps et ce qu'est le monde
quand nous ne sommes pas en train de les inventer.

Les oreilles produisent les sons, dit la poétesse et romancière
canadienne Margaret Atwood,

les oreilles produisent les sons,	*ce que j'ai entendu je l'ai créé moi-même (voix qui inventaient, répétaient des histoires, des coutumes usées*
la bouche produit des mots,	*j'ai dit que je m'étais créée moi-même, et ces cadres, virgules, calendriers qui me contiennent*
les mains produisent des objets,	*le monde qui naît du toucher ; cette tasse, ce village étaient-ils là avant mes doigts*
les yeux produisent de la lumière,	*le ciel s'élance vers moi : que le coucher de soleil soit*

Ou du moins c'est ce que je pensais étendue dans le lit
pendant que j'étais regrettée
[j'ai] ajouté : Que vont-ils faire maintenant
que je, que tout
ce qui dépend de moi disparaît ?
Où sera Belleville ?

      Kingston ?

      (les champs
      que j'avais entre les deux, le lac
      les bateaux
            toro N T O

Qui sait ce que devient le monde, ce que devient le temps,
quand nous nous en retirons ?

La pensée consciente n'a duré et ne durera qu'un moment,
dit Henri Poincaré.
La pensée n'est qu'un éclair au milieu d'une longue nuit.
Mais c'est cet éclair qui est tout.

V

AU PAYS DE LA MÉMOIRE ET DE L'OUBLI

Qui veut se souvenir doit se confier à l'oubli, à ce risque qu'est l'oubli absolu, et à ce beau hasard que devient alors le souvenir.

Maurice Blanchot.

TOUT CE PASSÉ QUE JE NE SAVAIS PAS
QUE JE PORTAIS EN MOI...

> J'avais le vertige de voir au-dessous de moi, en moi
> pourtant, comme si j'avais des lieues de hauteur,
> tant d'années.
>
> Marcel Proust.

Être vivant, c'est être fait de mémoire, dit Philip Roth.

Nous sommes faits de mémoire.

De l'empreinte qui demeure en nous de ce qui a disparu.

Et une partie de cette empreinte remonte à la nuit des temps.

Il y a plus d'un siècle et demi, la révolution darwinienne nous a révélé que nous partageons avec l'ensemble du monde vivant une généalogie commune. Et ce qui nous sépare des autres espèces vivantes est une succession de variations sur cela même qui nous relie à elles – la parenté. Ce qui nous sépare des autres espèces vivantes, ce sont des degrés d'éloignement sur le thème de la parenté.

Nous sommes les parents des oiseaux et des arbres, des papillons et des fleurs. Et pour comprendre l'extraordinaire diversité des êtres vivants qui nous entourent, et la place que nous occupons dans cette immense diversité, il nous faut plonger dans un lointain passé disparu, le reconstituer, le faire ré-émerger, le réinventer.

Nous portons en nous, dans notre corps, d'innombrables traces de l'immense succession des ancêtres qui nous ont donné naissance. Et certaines de ces traces, nous les partageons avec tous les êtres vivants qui nous entourent aujourd'hui.

Mais cette mémoire ancienne est aussi la mémoire des innombrables empreintes qu'ont inscrites en nous les métamorphoses qui nous ont peu à peu éloignés de nos ancêtres, et de tous les autres membres, proches ou lointains, de cette grande famille du vivant à laquelle nous appartenons.

Depuis ses origines, il y a trois milliards et demi à quatre milliards d'années, l'univers vivant n'a cessé de se transformer. De se réinventer. Sous des formes toujours nouvelles.

Et la merveilleuse histoire du très long voyage du vivant à travers le temps est une histoire faite à la fois d'innombrables extinctions, et d'innombrables naissances, d'innombrables variations faisant continuellement émerger, à partir de ce qui précède, la nouveauté et la diversité.
Une histoire faite de retours aux origines et de départs vers l'inconnu.
De fidélité et de séparation.
De continuité et de discontinuités.
De conservation et de ruptures.
De mémoire et d'oubli.

Puis un jour, ce que nous appelons l'esprit a émergé dans le corps de certains de nos lointains ancêtres.
[La question de savoir] de quelle manière les capacités mentales se sont développées à l'origine dans les organismes

les plus simples est une interrogation aussi vaine que de se demander comment la vie elle-même est apparue à l'origine, écrivait Darwin dans *La Généalogie de l'homme. Ce sont là des problèmes pour un lointain futur, si tant est qu'ils soient jamais résolus par l'homme.*

Mais quelle qu'ait été son origine, une fois que la conscience apparaît, chez certains êtres vivants, il y a probablement plusieurs centaines de millions d'années, la mémoire change de nature.

La mémoire, désormais, n'est plus uniquement ce passé légué par nos ancêtres, inscrit en nous, dont nous ne savions rien, avant que la recherche scientifique n'ait commencé à nous en révéler des pans entiers.

La mémoire devient soudain un pouvoir nouveau – ce pouvoir étrange de convoquer en nous, consciemment, le passé.

De le faire revivre.

De nous y replonger, ou de le faire resurgir.

De le revivre.

Ces *années passées non séparées de nous* qui remontent à notre conscience, et dans lesquelles se plonge Proust au long d'*À la recherche du temps perdu.*

Et dans *Le Temps retrouvé* :

Ce bruit de pas de mes parents [...], ce tintement [...] de la petite sonnette [...], je les entendis encore, je les entendis eux-mêmes, eux situés pourtant si loin dans le passé. [...]

Pour tâcher de l'entendre de plus près, c'est en moi-même que j'étais obligé de redescendre. C'est donc que ce tintement y était toujours, et aussi, entre lui et l'instant présent tout ce passé indéfiniment déroulé que je ne savais pas que je portais. [...]

La date à laquelle j'entendais le bruit de la sonnette du jardin de Combray, si distant et pourtant intérieur, était un point de repère dans cette dimension énorme que je ne savais pas avoir.

J'avais le vertige de voir au-dessous de moi, en moi pourtant, comme si j'avais des lieues de hauteur, tant d'années.

Le passé n'est pas mort, dit William Faulkner
Le passé n'est pas mort – il n'est pas même passé.

Parce qu'il continue à vivre en nous.

Parce que nous sommes ce qu'il est devenu.

Et pourtant il nous *est* à jamais *une terre étrangère*, dit Leslie Poles Hartley.

Parce qu'il nous a changés.

Parce que nos souvenirs sont à la fois l'empreinte, en nous, de ce que nous avons vécu, et la modification que cette empreinte a provoquée.

Parce que ce que nous avons vécu, ce que nous avons appris nous a changés.

Au plus profond de nous.

Au moment même où nous commençons à inscrire dans notre mémoire une trace de ce que nous avons vécu, certains des réseaux de cellules nerveuses qui composent notre cerveau se transforment en inscrivant en nous ce souvenir. Et ainsi, de manière apparemment paradoxale, c'est notre capacité même à devenir autre, à nous transformer, sans même le ressentir, à mesure que nous vivons des expériences nouvelles, qui nous permet de nous souvenir de ce que nous avons vécu.

Ce qui ne nous transforme pas ne nous laisse pas de souvenir. Et pour cette raison, de manière apparemment étrange, si nous sommes capables de nous souvenir de ce que nous avons vécu, c'est parce que nous ne sommes plus les mêmes que lorsque nous l'avons vécu.

C'est parce que nous sommes devenus *autres*.

Je est un autre, disait Rimbaud.

Toute mémoire, tout souvenir, est la preuve vivante que *je* deviens constamment *autre*. Que *nous* devenons constamment *autres*.

Nous sommes faits de mémoire et d'oubli. Et cette part d'oubli – cet oubli partiel de nos transformations permanentes – joue probablement un rôle important dans la préservation, tout au long de notre existence, de notre sentiment d'identité et de continuité.

Les réseaux de cellules nerveuses qui nous permettent aujourd'hui de reconnaître sans étonnement notre visage dans le miroir ont changé de manière subtile – s'adaptant progressivement aux modifications que le passage du temps a causées, dit Antonio Damasio.

Si nous savons que c'est notre visage – que c'est de nous qu'il s'agit –, c'est parce que nous avons en partie, confusément, oublié que notre visage a changé.

Tout souvenir qui émerge à notre conscience émerge d'une reconstruction.

Se souvenir implique, au niveau cérébral, une réelle opération de recomposition, à partir de la mobilisation de traces multiples, discrètes, morcelées, réparties dans de nombreux réseaux de cellules nerveuses dispersés à travers différentes régions de notre cerveau.

Et ainsi la mémoire est non seulement la preuve vivante que *je* deviens continuellement *autre*, mais aussi que ce *je* émerge en permanence d'un *nous*.

Notre mémoire s'inscrit en nous sous forme de fragments, de parcelles, répartis dans des territoires distants.

Et certaines de ces parcelles de mémoire peuvent parfois resurgir par bribes – faisant apparaître des morceaux isolés de notre lointain passé :

Je me souviens..., dit Georges Perec,
Je me souviens du houla-hoop.
Je me souviens du grand orchestre de Ray Ventura.
Je me souviens du rouge à lèvres « Baiser », « le rouge qui permet le baiser ».
Je me souviens de « la pile Wonder ne s'use que si l'on s'en sert ».
Je me souviens de :
« I wander lonely as a cloud
When all at once I see a crowd
A – ? – of golden daffodils. »
Je me souviens quand j'étais louveteau, mais j'ai oublié le nom de ma patrouille.
Je me souviens de :
« Petit Papa, c'est aujourd'hui ta fête
Maman m'a dit que tu n'étais pas là.
J'avais des fleurs pour couronner ta tête... »
(j'ai oublié la suite).

Mais le plus souvent notre mémoire fait ré-émerger dans le présent un pan entier de notre passé, nous donnant l'impression de revivre l'expérience comme un tout, avec son contexte, son sens, la signification que nous lui attribuons.

Et le plus souvent, aussi, notre mémoire nous restitue, intacte, une autre dimension essentielle des expériences que nous avons vécues – l'écoulement du temps du présent vers le futur. Nous ne revivons pas nos souvenirs comme un fragment d'un passé, disparu, perdu au loin, mais comme un recommencement.

Il y a un texte ancien qui restitue, dans sa langue originelle, cette sensation de l'étrange persistance dans le passé du jaillissement de l'avenir.
C'est au début de la Bible.
Dans la Genèse.
Le verset est habituellement traduit ainsi de l'hébreu :
Et Dieu dit : « Que la lumière soit. » Et la lumière fut.

L'événement est ancré dans le passé.

Mais ce n'est pas le cas dans la langue originelle du texte.
La traduction littérale de ce verset serait plus proche de :
Et dira Dieu : « Sera lumière. » Et sera lumière.

L'événement continue à se projeter dans le futur.
Un futur qui est déjà, depuis longtemps, advenu. Mais dont le récit garde toujours vivant le surgissement.

Dans notre mémoire, la source est toujours présente. Ce qui a été recommence à émerger.
Mais nous savons aussi que l'avenir s'est déjà accompli.
Et c'est dans ce temps étrange de la langue française – le futur antérieur – que notre mémoire semble nous parler.

Notre mémoire...
Combien de formes différentes de mémoires peuvent coexister en nous ?

Mémoriser, inscrire et reconstruire en nous nos souvenirs, est un processus dynamique, fluide, et mouvant.
Il y a la mémoire à court terme qui dure très peu de temps, comme une simple extension, une brève dilatation du

présent – le souvenir d'un numéro de téléphone que nous retenons durant quelques secondes, ou quelques minutes, puis qui s'efface de notre mémoire consciente.

Et il y a une forme de mémoire plus durable, la mémoire à long terme, qui se consolide de manière progressive pendant des jours, des semaines, des années, et peut persister très longtemps, parfois durant toute notre vie.

Mais quels sont les mécanismes qui nous permettent d'inscrire en nous des souvenirs ? Et comment la mémoire à court terme se transforme-t-elle en mémoire durable ?

En 1939, un garçon de dix ans quitte Vienne avec son grand frère, fuyant l'antisémitisme de l'Autriche nazie, et embarque pour les États-Unis.

Une dizaine d'années plus tard, il a commencé des études d'histoire à l'université Harvard. Il essaie de comprendre le passé, il interroge l'histoire, la mémoire des peuples.
Comment émergent la haine, l'exclusion, le racisme, les guerres, les génocides ?
Si l'on comprend le passé, pense-t-il, on peut peut-être transformer l'avenir, éviter que le passé ne se répète.
Et il décide qu'il sera historien.

Puis il rencontre des psychanalystes qui ont connu Freud à Vienne, la ville de son enfance.
Et son intérêt pour l'histoire se transforme en intérêt pour la mémoire individuelle.
Où et comment s'inscrivent en nous les souvenirs ?
Et il décide qu'il sera psychanalyste.

Pour devenir psychanalyste, à cette époque, aux États-Unis, il faut être psychiatre, médecin.

Et il décide de commencer des études de médecine.

Puis, vers la fin de ses études de médecine, il se passionne pour la neurobiologie.

Ce n'est pas la psychanalyse, pense-t-il, ce n'est pas l'analyse des souvenirs subjectifs qui peut révéler les secrets de l'inscription en nous des souvenirs. C'est l'étude du cerveau.

Et il décide de devenir neurobiologiste.

À la fin des années 1950, des travaux indiquent qu'une petite région située dans les profondeurs de notre cerveau – une petite région qui a la forme d'un petit cheval des mers, l'hippocampe – est indispensable à la mémorisation, à l'inscription, en nous, des souvenirs qui deviendront durables.

Et il commence à étudier l'hippocampe.

Puis il se dit que le cerveau humain, avec ses cent milliards de cellules nerveuses, et ses millions de milliards de connexions entre les cellules nerveuses – il se dit que le cerveau humain, et même le cerveau de la souris – sont beaucoup trop complexes pour permettre de découvrir les mécanismes fondamentaux impliqués dans la mémoire.

Il est convaincu qu'il faudrait un modèle plus simple pour poser le problème et espérer pouvoir le résoudre expérimentalement.

Et comme souvent, en biologie, ce que l'on considère comme un modèle plus simple, c'est un de nos très lointains parents, un être vivant dont les ancêtres se sont depuis longtemps séparés des nôtres, et ont suivi des chemins divergents au long de l'évolution.

Eric Kandel choisira un animal dont les derniers ancêtres communs aux nôtres vivaient probablement il y a plusieurs centaines de millions d'années : un mollusque, l'*aplysie*, qu'on appelle aussi la limace de mer, ou le lièvre de mer.

Le lièvre de mer a une trentaine de centimètres de long et une particularité : le nombre de ses cellules nerveuses est très réduit par rapport au nombre des nôtres – une vingtaine de milliers au lieu d'une centaine de milliards – et certaines de ces cellules nerveuses sont géantes, d'une taille de plus d'un millimètre, et sont donc observables à l'œil nu.

Mais les mécanismes qui sous-tendent la merveilleuse richesse et l'extraordinaire complexité de la mémoire humaine pourraient-ils être aussi présents chez un mollusque ?

La question que pose Kandel est la suivante :

Le lièvre de mer est-il capable d'apprendre, et de se souvenir de ce qu'il a appris ? Et si oui, ses cellules nerveuses se modifient-elles pendant qu'il inscrit en lui cet apprentissage ?

Il y avait deux grands types d'apprentissages qui avaient été découverts et explorés au début du XXᵉ siècle.

Le premier, l'apprentissage non associatif, avait été décrit par le psychiatre américain Edmond Thorndike. Il s'agissait de ce qu'on appelle la *sensibilisation* – un animal apprend à amplifier sa réaction à une stimulation particulière –, et de ce qu'on appelle *l'habituation*, qui est l'inverse de la *sensibilisation* – un animal apprend à ignorer une stimulation qui, initialement, entraînait une réaction de sa part.

C'est *l'habituation* qui fait que, lorsque nous entendons des bruits répétés qui nous ont tout d'abord fait sursauter, nous finissons par ne plus y accorder aucune attention, jusqu'à ne plus en être conscients. C'est un mécanisme important d'adaptation à notre environnement familier, et au fonctionnement habituel de notre corps – par exemple, tant qu'ils ne se modifient pas soudainement, nous ne sommes pas conscients des battements de notre cœur.

La seconde catégorie d'apprentissage avait été décrite par le physiologiste russe Ivan Pavlov, et appelée apprentissage conditionné, ou conditionnement, ou encore apprentissage associatif : des chiens apprennent à réagir en salivant au bruit d'une sonnerie, à condition qu'elle ait été auparavant associée, de façon répétée, à l'apport de nourriture.

Mais qu'en est-il de l'aplysie – le lièvre de mer ?

Le lièvre de mer est capable de nombreuses réponses à des stimulations particulières : des réactions de fuite, une rétraction de certains organes lorsqu'on le touche, un jet d'encre s'il perçoit un danger...

Et ces comportements peuvent être modifiés par des apprentissages.

Certaines modifications sont de courte durée – c'est l'équivalent d'une mémoire à court terme –, d'autres sont très durables – c'est l'équivalent d'une mémoire à long terme.

Les différentes formes d'apprentissage qui avaient été découvertes par Thorndike et Pavlov – la sensibilisation, l'habituation et l'apprentissage conditionné – opéraient chez le lièvre de mer. Et ces apprentissages entraînaient, suivant qu'ils étaient peu répétés ou très souvent répétés, une modification transitoire ou durable du comportement en réponse à la même situation, c'est-à-dire une mémoire à court terme ou une mémoire à long terme.

Et Eric Kandel découvrira les mécanismes cellulaires et moléculaires qui sous-tendent ces deux formes différentes de mémoire chez le lièvre de mer.

Il découvrira que la mémoire à court terme est due à un simple renforcement, transitoire, des connexions – des synapses – entre certaines cellules nerveuses.

Quant à la mémoire à long terme, elle est due à des modifications d'une autre nature.

Les cellules nerveuses impliquées dans cette mémorisation modifient leur manière d'utiliser leurs gènes, fabriquant de nouvelles molécules – de nouvelles protéines, de nouvelles enzymes, de nouveaux neuromédiateurs – et établissent de nouvelles connexions avec des cellules voisines. Et ces modifications sont durables.

Ce qui distingue fondamentalement la mémoire à court terme de la mémoire durable, c'est que la première est un renforcement des réseaux de connexions, des circuits de cellules nerveuses préexistants.

Alors que la mémoire durable dépend de la création de nouveaux réseaux, de nouveaux circuits – et de modifications des cellules qui les composent –, une création durable de nouveauté.

Ce qui est vrai pour la bactérie est vrai pour l'éléphant, disait Jacques Monod.

Et Kandel montrera que les mécanismes fondamentaux de mémorisation qu'il avait découverts chez le lièvre de mer opéraient aussi chez les mammifères, et chez nous.

Notre cerveau se modifie – nous nous modifions – à mesure que s'inscrivent en nous nos souvenirs durables.

Et en 2000, Kandel recevra le prix Nobel de physiologie et de médecine pour ses découvertes sur les mécanismes qui permettent l'inscription transitoire, dans notre cerveau, de la mémoire à court terme, et l'inscription durable de la mémoire à long terme.

Mais il y a en nous une dimension de la mémoire qui pouvait difficilement être explorée chez un lièvre de mer... Il y a en nous une forme de mémoire consciente, qu'on appelle mémoire déclarative, explicite, et qui correspond à tous les souvenirs que nous pouvons non seulement convoquer en nous, mais aussi décrire aux autres.

Et cette mémoire consciente, déclarative, a elle-même deux composantes.

D'une part, une mémoire générale, impersonnelle, qu'on appelle la mémoire sémantique, et qui est composée de nos souvenirs des faits, des symboles, de notre connaissance du monde – quel est le nom du pays que nous habitons ? quelle est sa capitale ?

Et d'autre part, un ensemble de souvenirs qui nous restituent nos expériences personnelles, la situation, le contexte – que faisions-nous, où étions-nous au moment où tel événement s'est produit ? – qu'on appelle la mémoire épisodique, la mémoire autobiographique, et qui relie les faits entre eux, et les relie à nous. Qui relie les événements à ce que nous avons vécu, à l'expérience que nous en avons eue, en les inscrivant dans un récit où nous sommes présents, et qui leur donne sens.

En plus de notre mémoire consciente, il y a une forme de mémoire inconsciente, qu'on appelle la mémoire implicite, procédurale, celle qui nous permet d'écrire, de nager, de faire de la bicyclette.

Nous avons inscrit en nous les souvenirs de ces apprentissages, mais ce que nous avons appris, nous le mettons en œuvre de manière automatique, inconsciente, sans y penser. Et nous réalisons d'autant mieux ces performances que nous les réalisons comme des automatismes.

Il y a même des cas où nous avons oublié qu'il y a eu apprentissage.

Notre langue, notre langue maternelle, nous n'avons plus de souvenir de la période où nous l'avons apprise – notre toute première enfance – et nous n'avons plus le souvenir de l'avoir apprise.

Et c'est peut-être parce que nous avons oublié que nous avons dû l'apprendre que nous nous la sommes appropriée au point de croire qu'elle a toujours été la nôtre – notre langue, dans laquelle nous pensons et parlons, et que nous comprenons comme si elle avait toujours fait partie de nous. Comme si elle ne nous avait jamais été étrangère.

L'espace prend la forme de mon regard, dit l'astrophysicien Hubert Reeves.

Toutes les formes de mémoire ont en commun de faire revivre en nous le passé en nous donnant un sentiment intense de familiarité. Et c'est cette sensation de familiarité qui donne à nos souvenirs leur dimension d'authenticité – c'est à *nous* que c'est arrivé, c'est *nous* qui l'avons vécu, c'est de *nous* qu'il s'agit.

Au plus profond de nous est ancrée cette sensation, ce sentiment, cette évidence, cette certitude, sans erreur possible, que c'est de nous qu'il s'agit.

Il y a un passage poignant dans un livre de Tolstoï, que cite Siri Hustvedt dans *La femme qui tremble* quand elle évoque cette sensation. C'est un passage de *La mort d'Ivan Ilitch*.

Dans les profondeurs de son cœur, écrit Tolstoï, *il savait qu'il était en train de mourir, mais non seulement il ne s'habituait pas à cette idée, il ne pouvait tout simplement pas la comprendre. Le syllogisme qu'il avait appris* – Caius est un homme, les hommes sont mortels, donc Caius est mortel – *lui avait toujours paru exact quand il était appliqué à Caius. Mais que signifiait-il s'il fallait se l'appliquer à lui-même ?*

Il n'était pas Caius, il n'était pas une abstraction mais un être différent de tous les autres. Il avait été le petit Vania avec une maman et un papa, avec Mitia et Volodia, avec les jouets et une nurse, et plus tard avec Katinka, et avec toutes les joies, les souffrances, les émerveillements de l'enfance, puis de la jeunesse. Que pouvait savoir Caius de l'odeur de ce ballon rayé en cuir que Vania avait tant aimé ? Est-ce que Caius avait embrassé la main de sa mère de cette façon ? Est-ce que la soie de la robe de sa mère avait crissé de cette manière pour Caius ? Est-ce qu'il avait fait un chahut comme lui à l'école quand les gâteaux étaient mauvais ? Est-ce que Caius avait aimé comme lui ?

Oui, Caius était mortel, mais moi, petit Vania, Ivan Ilitch, avec toutes mes pensées et toutes mes émotions, c'est une autre affaire. Ce n'est pas possible que je doive mourir, ce serait trop horrible.

Cette sensation, cette émotion, ce sentiment, cette évidence, cette certitude, sans erreur possible, de nous appartenir, ce sentiment profond de subjectivité, ce récit vécu à la première personne du singulier auquel aucun autre récit ne peut se substituer, auquel tant de récits peuvent contribuer, sans jamais pouvoir s'y substituer.

Et lorsqu'un souvenir resurgit dans notre conscience, ce n'est pas seulement sous la forme d'un pan de passé disparu : nous nous souvenons aussi des émotions que nous avions alors ressenties – joie, peur, inquiétude, plaisir, étonnement, tristesse, espoir. Et nous les ressentons à nouveau.

Aristote disait qu'il y avait, dans tout souvenir, la dimension de la charge émotionnelle de ce souvenir, écrit Siri Hustvedt. *Le philosophe de l'Antiquité comprenait qu'il n'y a pas de souvenir qui ne soit accompagné d'un affect, d'une émotion.*

Il y a un texte que Charles Darwin a écrit dans sa jeunesse qui évoque cette dimension essentielle de la mémoire, qui, le plus souvent, ne se révèle véritablement que lorsqu'elle vient à nous manquer.

C'est un texte qu'il a écrit durant l'été de l'année 1838.
Le mois d'août 1838.

Il a vingt-neuf ans.

Cela fait moins de deux ans qu'il est revenu de son long voyage autour du monde. De ces cinq années de quasi-solitude en mer, entrecoupées de lectures, de l'écriture de son journal et de nombreuses lettres, d'escales, et de découvertes, à terre, de mondes nouveaux, merveilleux ou terribles.

Il est à Londres. Il sort, rencontre des amis, découvre les discussions animées des dîners en ville. Il lit beaucoup.
Et il a commencé depuis un an à rédiger ses carnets secrets.

Dans ses carnets secrets, qu'il a intitulés *Zoonomia – Les lois de la vie* – il a commencé à élaborer sa théorie des origines et de l'évolution du vivant. Dans un an, il aura terminé.

Et il se taira pendant encore vingt ans.

Sur une page, il a inscrit un mot en portugais : *Cuidado – sois prudent*.

Sur une autre page, sous les mots *Je pense* – il n'est pas encore certain – il a dessiné un arbre avec des branches. *L'arbre de vie*.

Il ne s'agit pas d'un arbre terrestre, mais d'une autre forme d'arbre, plus complexe, à la fois animal et végétal, dont il a étudié et décrit la structure au cours de son voyage.
L'arbre de vie devrait peut-être être nommé le corail de la vie, *parce que la base des branches est morte*, écrit Darwin.
Parce que les espèces vivantes actuelles ont émergé d'espèces aujourd'hui disparues.

Et à l'extrémité de chaque branche, il a tracé une lettre différente, qui désigne une espèce distincte.
C'est l'ébauche du seul dessin qui illustrera, vingt-deux ans plus tard, *De l'Origine des espèces* : un schéma stylisé et abstrait des branches de l'arbre – du buisson touffu – de l'évolution du vivant, qui figure la parenté de tous les êtres vivants, ceux qui nous entourent, et tous ceux qui ont depuis longtemps disparu.

Darwin ne parle pas encore d'évolution des espèces, mais comme Jean-Baptiste Lamarck, de *transmutation des espèces*.
Puis il écrit :

Mais l'être humain – le merveilleux être humain est une exception.

Et, trois lignes plus bas :
Non, l'être humain n'est pas une exception.

Durant ce même mois d'août 1838, Darwin commence un autre carnet secret – le carnet *N* – dans lequel il inscrit, dit-il, ses *interrogations métaphysiques*.

Il part à la recherche des origines de la conscience.

Est-ce qu'un chien a une conscience ? Et qu'est-ce que la conscience ?

Est-ce que l'esprit humain est un produit du corps humain ? Est-ce que l'idée de Dieu est un produit de l'esprit humain ?

Et toujours ce même mois d'août 1838, il entreprend un autre voyage encore à travers le temps.

Non pas à travers ces immenses étendues de temps, qu'il appellera *le long écoulement des âges*, vers les origines du vivant, comme dans le carnet *Zoonomia*, ou vers les origines de la conscience, comme dans le carnet *N*.

Il voyage maintenant à travers des durées infiniment plus brèves : il remonte à contre-courant le cours de sa propre existence.

Il rédige ses souvenirs d'enfance, au long de quelques pages, qu'il nomme *Vie*, et qui se terminent alors qu'il a onze ans.

Vie débute par son souvenir le plus ancien :

Mon premier souvenir – dont je peux donner approximativement la date et qui a dû avoir lieu avant que je sois âgé de quatre ans – était quand j'étais assis sur les genoux de ma sœur Caroline.

Pendant qu'elle était en train d'éplucher une orange pour moi, une vache courut devant la fenêtre, ce qui me fit bondir. Et je reçus une mauvaise entaille, dont je conserve encore aujourd'hui la cicatrice.

De cette scène, je me souviens de l'endroit où j'étais assis, et de la cause de ma frayeur, mais je ne me souviens pas de l'entaille elle-même.

Puis Darwin s'interroge : se souvient-il réellement de ce qu'il a vécu ? Ou croit-il s'en souvenir parce qu'on lui en aurait parlé ?

Je pense que mon souvenir est réel, dit-il.

Je pense que mon souvenir est réel et [qu'il] n'a pas pour origine – comme cela arrive souvent dans de tels cas – d'avoir été entendu et répété si souvent qu'on en a une image tellement vive qu'on ne peut plus la distinguer d'un souvenir réel de l'événement.

[Je pense que mon souvenir est réel] – parce que je me souviens clairement de la direction dans laquelle la vache courait.

Et que c'est un détail qu'on ne m'aurait probablement pas raconté.

Mais, ajoute-t-il, *mon souvenir ici est une image obscure – du fait que je ne me souviens d'aucune douleur –, je suis à peine conscient du fait que ce souvenir* me *concerne.*

Une quarantaine d'années après avoir écrit *Vie*, Darwin, au soir de sa vie, rédigera son *Autobiographie* à l'intention de sa famille.

Il écrit comme s'il était déjà ailleurs. Hors du temps.

Comme si j'étais un homme mort, dans un autre monde, me retournant pour jeter derrière moi un regard sur ma propre vie.

Mais, étrangement, il tait son premier souvenir.

Mon premier souvenir, écrit-il dans son *Autobiographie, ne remonte qu'au moment où j'avais un peu plus de quatre ans, et que nous sommes partis pour nous baigner dans la mer.*

Ce souvenir, qu'il présente dans son *Autobiographie* comme son *premier souvenir*, c'est une allusion au second souvenir qu'il a raconté dans *Vie* : *l'été 1813. – Quand j'étais âgé de quatre ans et demi, je suis allé à la mer et y suis resté quelques semaines.*

Son premier souvenir – cette *image obscure* qu'il a racontée dans *Vie*, quarante ans plus tôt – date d'avant l'âge de quatre ans.

Sa peau a conservé la cicatrice de l'entaille du couteau.

Et *les cicatrices*, dit l'écrivain Cormac McCarthy, *ont le pouvoir étrange de nous rappeler que notre passé est réel.*

Mais Darwin semble troublé, gêné, par cette empreinte qu'a inscrite dans son corps un événement dont il ne parvient pas à ressentir qu'il l'a vécu.

Il semble troublé, gêné d'avoir à se demander si ce qui remonte en lui est un véritable souvenir ou un souvenir reconstruit, inventé.

De ne pas savoir si c'est bien lui qui se souvient de lui, ou bien si sa mémoire s'est approprié ce que d'autres lui ont raconté de ce qu'il lui est arrivé.

Il y a des circonstances où la dimension de *re*-connais-sance – « c'est de cet événement qu'il s'agit » – et la dimension d'authenticité – « c'est bien *nous* qui l'avons vécu » – peuvent être difficiles à associer, parce que le passé est – comme l'a si bien décrit Darwin – profondément enfoui dans les territoires devenus inaccessibles de notre petite enfance.

Mais il y a des circonstances où l'inverse peut se produire. Il y a des circonstances où nous sommes soudain envahis par une sensation d'évidente familiarité, d'évidente authenticité – nous savons, avec certitude, que nous avons déjà connu ce lieu, ce visage, cette odeur, cette musique, et pourtant, nous ne pouvons nous souvenir des circonstances de cet événement – tout simplement parce que c'est la première fois que nous les vivons.

Ce sentiment étrange, et pourtant relativement fréquent, cette sensation de *déjà-vu*, de *déjà-vécu*, où c'est l'impression même de familiarité qui donne son authenticité à ce que nous croyons être un souvenir.

Mais cette sensation étrange peut parfois être la première forme sous laquelle commence à ré-émerger, en nous, un véritable souvenir de ce que nous avons vécu.

Nous venons de percevoir une odeur, un parfum, une saveur, une musique, un son de voix, une couleur, un jeu de lumière, et commence soudain à remonter en nous cette sensation de déjà-vu, de déjà-vécu, et nous ne savons pas de quoi il s'agit.

Est-ce une illusion fugace ? Ou est-ce le début, la promesse d'un véritable souvenir ?

CHERCHER ? PAS SEULEMENT – CRÉER...

Je pose la tasse – et me tourne vers mon esprit.

C'est à lui de trouver la vérité. Mais comment ?

Grave incertitude, toutes les fois que l'esprit se sent dépassé par lui-même, quand lui, le chercheur, est tout ensemble le pays obscur où il doit chercher et où tout son bagage ne lui sera de rien.

Chercher ? pas seulement, créer.

Mon esprit est en face de quelque chose qui n'est pas encore, et que seul il peut réaliser, puis faire entrer dans sa lumière.

Et je recommence à me demander quel pouvait être cet état inconnu, qui n'apportait aucune preuve logique, mais l'évidence de sa félicité, de sa réalité.

Je veux essayer de le faire réapparaître.

Marcel Proust.

Il y avait déjà bien des années, dit Proust dans *À la recherche du temps perdu* – dans le premier livre de *La recherche* – *Du côté de chez Swann*.

Il y avait déjà bien des années que, de Combray, tout ce qui n'était pas le théâtre et le drame de mon coucher n'existait plus pour moi, quand un jour d'hiver, comme je rentrais à la maison, ma mère, voyant que j'avais froid, me proposa de me faire prendre, contre mon habitude, un peu de thé.

Je refusai d'abord et, je ne sais pourquoi, me ravisai.

Elle envoya chercher un de ces gâteaux courts et dodus appelés Petites Madeleines qui semblent avoir été moulés dans la valve rainurée d'une coquille de Saint-Jacques.

Et bientôt, machinalement, accablé par la morne journée et la perspective d'un triste lendemain, je portai à mes lèvres une cuillerée du thé où j'avais laissé s'amollir un morceau de madeleine.

Mais à l'instant même où la gorgée mêlée des miettes du gâteau toucha mon palais, je tressaillis, attentif à ce qui se passait d'extraordinaire en moi. Un plaisir délicieux m'avait envahi, isolé, sans la notion de sa cause.

Il m'avait aussitôt rendu les vicissitudes de la vie indiffé-rentes, ses désastres inoffensifs, sa brièveté illusoire, de la même façon qu'opère l'amour, en me remplissant d'une essence précieuse : ou plutôt cette essence n'était pas en moi, elle était moi. J'avais cessé de me sentir médiocre, contingent, mortel.

D'où avait pu me venir cette puissante joie ?

Je sentais qu'elle était liée au goût du thé et du gâteau, mais qu'elle le dépassait infiniment, ne devait pas être de même nature. D'où venait-elle ? Que signifiait-elle ? Où l'appréhender ?

Je bois une seconde gorgée où je ne trouve rien de plus que dans la première, une troisième qui m'apporte un peu moins que la seconde.

Il est temps que je m'arrête, la vertu du breuvage semble diminuer. Il est clair que la vérité que je cherche n'est pas en lui, mais en moi. Il l'y a éveillée, mais ne la connaît pas [...].

Je pose la tasse et me tourne vers mon esprit.

C'est à lui de trouver la vérité.

Mais comment ?

Grave incertitude, toutes les fois que l'esprit se sent dépassé par lui-même ; quand lui, le chercheur, est tout ensemble le pays obscur où il doit chercher et où tout son bagage ne lui sera de rien.

Chercher ?

pas seulement : créer.

[Mon esprit] est en face de quelque chose qui n'est pas encore et que seul il peut réaliser, puis faire entrer dans sa lumière.

Et je recommence à me demander quel pouvait être cet état inconnu, qui n'apportait aucune preuve logique, mais l'évidence de sa félicité, de sa réalité [...]. Je veux essayer de le faire réapparaître.[...]

Je demande à mon esprit un effort de plus, de ramener encore une fois la sensation qui s'enfuit. [...]

Mais sentant mon esprit qui se fatigue sans réussir, je le force au contraire à prendre cette distraction que je lui refusais, à penser à autre chose, à se refaire avant une tentative suprême.

Puis une deuxième fois, je fais le vide devant lui, je remets en face de lui la saveur encore récente de cette première gorgée et je sens tressaillir en moi quelque chose qui se déplace, voudrait s'élever. Quelque chose qu'on aurait désancré, à une grande profondeur ;

je ne sais ce que c'est, mais cela monte lentement ;

j'éprouve la résistance et j'entends la rumeur des distances traversées.

Certes, ce qui palpite ainsi au fond de moi, ce doit être l'image, le souvenir visuel, qui, lié à cette saveur, tente de la suivre jusqu'à moi.

Mais il se débat trop loin, trop confusément ;
à peine si je perçois le reflet neutre où se confond l'insaisis-
sable tourbillon des couleurs remuées ;
mais je ne peux distinguer la forme, lui demander, comme
au seul interprète possible, de me traduire le témoignage de
sa contemporaine, de son inséparable compagne, la saveur,
lui demander de m'apprendre de quelle circonstance particu-
lière, de quelle époque du passé il s'agit.

Arrivera-t-il jusqu'à la surface de ma claire conscience, ce
souvenir, l'instant ancien que l'attraction d'un instant iden-
tique est venue de si loin solliciter, émouvoir, soulever tout au
fond de moi ?
Je ne sais.

Maintenant je ne sens plus rien, il est arrêté, redescendu
peut-être ; qui sait s'il remontera jamais de sa nuit ?
Dix fois il me faut recommencer, me pencher vers lui. [...]

Et tout d'un coup le souvenir m'est apparu.

Ce goût c'était celui du petit morceau de madeleine que le
dimanche matin à Combray [...], quand j'allais lui dire
bonjour dans sa chambre, ma tante Léonie m'offrait après
l'avoir trempé dans son infusion de thé ou de tilleul.

La vue de la petite madeleine ne m'avait rien rappelé avant
que je n'y eusse goûté ;
peut-être parce que, en ayant souvent aperçu depuis, sans
en manger, sur les tablettes des pâtissiers, leur image avait
quitté ces jours de Combray pour se lier à d'autres jours plus
récents ;
peut-être parce que de ces souvenirs abandonnés si longtemps
hors de la mémoire, rien ne survivait, tout s'était désagrégé ;
les formes – et celle aussi du petit coquillage de pâtisserie

[...] – s'étaient abolies, ou, ensommeillées, avaient perdu la force d'expansion qui leur eût permis de rejoindre la conscience.

Mais, quand d'un passé ancien rien ne subsiste, après la mort des êtres, après la destruction des choses, seules, plus frêles mais plus vivaces, plus immatérielles, plus persistantes, plus fidèles, l'odeur et la saveur restent encore longtemps, comme des âmes, à se rappeler, à attendre, à espérer, sur la ruine de tout le reste, à porter sans fléchir, sur leur gouttelette presque impalpable, l'édifice immense du souvenir.

Ce sentiment de déjà-vu, de déjà-vécu, *isolé, sans la notion de sa cause*, dit Proust, peut à lui seul, *sur la ruine de tout le reste, porter l'édifice immense du souvenir.*

Mais il peut aussi arriver parfois, beaucoup plus rarement, que la mémoire nous joue un tour beaucoup plus étrange. Et douloureux.

Re-connaître une saveur, un parfum, un lieu, un visage, une voix, un regard – nous souvenir d'un visage, d'une voix, d'un regard – n'est jamais uniquement une opération abstraite. Ce n'est pas simplement nous souvenir des traits, de l'intonation, du nom, de l'histoire de la personne, des circonstances dans lesquelles nous l'avons rencontrée, du moment où nous l'avons connue.

C'est aussi nous souvenir des émotions que nous avons ressenties en sa présence, que nous avons partagées avec elle, et que nous nous attendons à revivre avec elle.

Et dans des cas très rares – à la suite d'un accident vasculaire cérébral ou d'une maladie qui altère certaines régions du cerveau – une personne continue à *re*-connaître le visage d'un proche, celui de sa femme, ou de son mari, de sa mère, de son père, de sa sœur ou de son frère – mais sans plus rien ressentir.

La personne ne ressent absolument plus, depuis l'accident ou la maladie, ce sentiment évident de familiarité, d'authenticité qu'elle avait jusque-là toujours ressenti.

Et la personne sait – elle se souvient très bien – qu'auparavant, lorsqu'elle revoyait sa mère, son père, sa femme, son mari, elle ressentait toujours cette sensation, cette évidence de familiarité.

Mais désormais, il ne persiste plus que la dimension abstraite de la ressemblance. D'autant plus troublante qu'elle est parfaite.

La personne est profondément perturbée par l'absence de cette sensation de familiarité, d'authenticité. Et elle projette son malaise, son sentiment d'étrangeté, sur le proche.

Si je ne ressens rien de ce que je ressentais auparavant, pense la personne, c'est qu'il ne s'agit pas réellement de ma femme, de mon mari, de ma mère, de mon père.

C'est donc qu'il s'agit de quelqu'un qui a adopté exactement la même apparence, le même discours, les mêmes habitudes.

C'est donc qu'il doit s'agir de quelqu'un qui se fait passer pour ma femme, mon mari, ma mère.

C'est donc qu'il doit s'agir d'un imposteur.

Ce trouble, cette maladie particulièrement douloureuse pour la personne et pour ses proches a reçu le nom de *syndrome de l'imposteur* ou de *syndrome de Capgras* – du nom du psychiatre français, Joseph Capgras, qui l'a décrite pour la première fois avec Jean Reboul-Lachaux en 1923, dans un article intitulé *L'Illusion des « Sosies »*.

L'article concerne principalement la description du cas d'une patiente, Madame M., âgée de 53 ans, dont les troubles datent d'il y a plus de dix ans.

Comment pareille illusion a-t-elle pu naître et se développer ? écrivent Capgras et Reboul-Lachaux.

Pour expliquer le déclenchement du phénomène, on nous excusera de rappeler certaines conditions psychologiques de la reconnaissance. Dans toute reconnaissance, il existe plus ou moins une lutte entre deux éléments affectifs des images sensorielles ou mnémoniques : le sentiment de familiarité et le sentiment d'étrangeté.

Cette lutte se remarque aisément quand il s'agit, par exemple, d'identifier une personne perdue de vue depuis longtemps.

Quand il s'agit de visages vus tous les jours, comme ceux des proches avec qui l'on vit continuellement, aucune hésitation n'est possible, si ce n'est à la suite d'un trouble mental.

Des visages que Madame M. voit pourtant avec leurs traits habituels, et dont le souvenir n'est point altéré, ne s'accompagnent plus de ce sentiment de familiarité exclusif qui détermine la reconnaissance immédiate.

À la reconnaissance s'associe le sentiment d'étrangeté, qui lui est contraire.

Madame M., tout en saisissant une ressemblance très étroite entre deux images, cesse de les identifier en raison de leur coefficient émotif différent.

L'illusion des sosies, chez elle, n'est donc pas une illusion sensorielle, mais la conclusion d'un jugement affectif.

Soixante-quinze ans plus tard, le neurologue et chercheur en neurosciences Ramachandran reprendra, au niveau neurobiologique, l'étude des mécanismes impliqués dans le syndrome de Capgras, et il approfondira l'exploration de la perte de cette composante émotionnelle et autobiographique de nos souvenirs qui leur donne cette dimension d'évidence de familiarité et d'authenticité.

Il décrit ses recherches dans son livre *Phantoms in the Brain – Des fantômes dans le cerveau.*

Et le romancier américain Richard Powers a fait de cette forme étrange de confusion, de cette étrange maladie, le thème de l'un de ses romans – *The Echo Maker – La Chambre aux échos.*

Ces situations extrêmes nous révèlent à quel point notre mémoire est en permanence un phénomène émergent, une entreprise de création, de réinvention – qui intègre des composantes distinctes, et les fait surgir en nous comme si elles avaient toujours formé un tout.

À quel point notre mémoire est complexe.

Et à quel point cette complexité peut être source de fragilité. Mais aussi de richesse et de créativité.

Qu'est ce qui donne à nos souvenirs cette sensation de familiarité, ce sentiment d'évidence que c'est bien *nous* qui les avons vécus ?

Cette certitude, que décrit Proust que ce n'est pas *en moi*, mais que c'est *moi.*

Ou au contraire, quand cette familiarité fait défaut, ce sentiment étrange que décrit Darwin à propos de son plus ancien souvenir d'enfance, cette sensation que *je suis à peine conscient que ce souvenir me concerne.*

Il y a, dans nos souvenirs conscients, tant de dimensions qui se mêlent.

La dimension de ce qui s'est produit. La dimension spatiale – le souvenir du lieu. La dimension temporelle – le moment de notre vie. La dimension du contexte – les liens avec d'autres événements que nous avons vécus. La dimension émotionnelle – ce que nous nous attendions à ressentir, et ce que nous avons ressenti. La dimension cognitive – ce que nous avons appris.

Et il y a cette sensation de familiarité et d'authenticité – c'est à *nous* que c'est arrivé – c'est *nous* qui l'avons vécu.

C'est dans l'hippocampe que nos souvenirs récents commencent à s'inscrire et vont pouvoir se transformer progressivement en souvenirs durables.

Et c'est pendant notre sommeil que des réseaux de cellules nerveuses se réactivent dans l'hippocampe, faisant revivre en nous certaines des expériences que nous avons vécues à l'état de veille. Pendant des jours, des semaines, certains de ces réseaux vont continuer, nuit après nuit, à se réactiver, en synchronisation – en phase – avec d'autres réseaux localisés à la surface de notre cerveau, dans notre cortex cérébral.

Et ainsi, au bout de quelques semaines, nos souvenirs vont progressivement glisser des profondeurs de notre cerveau – de l'hippocampe – vers la surface, se remodelant à distance dans le cortex cérébral.

De nombreuses études ont montré que la survenue d'une lésion complète de l'hippocampe provoque une abolition de la capacité à se souvenir de manière consciente des événements qui ont suivi la lésion. La lésion abolit la capacité d'acquérir de nouveaux souvenirs conscients.

Elle n'abolit pas, habituellement, la capacité d'acquérir de nouveaux souvenirs faisant intervenir la mémoire procédurale, inconsciente : l'apprentissage de toute une série de compétences nouvelles – apprendre à faire de la bicyclette, par exemple – reste intact, mais la personne n'aura aucun souvenir conscient de cet apprentissage.

La survenue d'une lésion complète de l'hippocampe n'empêche pas non plus la mobilisation consciente des souvenirs anciens – les souvenirs des événements qui ont précédé la lésion sont préservés.

Et de ces études est née une hypothèse, une théorie, selon laquelle la présence d'un hippocampe capable de fonctionner est indispensable aux premières étapes de l'inscription en nous d'une mémoire consciente qui deviendra durable. Mais une fois que les traces de nos souvenirs ont quitté les réseaux de cellules nerveuses de l'hippocampe et se sont relocalisées dans de nouveaux réseaux à la surface de notre cerveau, l'hippocampe n'intervient plus dans la préservation de ces souvenirs et peut se consacrer à l'inscription de souvenirs nouveaux.

Pourtant, des études plus récentes d'imagerie cérébrale, qui permettent de détecter les activités du cerveau en temps réel, ont suggéré, d'une part, que la mobilisation de souvenirs autobiographiques anciens s'accompagne d'une activation de l'hippocampe, et d'autre part, que les souvenirs anciens mobilisés à partir de l'activation des réseaux localisés à la surface du cerveau seraient des souvenirs de nature plus générale, plus abstraite que ceux qui persisteraient dans l'hippocampe.

De ces études est née une autre hypothèse, une autre théorie, selon laquelle les souvenirs anciens, autobiographiques, riches d'émotions et de détails singuliers – cette part dans nos souvenirs qui nous dit que c'est de nous qu'il s'agit – demeureraient en partie, durant toute notre vie, sous forme de traces, dans l'hippocampe.

Et que les traces qui migrent et se relocalisent progressivement à la surface de notre cerveau seraient des souvenirs concernant des enseignements de nature plus générale, plus impersonnelle, des abstractions que nous aurions formées à partir de ces expériences vécues.

Deux hypothèses, deux théories.

La première, selon laquelle les souvenirs anciens migrent en totalité de l'hippocampe à la surface du cerveau.

Et l'autre, plus récente, selon laquelle les souvenirs anciens ont deux composantes, l'une plus abstraite, qui a migré à la surface du cerveau, l'autre plus familière et plus autobiographique, qui demeurerait dans l'hippocampe.

Ces deux théories ont fait l'objet de débats et de controverses animés.

Et durant l'automne 2011, des résultats surprenants ont été publiés, apportant un éclairage nouveau, et posant à leur tour des questions nouvelles.

L'étude impliquait de petits mammifères qui sont nos lointains parents – des souris.

Les chercheurs ont étudié des souris qu'ils avaient génétiquement modifiées de telle manière que les cellules nerveuses de leur hippocampe puissent être inactivées à la demande, pendant une durée déterminée.

Ils ont soumis les souris à un apprentissage qui induit une mémoire à long terme.

Trois mois plus tard, placées dans une même situation, les souris se comportent toujours en agissant de la manière qu'elles ont apprise lors de leur apprentissage.

Elles se souviennent. Leur comportement indique qu'elles se souviennent de ce qu'elles ont appris.

Et – de même que ce qui a été récemment mis en évidence pour nous – il y a, lorsque ces souris font appel à ces souvenirs anciens, une activation à la fois de leur hippocampe et de plusieurs régions localisées à la surface de leur cerveau.

Lorsque les chercheurs ont transitoirement inactivé les cellules de leur hippocampe au moment où les souris se trouvaient dans la situation qui allait mobiliser leur mémoire, les souris sont devenues incapables de se souvenir – en tout cas, de se comporter de la façon qu'elles avaient initialement apprise.

Et cette impossibilité d'activer leur hippocampe s'accompagne d'une impossibilité d'activer les autres régions situées à la surface de leur cerveau.

En d'autres termes, les traces de leurs souvenirs anciens qui se sont localisées à la surface de leur cerveau ne peuvent être réactivées que s'il y a, d'abord, une activation de l'hippocampe.

Ces résultats suggèrent non seulement que les souvenirs anciens sont localisés en partie dans l'hippocampe, et en partie à la surface du cerveau, ils suggèrent aussi que la réactivation des traces qui ont migré à la surface du cerveau ne peut avoir lieu que si les traces présentes dans l'hippocampe sont elles-mêmes réactivées.

Mais comment réconcilier ces résultats étranges avec toutes les études antérieures qui indiquaient que, après la survenue d'une lésion complète et définitive de l'hippocampe, les souvenirs anciens sont préservés ?

Comment alors expliquer qu'une inactivation artificielle du fonctionnement de l'hippocampe durant seulement cinq minutes puisse empêcher la mobilisation de l'ensemble des souvenirs anciens ?

Les chercheurs se sont demandé ce qui se passerait s'ils inactivaient l'hippocampe non pas au moment où les souvenirs vont être mobilisés, mais avant – une situation qui ressemblerait plus à la situation des personnes et des animaux chez lesquels une lésion a durablement et définitivement inactivé l'hippocampe.

Et ils ont constaté un phénomène étonnant.

Lorsqu'ils inactivaient l'hippocampe une demi-heure avant de placer les souris dans la situation qui allait stimuler leur mémoire, les souris retrouvaient leur capacité à mobiliser leurs souvenirs anciens, et se comportaient comme elles l'avaient appris trois mois plus tôt.

Et pendant qu'elles se souvenaient, bien que leur hippocampe soit incapable de fonctionner, elles activaient les réseaux localisés à la surface de leur cerveau.

En d'autres termes, une inactivation préalable de l'hippocampe – *avant* la re-mobilisation des souvenirs anciens – n'empêchait pas une mobilisation des traces de mémoire préservées à la surface du cerveau.

Ainsi, il semble bien qu'il y ait deux composantes distinctes dans les souvenirs anciens. Et deux façons très différentes de mobiliser ces souvenirs.

Les traces des souvenirs anciens seraient conservées en partie dans l'hippocampe et en partie dans les régions du cortex cérébral, où elles ont progressivement migré.

La manière habituelle de mobiliser les souvenirs anciens nécessiterait une réactivation des traces présentes dans l'hippocampe, qui permettrait alors la réactivation additionnelle des traces localisées dans le cortex.

Mais en cas d'absence durable d'une capacité de l'hippocampe de fonctionner, une autre voie, incomplète, de mobilisation de la mémoire se mettrait en place, qui permettrait une mobilisation directe des traces présentes dans le cortex cérébral.

En d'autres termes, l'hippocampe n'est indispensable à la mobilisation des souvenirs anciens que tant qu'il est présent, et capable de fonctionner.

S'il est absent, il cesse d'être indispensable.

Une voie de substitution, une voie de secours se met progressivement en place.

Mais on peut imaginer que les souvenirs anciens n'auront alors pas la même coloration, la même richesse, la même consistance, la même saveur, ni la même signification.

Nous ne pouvons le savoir – dans ce cas, il s'agit de souris, et elles ne peuvent nous dire si les souvenirs qui remontent en elles sont de nature différente dans ces deux circonstances.

Mais cette étude renforçait l'idée que, dans les traces que nous conservons de nos souvenirs anciens, il pourrait y avoir au moins deux composantes distinctes.

Les unes, qui ont progressivement migré à la surface de notre cerveau, à mesure qu'elles devenaient plus générales, plus abstraites, et qui seraient préservées sous forme d'enseignements généraux qui nous permettraient de nous adapter à des situations nouvelles, et d'inventer des solutions à ces situations nouvelles.

Et d'autres traces, persistant dans l'hippocampe, qui seraient plus personnelles, plus familières, plus authentiques, plus riches de détails précis de nos premières impressions. Nous restituant la dimension de singularité de nos souvenirs, ce qu'il y a eu de particulier, d'unique, dans certaines des expériences que nous avons vécues.

Cette sensation qui remonte dans la mémoire de Proust, cette sensation qui l'envahit quand il sent revivre en lui de manière si intime ce qu'il ne sait pas encore qu'il est en train de revivre.

Et ainsi se réécrivent en nous les expériences que nous avons vécues – sous la forme d'une narration personnelle, singulière.

Sous la forme d'un récit, qui devient non seulement la trace en nous de ce que nous avons vécu, mais une partie de nous.

Un récit dans lequel le narrateur lui-même devient indissociable du récit.

LES CARTES DE LA MÉMOIRE

Un homme se fixe la tâche de dessiner le monde.
Tout au long des années, il peuple l'espace d'images
de provinces, de royaumes, de montagnes, de golfes,
de vaisseaux, d'instruments, d'astres, de chevaux et de
personnes.
Peu avant de mourir il découvre que ce patient labyrinthe
de lignes trace l'image de son visage.

                                          Jorge Luis Borges.

*Il semble au corps qui s'endort, avant qu'il plonge dans le
sommeil, qu'il décroche*, dit Pascal Quignard dans *La
barque silencieuse.*
*Le corps humain dans le noir est comme une barque qui se
désamarre, quitte la terre, dérive.*

C'est durant notre sommeil – alors que nous plongeons
dans les profondeurs du sommeil et qu'il nous semble que
nous nous absentons de nous-mêmes – que nos souvenirs
récents se transforment progressivement en souvenirs
durables.
Et cette transformation se réalise, pour partie, sous la
forme d'un véritable voyage – *comme une barque* en nous
qui se désamarre, quitte la berge, dérive.
Un voyage, une migration progressive, nuit après nuit, en
nous, pendant plusieurs semaines, à l'intérieur de nous, de

certaines des traces de nos expériences vécues, qui se sont inscrites initialement dans notre hippocampe et qui vont gagner des régions situées dans notre cortex cérébral.

Cette lente dérive – durant laquelle nous recomposons, réorganisons, recréons, sans le sentir, sans le savoir, la signification de ce que nous avons vécu à l'état de veille.
Dans l'obscurité de la nuit.
Quand la conscience semble nous quitter.
Et ne se réveiller brièvement – de manière intermittente, et de plus en plus fréquemment à mesure que notre sommeil se prolonge – que sous la forme des hallucinations intenses de nos rêves.

Il y a, dans la mythologie de la Grèce antique, un récit où Chaos – le Chaos originel – engendre Nyx – La Nuit, et La Nuit donnera naissance à de très nombreux enfants.

L'un des fils de Nyx, l'un des enfants de La Nuit, est Hypnos – le dieu du sommeil – Hypnos, dont a dérivé dans notre langue le mot *hypnose*.
Il est le frère jumeau de Thanatos – le dieu de la mort, le sommeil dont on ne revient pas.
Deux jumeaux, que presque rien ne distingue – mais ce presque rien est le réveil.

Ils sont les dieux du départ de la conscience, de l'oblitération de la conscience, les dieux de ces états où nous ne savons pas ce qui nous arrive.
Mais Thanatos est le dieu du départ pour un voyage sans retour. Alors que son frère, Hypnos, est un dieu qui nous emporte et nous ramène – transformés, mais prêts à reprendre notre voyage à travers la lumière des jours, en pleine lucidité, plus riches de ces transformations obscures qui se produisent en nous durant notre sommeil.

Nyx, La Nuit – la mère d'Hypnos et de Thanatos – a aussi donné naissance aux Oneiroi – d'où provient, dans notre langue, le mot *onirique* –, les Oneiroi, les rêves, les songes qui viennent nous visiter pendant notre sommeil.

Et nous paraissent si étranges, au réveil.

Toutes les quatre-vingt-dix minutes, trois ou quatre fois par nuit, écrit Quignard, *un rythme aussi régulier qu'une marée montante nous adresse des images que nous ne comprenons pas.*

Les images oniriques, dit Quignard, *ont quelque chose des galets qui sont dans l'eau. Qui brillent sous l'onde glacée qui file entre les menthes. Leur beauté fait qu'on se penche. On ne résiste pas à l'envie de s'agenouiller dans l'odeur merveilleuse qui s'élève des petites feuilles dentelées et duveteuses des menthes qu'on écrase au-dessus de l'Yonne. On roule la manche plus haut que le coude. On plonge la main dont la chair se met à frémir de froid.*

Les doigts glacés et blancs cueillent ces pierres au fond de la transparence ; ils les rapportent à la lumière ; l'eau en dégoutte ; l'air les assombrit ; les yeux se découragent ; je parle des instants les plus intenses de nos vies ; leur attrait se dérobe ; nous ne savons plus ce que ces pierres qui chatoyaient voulaient nous dire ; on ne sait plus pourquoi, spontanément, on s'était mis à genoux.

Dans les récits de la mythologie grecque, parmi les mille enfants de La Nuit, il y a aussi Morphée – qui rend possible la venue d'Hypnos. Morphée qui *désamarre la barque, lui fait quitter la terre, la fait dériver.*

Morphée qui nous permet de nous endormir, dit la mythologie grecque, en prenant, au moment où nous nous endormons, ou plus tard, dans nos rêves, la forme – morphos – des êtres qui nous sont chers. Les personnes qui nous rassurent, qui nous protègent, qu'elles soient présentes ou absentes.

Nous permettant ainsi de nous libérer de l'emprise des jours, nous permettant d'échapper pour un temps au destin que semblent préfigurer nos jours.

Il y avait, dans la Grèce antique, des temples – les *asclepieia* – dont le plus célèbre se trouvait à Épidaure.

Ces temples étaient dédiés à Asclépios – Esculape – le dieu de la médecine, fils d'Apollon, dieu du Soleil et des Arts.

Asclépios exerçait ses bienfaits durant la nuit, avec l'aide de ses deux filles, Panacée – celle qui connaît les remèdes à toutes les maladies – et Hygie – d'où vient le mot *hygiène* – Hygie, qui connaît les méthodes de prévention des maladies.

Dans les asclepieia – ces temples, qui accueillaient les malades –, les prêtres, les asclépiades, demandaient aux malades de dormir.

Et c'est pendant le sommeil – pendant les visites des enfants de La Nuit, Morphée, Hypnos, et les Oneiroi, les songes – qu'Asclépios, le dieu de la médecine, aidé de ses filles Panacée et Hygie, préparait la guérison.

Renouant les fils défaits de la santé et de la vie, et éloignant, repoussant au loin, pour un temps, dans la nuit, la venue du frère du sommeil – Thanatos, le dieu de la mort.

Et ainsi, il y a plus de trois mille ans, les récits et les rites qui naissaient et se développaient sur certaines des rives de la Méditerranée emplissaient notre sommeil – cette absence à nous-mêmes, ce retrait transitoire et périodique du monde, ce vide apparent – de la venue en nous et autour de nous d'une multitude de créatures divines, les fils de La Nuit – Hypnos, Morphée, les Oneiroi, et le fils, et les petites filles du dieu du Soleil et des Arts, Asclépios, Panacée et Hygie.

Évoquant – par la puissance de la métaphore, du conte, du mythe – une partie de ce que la recherche nous a aujourd'hui appris de la réalité.

Suggérant – par la puissance du conte – que quelque chose, en nous, nous construit pendant notre sommeil, nous transforme, nous emporte ailleurs, sans nous abandonner, et nous ramène au réveil, différents de ce que nous étions la veille.

Et l'une de ces métamorphoses est la transformation progressive de nos souvenirs récents en souvenirs durables.

Durant notre sommeil – pendant que nous revivons en nous, inconscients ou dans cet état de conscience étrange des rêves, certaines de nos expériences récentes – les ondes d'activité qui parcourent notre hippocampe se synchronisent avec les ondes qui parcourent la surface de notre cerveau, notre cortex cérébral, permettant aux réseaux de cellules de la surface du cerveau d'entrer en résonance avec une partie des transformations qui se sont opérées dans les réseaux des cellules de l'hippocampe, et de les intégrer progressivement.

Et ainsi, durant notre sommeil, nos souvenirs deviennent durables en s'inscrivant en nous sous forme d'une mosaïque mouvante, faite de traces éparses qui s'éloignent peu à peu les unes des autres.

Quand elles resurgiront plus tard à notre conscience, dans la lumière du jour – quand nous nous souviendrons –, ces traces se réassocieront, elles resurgiront ensemble, nous donnant l'illusion que notre mémoire a gardé telle quelle l'empreinte unique, globale de ce que nous avions vécu.

Sauf, parfois, quand cette sensation nous fait défaut.

Lorsque ces traces ne nous reviennent que de manière partielle, quand quelque chose soudain nous manque, mais nous ne savons pas quoi.

Quand nous nous sentons obligés d'attendre qu'un morceau, un fragment disparu de notre mémoire ré-émerge à notre conscience.

Quand nous nous sentons obligés de nous mettre à l'écoute de ce que nous sommes persuadés d'avoir gardé en nous, mais que nous n'arrivons pas à atteindre.

Alors, à ces moments, nous avons soudain le sentiment étrange qu'un fragment d'un souvenir s'est détaché de l'ensemble, et s'est perdu en nous.

Sans réaliser que c'est la nature même de notre mémoire qui se révèle alors – le caractère épars, morcelé, dispersé en nous, des traces de nos souvenirs.

Ce qui est extraordinaire, c'est que, le plus souvent, nous ne percevions rien de ce phénomène de *re*-composition, de *re*-liaison de ces morceaux épars en un tout, en un ensemble.

Et ces phénomènes de *re-création* sont d'autant plus riches que nous n'en sommes pas conscients.

C'est en voyageant et en se morcelant en nous, durant notre sommeil, que nos souvenirs deviennent durables, en migrant en partie de l'hippocampe vers des régions localisées à la surface du cerveau.

Et une autre partie des traces qui deviennent durables persiste à l'intérieur de notre hippocampe. Une composante plus intime, plus personnelle, plus familière, plus authentique. Une composante autobiographique.

L'hippocampe joue un rôle essentiel dans l'inscription en nous des souvenirs.

Mais d'autres régions de notre cerveau participent, dès le début, à cette inscription en nous de ce que nous sommes en train de vivre.

Dès le début, à l'état de veille, au moment même où nous vivons une expérience nouvelle, avant même que les traces de nos souvenirs ne commencent à voyager en nous pendant notre sommeil.

Plusieurs études récentes ont exploré et éclairé ces phénomènes.

Au moment même où une expérience nouvelle est vécue, ce n'est pas chacun des éclats disparates des sons, des formes, des mouvements, des couleurs, des odeurs perçues et des émotions ressenties qui s'inscrivent telles quelles dans l'hippocampe, sous forme de traces.

Ce qui s'inscrit, c'est déjà une première re-construction, une première interprétation, une première re-composition de ces éléments disparates en un ensemble cohérent, effaçant certains détails et comblant les discontinuités.

Ce qui s'inscrit, c'est une première opération de re-liaison, de re-création, qui donne à l'expérience vécue l'impression d'une durée, d'une continuité dans le temps, et une signification, l'équivalent d'un récit, d'une narration vécue – d'un il était une fois.

Une étude publiée en 2011 indique que l'activation d'une région particulière de la surface du cerveau, le cortex entorhinal – qui est proche de l'hippocampe et lui est connecté – est indispensable à l'inscription dans l'hippocampe d'un souvenir sous la forme non pas d'une succession d'instants, mais d'une suite temporelle, d'une séquence temporelle continue.

Cette coopération entre ces deux régions est indispensable à une mémorisation qui permettra à l'avenir, dans une situation semblable, une restitution cohérente de l'expérience vécue, et un comportement adapté qui prendra en compte ce qui a été appris.

Et ainsi, si, en l'absence d'activation de l'hippocampe, il n'y a pas d'inscription dans la mémoire consciente des souvenirs récents, l'hippocampe, à lui seul, ne suffit pas à inscrire dans la mémoire une représentation cohérente et globale de l'expérience vécue.

Il y a aussi, dans la plupart de nos souvenirs, cette impression de familiarité, cette évidence, cette certitude que ce que nous avons vécu, c'est *nous* qui l'avons vécu. Comment s'inscrit au début, au départ, dans l'hippocampe, cette sensation de familiarité ?

Cette sensation que c'est de *nous* qu'il s'agit ne peut être révélée par des études réalisées chez des souris... et, pourtant, certaines études parviennent à distinguer, indirectement, si le comportement des souris semble traduire ou non une sensation de familiarité, par exemple lorsque les souris retrouvent un endroit où elles avaient auparavant découvert un aliment particulièrement délicieux. Et une étude, publiée en 2011, suggère que l'activation de l'amygdale cérébrale – une petite région située dans les profondeurs du cerveau, qui joue un rôle important dans les émotions intenses, comme le plaisir ou la peur – participe à cette dimension de familiarité des souvenirs.

Cette étude suggère que, lorsque l'amygdale cérébrale est incapable de fonctionner, les souvenirs sont présents – chez les souris –, mais pas les comportements qui sont liés à cette sensation émotionnelle de familiarité.

Et ainsi, au moment d'un apprentissage, les émotions ressenties, et l'activation de l'amygdale cérébrale qui accompagne ces émotions, seraient nécessaires – en même temps que l'activation de l'hippocampe – à l'inscription, puis à la persistance, de cette dimension émotionnelle, autobiographique, dans les souvenirs de l'expérience vécue.

Notre hippocampe n'inscrit pas seulement en nous les souvenirs de ce que nous avons vécu et appris, il inscrit aussi en nous le souvenir de l'espace, sous la forme de cartes.

Pendant nos trajets, certaines cellules nerveuses dans l'hippocampe – qu'on a appelées *cellules de lieux* – s'activent, dessinant en nous, en temps réel, les cartes des configurations de l'environnement qui nous entoure.

Lorsque nous revivons mentalement, consciemment ou inconsciemment, à l'état de veille et durant notre sommeil, les trajets que nous venons d'accomplir, ces mêmes cellules se réactivent en récapitulant, dans le temps et dans l'espace, les cartes des lieux que nous avons traversés.

Nous voyageons alors, sans bouger, à travers des cartes dynamiques qui se succèdent à mesure que nous nous déplaçons en pensée.

Des études réalisées chez des souris qui sont en train d'effectuer un parcours indiquent qu'à chaque fois qu'elles font une petite pause, ou s'arrêtent pour manger, le film de leur parcours repasse plusieurs fois dans leur hippocampe, à l'endroit et à l'envers.

À l'endroit, c'est le film du chemin qu'elles ont parcouru ; à l'envers, c'est le film du chemin qu'il leur faudrait emprunter pour revenir sur leurs pas, s'il leur fallait refaire la route en sens inverse, pour revenir au point de départ – s'il leur fallait s'enfuir.

Plus tard, durant leur sommeil, le film de ces successions de cartes – qui commence pendant qu'elles dorment à s'inscrire dans leur mémoire durable, dans leur mémoire à long terme – repassera un plus grand nombre de fois encore, mais seulement à l'endroit.

Mais la composante temporelle – la durée du trajet accompli – est comprimée, raccourcie, accélérée. Un parcours d'une heure se re-déploie mentalement en un temps beaucoup plus court.

Et les cartes des lieux que nous avons parcourus, les cartes qui se sont initialement inscrites et se re-déploient en nous sont des *re*-compositions des lieux que nous avons parcourus, réduites dans l'espace, élaguées de très nombreux détails. La topographie d'une portion de ville – avec ses grandes maisons, ses arbres, ses lampadaires, ses voitures – s'inscrira en nous sous la forme d'une succession de minuscules cartes.

Ces cartes qui figurent des pans entiers de l'immensité du monde extérieur, du *macrocosme* où nous vivons, s'inscrivent et se déploient en nous dans un *microcosme*, un tout petit monde intérieur, notre hippocampe.
Et ces cartes ne sont pas – et ne pourraient pas être – des représentations exactes du monde extérieur.

Il y a une nouvelle de Jorge Luis Borges intitulée *Musée* qui évoque ce que seraient des cartes parfaitement fidèles. La nouvelle a comme sous-titre : *Del rigor en la ciencia*, *De la rigueur en science*.

Borges la présente comme un fragment d'un livre ancien : un extrait du chapitre 14 du Livre IV d'un ouvrage – *Viajes de Varones Prudentes* – qui aurait été publié en 1658, et qu'il attribue à *Suarez Miranda*, un auteur probablement fictif.

La nouvelle est très courte.

Elle conte les réalisations d'une ancienne corporation des cartographes, dans un Empire aujourd'hui disparu.

Dans cet Empire, l'Art de la Cartographie parvint à une telle Perfection que la Carte d'une seule Province occupait toute une Ville et la Carte de l'Empire toute une Province.

Avec le temps, ces Cartes Démesurées ne donnèrent plus satisfaction et les Collèges de Cartographes levèrent une Carte de l'Empire, qui avait le Format de l'Empire, et qui coïncidait point par point avec lui.

Moins portées sur l'Étude de la Cartographie, les Générations Suivantes comprirent que cette Carte Dilatée était Inutile et, non sans Impiété, elles l'abandonnèrent à l'Inclémence du Soleil et des Hivers.

Dans les Déserts de l'Ouest, subsistent des Ruines en lambeaux de la Carte, habitées par des Animaux et des Mendiants.
Dans tout le Pays, il n'y a plus d'autres reliquats des Disciplines Géographiques.

Une Carte de l'Empire qui avait le Format de l'Empire, et qui coïncidait point par point avec lui.
Une carte du monde aussi précise que le monde.
Comme un souvenir du monde qui serait aussi précis que le monde.

Comme dans cette autre nouvelle étrange de Borges – *Funes, el memorioso* – *Funes ou la Mémoire* – dans laquelle le narrateur rencontre un homme, Ireneo Funes, qui possède une mémoire d'une fidélité absolue.

Non seulement Funes se rappelait chaque feuille de chaque arbre de chaque bois, mais chacune des fois qu'il l'avait vue ou imaginée.

Mais Funes souffre de cette forme *parfaite* de mémoire.

Deux ou trois fois, écrit Borges, *[Funes] avait reconstitué un jour entier ; il n'avait jamais hésité, mais chaque reconstitution avait demandé un jour entier.*

Et Funes a perdu toute capacité d'abstraction, de généralisation.

Non seulement il lui était difficile de comprendre que le symbole générique « chien » embrassât tant d'individus dissemblables et de formes diverses ; cela le gênait que le chien de 3 h 14 (vu de profil) eût même nom que le chien de 3 h un quart (vu de face).

Ce que nous suggère Borges par cette fiction – par cette *expérience en pensée* –, c'est la gêne que causerait une mémoire qui serait un enregistrement exhaustif de tout ce que nous avons vécu.

Une telle mémoire occuperait la plus grande partie de notre vie, et pendant cette vie passée à nous souvenir, nous ne pourrions bientôt plus vivre autre chose que notre remémoration elle-même.

Nous deviendrions incapables de nous approprier nos souvenirs, de leur donner un sens qui nous permette de nous reconstruire à partir de ce que nous avons vécu.

Borges s'est peut-être inspiré d'une personne réelle, dont le grand neurologue russe Alexander Luria a raconté l'histoire dans un livre intitulé *L'Esprit d'un mnémoniste. Un petit livre à propos d'une vaste mémoire.* Le livre ne sera publié qu'après la nouvelle de Borges, mais Luria avait commencé à en parler dès les années 1920.

La véritable histoire d'un homme à la mémoire prodigieuse, que Luria appelle S., qui se produisait en spectacle, et qui – comme Funes, le personnage fictif de la nouvelle de Borges – avait des difficultés à comprendre les idées générales, et même la signification des histoires qu'il entendait et répétait parfaitement, tant il était attentif à la richesse de chacun des innombrables détails qui la composaient.

Ce que suggère Borges, comme Luria, c'est que ce qui caractérise habituellement la mémoire, c'est une capacité de synthèse, de recomposition, de transformation, de métamorphose. Et d'oubli.

La signification de nos souvenirs émerge non seulement de ce que nous avons perçu, mais aussi de ce que nous avons ressenti, compris, appris, effacé, oublié, et réinventé, faisant naître en nous des récits qui ne cessent de se transformer et de nous transformer.

Et une partie de ces récits est composée de successions d'images – de cartes personnalisées, réduites à ce qui nous a paru essentiel dans les paysages que nous avons traversés.

Combien de ces cartes pouvons-nous inscrire en nous ?

Une carte, c'est une série de contours et de plages de couleurs sur un fond neutre.

Dans l'hippocampe, les contours et les plages de couleurs

sont constitués par les réseaux de *cellules de lieu* qui se sont activées en temps réel, au long du parcours.

Et le fond neutre sur lequel se détache la carte, ce sont des cellules qu'on appelle *cellules silencieuses*.

À chaque fois qu'à l'état de veille, ou durant notre sommeil, ces cartes vivantes se déploient de nouveau en nous – à chaque fois que le film de notre parcours se re-projette dans notre hippocampe –, c'est sous la forme d'une réactivation des mêmes réseaux de *cellules de lieu* sur le même fond neutre des *cellules silencieuses*.

Il y a des tableaux de grands peintres où l'analyse radiogra-phique dévoile des couches successives, un tableau recou-vrant l'autre, et, parfois, tout au fond, un tableau différent, une autre scène, un tout autre paysage.

Il y a des parchemins qu'on appelle des palimpsestes – du mot grec qui signifie *gratté à nouveau* –, ces parchemins anciens que réutilisaient les moines copistes du Moyen Âge, grattant, lavant et effaçant les textes des auteurs de l'Antiquité romaine pour y écrire des textes religieux. Et sous lesquels on a pu parfois encore distinguer, voire faire réapparaître, les traces de livres perdus de Cicéron ou de Sénèque.

Mais dans notre hippocampe, une nouvelle succession de cartes ne recouvre pas de manière définitive les précé-dentes, ne les efface pas, ne les rend pas invisibles.

Différentes cartes coexistent, apparaissant et disparaissant de manière alternative.

Combien de cartes différentes des lieux que nous par-courons peuvent-elles se dessiner et coexister, de manière alternative, à l'intérieur de l'hippocampe ?

Une réponse a été apportée par des résultats publiés en 2011.

L'étude concernait des souris. Elle indique que, dans l'hippocampe, l'identité d'une cellule qui participe à l'élaboration d'une carte – *cellule de lieu* ou *cellule silencieuse* – n'est pas fixée une fois pour toutes, de manière définitive. Une cellule devenue *cellule de lieu* dans un environnement donné peut devenir *cellule silencieuse* dans un autre environnement.

Ainsi, une même cellule peut à la fois faire partie des contours ou des plages de couleur de plusieurs cartes différentes, et aussi du fond neutre de plusieurs autres cartes.

Ce très grand nombre de combinaisons possibles permet l'inscription et la coexistence, en nous, durant toute notre existence, d'un très grand nombre de cartes de lieux différents.

Mais ces cartes qui s'inscrivent en nous ne sont pas uniquement des recompositions des lieux que nous avons traversés. Elles ne sont pas uniquement des reflets rudimentaires des paysages que nous avons parcourus.

Une étude publiée en 2011 a apporté un éclairage nouveau sur la nature de ces cartes.

Cette étude, réalisée chez des souris, indique qu'il semble y avoir deux catégories différentes de cartes qui peuvent s'inscrire dans l'hippocampe.

L'une de ces catégories – la plus complexe – nécessite, pour s'inscrire dans l'hippocampe, l'activation simultanée d'une autre région du cerveau, le cervelet – qui est impliqué dans l'équilibre, dans le contrôle de la position de la tête et du corps par rapport au sol.

Cette catégorie de cartes consiste non seulement en une

représentation de l'espace parcouru par la souris, elle inclut aussi les mouvements que la souris a réalisés pendant son parcours.

En d'autres termes, c'est la traversée elle-même qui s'inscrit alors dans la mémoire.

Et lorsque nous nous déplacerons à nouveau, mentalement, dans ces cartes vivantes de nos souvenirs dont nous sommes à la fois les narrateurs et les acteurs – dans lesquelles se sont inscrits nos propres mouvements, les émotions que nous avons ressenties et la sensation de l'écoulement du temps – alors, la carte et le géographe ne feront plus qu'un.

Et l'on peut trouver, chez Borges encore, sous une autre forme, un écho à ces cartes étranges.

C'est dans l'épilogue d'un recueil de nouvelles et de poèmes intitulé *L'Auteur – El Hacedor*.

Dans cet épilogue, Borges a écrit : *De tous les livres que j'ai donnés à l'impression, nul, je crois, n'est aussi personnel que cette recollection désordonnée.*

Et il poursuit :

Un homme se fixe la tâche de dessiner le monde. Tout au long des années, il peuple l'espace d'images de provinces, de royaumes, de montagnes, de golfes, de vaisseaux, d'instruments, d'astres, de chevaux et de personnes. Peu avant de mourir il découvre que ce patient labyrinthe de lignes trace l'image de son visage.

Nous devenons la carte de ce que nous avons vécu.

Notre imagination déploie sans cesse devant nous l'image toujours renouvelée de ce qui va pouvoir arriver, de ce qui est possible. Nous ne pouvons penser à nous sans un instant suivant, mais nous ne pouvons savoir ce que sera cet instant. Ainsi, nous ne pouvons connaître ce qui nous intéresse le plus au monde, ce qui se passera demain.

François Jacob.

Les souvenirs prospèrent sur des lieux, dit Siri Hustvedt.
Les théories des Anciens prétendent que pour remplir leur tâche, les souvenirs ont besoin de lieux – de topoi.

Et nous pouvons apprendre à puiser dans l'une de nos cartes vivantes des lieux réels que nous avons parcourus, ou inventer et inscrire en nous une carte vivante d'un lieu imaginaire, pour y inscrire le souvenir d'une histoire, d'un discours, d'une narration riche et complexe, ou d'une suite de noms ou de chiffres.

Cicéron, le grand orateur de la Rome antique, poursuit Hustvedt, *développa l'idée de locus – de lieu – comme instrument pour la mémoire verbale.*
Un orateur pouvait mémoriser un long discours en imaginant une maison, et en se promenant à travers la maison, attachant chaque portion de son discours à un endroit

différent, une table ou un tapis ou une porte, dans chacune des pièces.

Déambuler à travers une architecture imaginaire crée l'espace dans lequel on peut inscrire une séquence de pensées verbales.

S., le mnémoniste – l'homme à la prodigieuse mémoire, qui se produisait en spectacle durant les années 1920, et dont Alexander Luria a raconté l'histoire – avait la capacité de convertir de longues listes de mots en des images mentales de lieux. Non pas à la suite d'un apprentissage faisant appel à une méthode mnémotechnique, comme le recommandait Cicéron, mais spontanément.

Quand S. lisait de longues listes de mots, écrit Luria, chaque mot faisait surgir une image. Et comme la liste était très longue, il avait dû trouver une façon de répartir ces images à lui dans une suite, ou une séquence.
Le plus souvent (et cette habitude persista tout au long de sa vie) il les « distribuait » au long d'un chemin ou d'une route qu'il visualisait dans son esprit.
Parfois, c'était une route dans sa ville natale, qui incluait aussi la cour de la maison dans laquelle il avait vécu enfant, et dont il gardait un souvenir intense.
Mais il pouvait aussi choisir une rue dans la ville de Moscou.
Souvent, il s'engageait dans une promenade mentale dans cette rue, la rue Gorky à Moscou, en partant de la place Maïakowsky et, en descendant lentement la rue, il « répartissait » ses images devant des maisons, des portes, et des vitrines de magasins.
Parfois, sans réaliser de quelle manière cela s'était produit, il se retrouvait dans sa ville natale, Torjok, où il terminerait son voyage dans la maison dans laquelle il avait vécu enfant.

Les souvenirs prospèrent sur des lieux.

Mais en dehors de ces prouesses de mémorisation, ce qui survit et prospère habituellement dans les cartes des lieux que nous avons connus, et que nous emportons en nous, ce ne sont pas de longs discours ou des listes de noms ou de chiffres, mais les émotions que nous avons ressenties au moment où nous avons découvert ces lieux.

Ces moments d'émotions que nous avons vécus, et semés autour de nous, en nous.

Des souvenirs d'enfance.

Le souvenir de sa mère, qu'évoque Vladimir Nabokov, dans son autobiographie *Speak, Memory – Parle, Mémoire –* dont la traduction en français a pour titre *Autres rivages*.

*Aimer de toute son âme et, quant au reste, s'en remettre au destin, telle était la règle simple à laquelle elle obéissait. «*Vot zapomni *(N'oublie pas cela)», disait-elle, sur un ton de conspiratrice en attirant mon attention sur tel ou tel objet de son amour, à Vyra – une alouette montant dans le ciel lait-caillé d'un jour couvert de printemps, des éclairs de chaleur prenant des instantanés d'une ligne d'arbre au loin dans la nuit, la palette de feuilles d'érable sur le sable brun, les empreintes cunéiformes des pas d'un petit oiseau sur la neige nouvelle.*

Comme si elle sentait que, dans peu d'années, toute la part tangible de son univers périrait, elle cultivait un état d'attention extraordinaire aux diverses traces du passé éparses un peu partout dans notre domaine à la campagne. Elle chérissait passionnément son propre passé avec la même ferveur rétrospective que celle que j'éprouve à présent pour son souvenir et pour mon passé. C'est ainsi qu'en un certain

sens, j'ai hérité de simulacres exquis – de la beauté de biens
intemporels, d'un domaine irréel [...].

Et ces *traces du passé éparses un peu partout*, ces fragments
de notre histoire survivront dans les cartes vivantes que
nous emportons en nous, ré-émergeant plus tard sous la
forme de récits, ou de fragments de récits – de reflets de
mondes à jamais disparus dont nous serons désormais les
seuls narrateurs, aussi longtemps que survivra en nous *la*
beauté de biens intemporels, d'un domaine irréel.

Mais la fidélité de cet ancrage de notre histoire dans les
cartes des lieux qui se sont inscrites en nous peut être
trompeuse.

Un exemple frappant du rôle que peut jouer un lieu comme
scène du théâtre de la mémoire peut être trouvé dans une
erreur que j'ai découverte à propos de mes propres souvenirs,
dit Siri Hustvedt.
L'un de mes tout premiers souvenirs date de quand j'avais
l'âge de quatre ans.
Cela se passait dans la maison de ma tante à Bergen, en
Norvège, pendant un repas en famille.
Les principales composantes visuelles de l'incident sont la
table familiale, dans la salle à manger familiale, avec sa
fenêtre qui donnait sur le fjord.
Je peux voir cette pièce clairement dans mon esprit parce que,
treize ans plus tard, j'ai vécu avec ma tante et mon oncle
dans cette maison.

Je revois aussi quelques mouvements précis, séquentiels.
Je suis assise sur une chaise en face de ma cousine Vibeke, âgée
de douze ans, que j'aime et que j'admire, lorsque tout à coup,
pour une raison que je ne comprends pas, elle fond en larmes.

Je me souviens avoir dû me pousser au bas de ma chaise, mes jambes ne touchant pas le sol, et avoir dû me laisser glisser jusqu'au plancher.

Je me suis approchée de ma cousine et lui ai tapoté le dos pour essayer de la consoler.

Les grandes personnes se sont mises à rire et j'ai été saisie d'une humiliation brûlante.

Le souvenir ne m'a jamais quittée.

Je comprends maintenant que le rire des grandes personnes n'était pas méchant, mais l'atteinte à ma dignité a duré, et a modelé mon comportement de mère avec ma fille.

Je me suis souvenue, pour citer Joe Brainard, « que la vie était tout aussi sérieuse alors qu'elle l'est maintenant », que les enfants doivent être respectés autant qu'aimés.

Mais l'erreur que j'ai faite ne concernait pas mes émotions d'alors.

Elle concernait l'endroit où j'étais quand ma fierté avait été blessée.

Comme les experts antiques et médiévaux de la mémoire, j'avais attaché mon scénario – maintenant devenu essentiellement verbal – à un locus *– à un lieu.*

[Mais] cette bosse faite à mon amour-propre ne pouvait pas avoir eu lieu dans la maison dont je me souvenais parce que, quand j'étais âgée de quatre ans, cette maison n'avait pas encore été bâtie.

J'avais réassigné le souvenir à un lieu que je pouvais me remémorer, plutôt qu'à un lieu que j'avais oublié.

J'avais eu besoin d'enraciner l'événement quelque part pour le retenir.

Il avait besoin d'une maison visible – ou alors il allait partir à la dérive, au fil de l'eau, sans ancre pour le retenir.

Nos souvenirs sont plus, sont autres, que le simple resurgissement en nous d'un passé disparu. Plus et autres que le resurgissement de ce que nous avons vécu. Parce que notre passé, quand il remonte à la surface, peut avoir été modifié. Siri Hustvedt cite Freud, qui écrivait que le présent recolore le passé. Que nous reconfigurons nos souvenirs.

Freud appelait ce phénomène *Nachträglichkeit, la reconstruction rétrospective, après-coup,* de nos souvenirs, leur capacité à avoir été modifiés par ce qui nous est survenu par la suite.

Une mémoire mouvante, créative.

Source de confusion et de réinventions.

Et parfois, source d'incertitudes.

Delia, dit Borges,

Delia : nous renouerons un jour – mais au bord de quel fleuve ? – ce dialogue incertain et nous nous demanderons si une fois, dans une ville qui se fondait dans la plaine, nous avons bien été Borges et Delia.

C'est la fin de la nouvelle intitulée *Delia Elena San Marco.* La nouvelle commence ainsi :

Nous nous sommes dit au revoir à l'un des angles de la Plaza Once.

Du trottoir de l'autre côté de la rue, j'ai regardé de nouveau ; vous vous étiez retournée et d'un signe de la main vous m'avez dit au revoir.

Un fleuve de véhicules et de gens coulait entre nous ; il était 5 heures de n'importe quel après-midi ; comment pouvais-je savoir que ce fleuve était le funeste Achéron – l'infranchissable ?

(Dans la mythologie grecque, l'Achéron est l'un des fleuves qui bordent le Royaume des Morts.)

Nous ne nous sommes plus revus, poursuit Borges, *et un an plus tard, vous étiez morte.*

Maintenant je cherche ce souvenir, je le regarde, je pense qu'il était faux, je pense que derrière le banal au revoir était la séparation infinie. [...]
Et je ne sais, maintenant, si la vérité réside dans la sinistre hypothèse ultérieure ou dans l'innocent au revoir.

Le passé qui s'est inscrit en nous influe sur notre perception du présent. Mais le présent influe aussi, en retour, sur notre perception du passé.

Et quand nous nous souvenons, dit Borges, ce qui n'était alors que le futur, ce qui n'était encore qu'un avenir inconnu, se projette soudain sur notre passé, donnant à nos souvenirs une signification nouvelle.

Depuis plusieurs années, des travaux ont révélé un autre phénomène à première vue étrange :
le fait même de nous souvenir, de revivre un souvenir, de le faire remonter à la surface, favorise la modification de ce souvenir.

Notre mémoire, de manière apparemment paradoxale *ne se modifie que si l'on s'en sert.*

Et c'est lorsque nous les évoquons, et qu'ils resurgissent dans notre conscience, que nos souvenirs peuvent se modifier ou disparaître.

Les mécanismes qui nous permettent de réinscrire dans notre mémoire les souvenirs que nous venons d'évoquer ne sont pas les mêmes que ceux qui ont permis leur inscription initiale dans notre mémoire durable.

Et pour cette raison, revivre ses souvenirs, c'est augmenter la probabilité de les oublier, de les transformer, ou de les remplacer par de nouveaux souvenirs.

Durant quelques heures, alors même que, en nous souvenant, nous pensons tenir la preuve que la trace de notre passé est bien inscrite en nous, le souvenir commence à se déstabiliser, à devenir fragile, labile, mouvant, prêt à se modifier.

Il pourra pendant cette période être oublié ou transformé en un nouveau souvenir qui prendra la place de l'ancien. Ou se réinscrire tel qu'il était, et être reconsolidé et préservé sous la forme qu'il avait avant de remonter à notre conscience.

Et ainsi, le souvenir qui vient de resurgir en nous doit être en quelque sorte recapturé, réappris, remémoré, réinscrit dans notre mémoire.

Plus la situation que nous vivons, et qui fait surgir un écho dans notre mémoire – qui éveille un souvenir –, présente certaines différences par rapport à la situation ancienne dont nous avons gardé l'empreinte, et plus la probabilité est grande que le souvenir qui se réinscrira en nous aura été modifié.

Les traces anciennes seront réactualisées et remplacées par les traces récentes. Et quand nous croirons nous souvenir de la première fois, c'est ce souvenir récent, et non le souvenir ancien, qui remontera en nous sans que nous le sachions.

L'une des études récentes, explorant l'existence de ce phénomène dans un contexte très simple, a été publiée en 2011. Les chercheurs ont demandé à des personnes de réaliser un apprentissage en présence d'une odeur particulière.

Puis, plus tard, les personnes ont été ré-exposées à cette même odeur – réactivant ainsi, et fragilisant donc, pour un temps, leur souvenir de leur apprentissage.

Les chercheurs leur ont alors demandé, pendant cette phase de fragilisation de leur mémoire, de réaliser un nouvel apprentissage qui ressemble au premier mais qui est en partie différent.

Et lorsqu'on demande, plus tard, aux personnes de se souvenir de leur premier apprentissage, elles le confondent avec le second. Le souvenir du second apprentissage a en partie remplacé le souvenir du premier

Des personnes qui après leur premier apprentissage n'avaient pas été réexposées à l'odeur associée à ce premier apprentissage – mais à une autre odeur – puis avaient réalisé le deuxième apprentissage se souvenaient très bien du premier.

Elles ne le confondaient pas avec le deuxième

Leur souvenir du premier apprentissage n'avait pas été évoqué par l'odeur, et ce souvenir, inscrit en eux, était resté intact.

Et ainsi, les seuls souvenirs qui ne se modifieraient pas seraient ceux qui ne nous reviendraient que dans des situations identiques à la première (mais vivons-nous jamais deux expériences identiques ?) ou des souvenirs anciens dont nous aurions gardé en nous la trace sans plus les évoquer, sans plus les faire remonter à notre conscience – mais y a-t-il des souvenirs qui dorment en nous sans jamais remonter à la surface, même brièvement, même sans que nous le réalisions ?

Rien de plus mouvant que le passé, écrit Pascal Quignard. *Le présent ne cesse de réordonner ce qui l'alimente.*

Cette fragilité, cette plasticité, peut avoir pour inconvénient de favoriser une perte de la fidélité de la mémoire.

Mais elle a aussi un avantage considérable.
Elle nous permet de réactualiser en permanence notre mémoire, nos apprentissages, nos expériences en fonction du contexte présent.

Si le contexte a changé, nos souvenirs, notre apprentissage, notre expérience ne correspondent plus aux modifications et à l'évolution de notre environnement.
À notre propre évolution.
À ce qui en nous s'est modifié.

Notre mémoire peut alors s'ouvrir à ces nouvelles dimensions de la réalité, et nous y adapter. Et nous permettre d'imaginer les futurs possibles.

Car la mémoire ne nous parle pas que d'hier. Elle nous parle aussi de demain.
Et il est difficile de séparer la mémoire de l'imagination.

Les lésions complètes de l'hippocampe, qui abolissent la capacité d'acquérir de nouveaux souvenirs conscients, altèrent aussi l'imagination.

Se projeter dans l'avenir, c'est toujours faire appel au passé. Il n'y a pas de boule de cristal qui permettrait de lire l'avenir.
Toute prédiction – même la plus rationnelle, même la plus scientifique – ne peut être fondée que sur une extrapolation à partir de ce que nous avons appris et compris du passé.

Et l'étude de certains oiseaux a révélé à quel point la mémoire permet de se projeter dans l'avenir.

Il y a des oiseaux qui possèdent une extraordinaire mémoire. Ce sont de petits oiseaux qui résident dans l'hémisphère Nord, et qui ne migrent pas vers le Sud lorsque la nourriture se fait rare, à partir de l'automne et jusqu'au printemps suivant. Parmi ces petits oiseaux, il y a des corvidés et des passereaux – des geais, des casse-noix, des mésanges, des sittelles.

À la fin de l'été, ils stockent leur nourriture dans de très nombreuses caches réparties à travers un vaste territoire, minimisant ainsi la probabilité que la découverte d'une cache par un autre animal n'entraîne la disparition de la totalité des réserves qui leur permettront de faire face à l'hiver. Ils inscrivent la topographie de ces caches dans leur mémoire et les retrouveront, durant tout l'hiver et jusqu'au printemps suivant pour s'y nourrir.

Une mémoire spatiale, une mémoire topographique précise, qui persiste durant plusieurs mois.

Le corvidé champion dans ce domaine est le casse-noix d'Amérique – *nucifraga columbiana* – qui vit dans des forêts de pins, dans les montagnes. Il cache durant l'automne plus de trente mille graines de pomme de pin dans plus six mille caches différentes, où il revient pour se nourrir. Et il peut retrouver ces milliers de réserves jusqu'à six mois après les avoir cachées.

Mais le geai est capable d'autres prouesses. Il se souvient non seulement des très nombreux endroits où il a caché sa nourriture, mais aussi de quel type de nourriture il a enfoui dans ces différentes caches, et de la date à laquelle il l'a enfouie.

Nicola Clayton est professeur de capacité cognitive comparative dans le département de psychologie expérimentale de l'université de Cambridge, en Angleterre. Elle est, depuis près de quinze ans, l'une des grandes chercheuses dans le domaine de l'exploration des capacités mentales des corvidés, notamment des geais.

Les geais buissonniers – *aphelocoma californica* – enfouissent dans certaines caches de la nourriture non périssable, des graines et des noix, et ils enfouissent dans d'autres caches de la nourriture rapidement périssable.

Des études réalisées par Clayton à la fin des années 1990 ont révélé que les geais buissonniers distinguent ces différents endroits.

Ils se souviennent de la date de péremption de leur nourriture périssable : ils viendront s'approvisionner dans les caches qui contiennent leurs réserves périssables dans les jours qui suivent leur enfouissement, et n'y retourneront pas si la date de péremption est dépassée.

Alors qu'ils pourront attendre des mois avant de revenir se nourrir dans leurs caches de graines et de noix.

Ils conservent en mémoire chaque endroit où ils ont caché la nourriture, la durée depuis laquelle ils l'y ont cachée, et la durée pendant laquelle leur nourriture reste consommable.

Ils ont une mémoire temporelle couplée à leur mémoire spatiale. Et ils gardent le souvenir du temps qui passe.

Ils ont inscrit dans leur mémoire une carte des lieux et un calendrier, qu'ils consultent en permanence.

Et ils apprennent.

Ils apprennent à partir de leur expérience à moduler la date de péremption en fonction de la température extérieure – un grand froid ou au contraire de grandes chaleurs. Ils adaptent leur mémoire du temps qui passe aux effets du climat sur la nourriture qu'ils ont cachée. Et cette extraordinaire mémoire temporelle et spatiale leur permet de préparer l'avenir, et de se nourrir de leurs réserves durant l'hiver.

Nicola Clayton s'est posé la question suivante : jusqu'à quel point les geais sont-ils capables de se projeter dans le futur ?

Sont-ils capables de se servir de leur mémoire pour planifier, anticiper l'avenir, adapter leur comportement de cache en fonction de ce que leur apprend leur expérience ?

En 2007, Nicola Clayton et son équipe publiaient une réponse.

Les chercheurs avaient réalisé, avec huit geais, une même expérience.

Chacun des geais était logé dans l'équivalent d'un petit appartement composé d'un salon qui ouvrait sur deux chambres – la chambre A, et la chambre B.

Dans chacune des deux chambres, les chercheurs ont disposé le récipient que les geais aiment utiliser pour y cacher leur nourriture – un seau à glace empli de sable.

La nourriture est placée dans le salon.

C'est une nourriture que le geai apprécie, mais qui est sous une forme qu'il est incapable de cacher – de la poudre de pignons de pin.

Après son repas du premier soir, la nourriture est retirée du salon, la porte est fermée, et le geai passe la nuit dans le salon.

Le lendemain matin, il est placé pendant deux heures soit dans la chambre A, soit dans la chambre B.

Dans la chambre A, un repas est toujours servi – de la poudre de pignons de pin. C'est la « chambre du petit-déjeuner ».

Dans la chambre B, il n'y a rien à manger. C'est la « chambre des disettes ».

Au bout de deux heures, le geai peut circuler à nouveau dans tout l'appartement, et se nourrir à volonté dans le salon, jusqu'au soir.

Pendant six jours, le geai se trouvera chaque matin, durant deux heures, de manière alternative, soit dans la « chambre du petit-déjeuner », soit dans la « chambre des disettes ».

Et le septième soir, le geai trouve dans son salon pour son repas du soir, et pour la première fois, non pas de la poudre de pignons de pin, mais des pignons de pin *entiers*, qu'il peut enfin cacher, s'il le souhaite, avant que la porte du salon ne soit fermée, dans les seaux de sable situés dans chacune des chambres.

Et chaque geai a caché, en moyenne, trois fois plus de nourriture dans la chambre des disettes, où il avait appris qu'on ne servait pas de petit-déjeuner le matin.

Et ainsi les geais utilisent leur mémoire pour imaginer l'avenir et s'y projeter.

Une capacité que Nicola Clayton a appelée, avec son mari et collaborateur, le primatologue Nathan Emery, *la capacité des geais à voyager mentalement à travers l'espace et le temps*.

À travers le passé. Et à travers la représentation, la projection qu'ils se font, en fonction de leur expérience, de ce que sera l'avenir.

Six ans s'écouleront.

Et en 2011, une étude réalisée par un autre groupe de chercheurs est publiée, révélant une autre relation entre la mémoire et l'anticipation de l'avenir.

L'étude ne concerne pas des oiseaux, mais des souris.

Les souris effectuent un parcours au long d'une piste artificielle qui a des composantes topographiques particulières. Lorsque les souris sont parvenues au bout de la première partie de ce parcours, où les chercheurs ont déposé de la nourriture, elles s'arrêtent, se nourrissent, se reposent ou s'endorment. Et pendant leur sieste ou leur sommeil, la succession des cartes des lieux qu'elles viennent de parcourir se projette comme un film de manière répétée dans leur hippocampe, commençant à s'inscrire dans leur mémoire durable.

Mais cette étude a aussi identifié un autre phénomène, surprenant, et jusque-là inconnu.

Quand la première partie de la piste parcourue se termine par une porte qui empêche les souris de voir la suite du parcours, pendant leur repos et leur sommeil, survient une série de variations apparemment aléatoires sur ces cartes.

Une succession de cartes nouvelles, ouvertes, changeantes, apparaît dans leur hippocampe.

Comme si, pendant le repos et le sommeil, s'inventait une préfiguration de la topographie possible de la suite invisible du parcours, une exploration d'une géographie imaginaire.

Comme si, pendant le repos et le sommeil, se préparait l'ébauche d'une mémorisation du futur parcours dans la partie inconnue de la piste, un répertoire de pré-adaptation possible à une topographie encore inconnue, mais qui pourrait partager certaines caractéristiques communes avec les lieux qui viennent d'être parcourus, et qui sont en train de s'inscrire dans la mémoire.

Et quand les chercheurs ont placé, devant la porte qui sépare les deux portions de la piste, des souris qui n'avaient effectué aucun parcours particulier durant la journée, mais qui, trouvant là leur nourriture, s'alimentaient, puis se reposaient ou s'endormaient, ces souris ont, elles aussi, pendant leur repos ou leur sommeil réactivé des cartes, vraisemblablement anciennes, et réalisé des variations sur ces cartes, dont certaines se sont trouvées, par hasard, correspondre à la topographie de la portion cachée de la piste. La simple présence de la porte, au bout d'une piste qu'elles n'avaient pas parcourue, induisait une exploration mentale des parcours possibles à venir.

L'anticipation d'un futur déplacement, dans un environnement encore inconnu, induit une récapitulation des souvenirs des trajets accomplis par le passé, et une série de variations aléatoires sur ces souvenirs, qui permettent une exploration virtuelle du champ des possibles.

Et ainsi, ces variations inconscientes, durant le repos et le sommeil, sur le thème de la mémoire récente et sans doute aussi sur le thème de souvenirs plus anciens, sont probablement l'une des formes d'apprentissage qui nous préparent à un avenir imprévisible.

Voir dans le futur.

C'était le titre du commentaire qui accompagnait cette publication.

La mémoire ne nous parle pas seulement d'hier. Elle nous parle aussi de demain. Il est difficile de séparer la mémoire de l'imagination, de l'intuition, de l'anticipation.

Et parmi toutes les cartes du monde qui vivent en nous, certaines sont des empreintes du passé, et d'autres préfigurent des futurs possibles.

Il y a en nous un savoir sur le monde dont nous sommes le plus souvent inconscients, et qui émerge durant nos périodes de calme, et durant la nuit, au cœur de ces périodes de sommeil où nous semblons nous retirer du monde.

Une inscription, déjà, dans notre mémoire, de ce que nous n'avons pas encore vécu.

Et que nous ne vivrons peut-être jamais.

Écrire de la fiction, dit Siri Hustvedt, *c'est comme se souvenir de ce qui n'a jamais eu lieu*. Comme se souvenir de ce qui n'a pas encore eu lieu. De ce qui aura peut-être lieu un jour.

Un témoignage de ce merveilleux pouvoir du vivant, et de notre cerveau, à puiser dans les empreintes du passé une préfiguration de l'avenir, toujours inconnu.

Cette extraordinaire capacité de nous préparer à l'imprévisible, en faisant appel à la variation, à la dérive, à la recombinaison – à partir de ce qui demeure en nous de ce que nous avons vécu.

En faisant appel à ce que François Jacob a appelé *Le jeu des possibles*.

OÙ COMMENCE LA FIN ?...

> Qui peut savoir où commence la fin ?
> Ben Okri.

Durant toute son enfance, à Buenos Aires, Fernando Nottebohm a été fasciné par les chants des oiseaux.
Écouter les oiseaux, dit-il, *était mon violon d'Ingres. Durant mon adolescence, d'autres garçons avaient une voiture. Moi j'avais les oiseaux.*
J'aimais identifier chaque oiseau par son chant.

Et depuis quarante-cinq ans, Nottebohm explore, dans un vaste espace naturel à l'université Rockfeller, dans l'État de New York, la manière dont les oiseaux élaborent et mémorisent leurs chants.

Dans ces merveilleux chants des oiseaux qui renaissent de générations en générations, quelle est la part de ce qui se transmet et quelle est la part de ce qui s'invente ?
Quelle est la part de fidélité et quelle est la part de nouveauté ? Quelle est la part d'imitation et la part d'improvisation ?

Dans de très nombreuses espèces d'oiseaux, les jeunes commencent par imiter maladroitement le chant d'un ou de plusieurs tuteurs adultes, qu'ils prennent pour modèle, jusqu'à réussir à le reproduire très fidèlement.

Puis ils introduisent des variations individuelles, personnelles, singulières – des improvisations –, et ce chant singulier devient de plus en plus stable, il se cristallise.

Ce chant de séduction est à la fois semblable à celui de
leurs voisins, mais il est aussi, en partie, à nul autre pareil.

Et ainsi, dans chaque population d'oiseaux, émerge, à
chaque génération, une gamme de variations, de nou-
veautés. Et si l'une de ces variations est plus accentuée que
les autres, si elle s'écarte plus de la moyenne, et si elle est
perçue par les jeunes comme particulièrement attirante,
elle sera adoptée comme nouveau thème de chant par la
nouvelle génération.

Conduisant à l'émergence de ce que Darwin appelait des
dialectes provinciaux – des chants légèrement différents,
dans différentes régions, qui se transmettent, en évoluant,
à travers les générations – des formes de transmissions
culturelles des chants.

Mais il y a, chez certains oiseaux, une manière plus radicale
encore de faire émerger en permanence la nouveauté.

Non pas à travers les générations, dans des lieux différents.
Mais chez chaque chanteur, dans un même lieu, à chaque
nouvelle saison des amours.

Une émergence de la nouveauté qui est fondée sur l'oubli.
Oublier à chaque saison son chant, et le réapprendre en
inventant de nouvelles variations.

Effacer partiellement sa mémoire et recommencer à
improviser.

Devenir à chaque saison des amours un nouveau séducteur
dont le chant n'a encore jamais été entendu.
Renaître.

Devenir, à chaque saison, l'auteur d'un autre chant, tout en demeurant le même.

C'est le cas des canaris.

Durant la saison des amours, du mois de mars au mois de juin, le canari mâle fait retentir son chant de troubadour, une sérénade personnelle composée d'arrangements particuliers à partir de vingt à quarante types de syllabes différentes.

Et durant toute la saison des amours, ce chant demeure le même, ne subit aucune variation.

Mais à la fin de l'été, le mois d'août venu, le chant devient instable. Il s'appauvrit, et les syllabes utilisées varient, et deviennent moins nombreuses.

Puis vers le mois d'octobre, le chant se restructure progressivement, et d'autres syllabes font leur apparition et sont intégrées au chant.

Au mois de janvier, le chant redevient instable, plus restreint, moins structuré.

Puis en février, un mois avant le début de la nouvelle saison des amours, le chant se restructure, s'enrichit à nouveau, se stabilise. Et un chant nouveau atteint son apogée, incluant de nouveaux types de syllabes, et de nouveaux arrangements entre les syllabes.

Quels sont les mécanismes qui permettent au canari d'oublier puis de réinventer et de mémoriser, chaque année, son nouveau chant de séduction ?

Il y a un peu plus de trente ans, en 1981, Fernando Nottebohm publie sa première découverte concernant les variations saisonnières du chant du canari.

Il y a dans le cerveau du canari mâle adulte une petite région impliquée dans l'apprentissage du chant : le *centre vocal supérieur*. Et Nottebohm découvre que le volume de cette petite région du cerveau varie au long des saisons.

Son volume est minimal en août et en janvier, quand le chant s'appauvrit, se déstructure et varie.

Son volume augmente à partir d'octobre et en février, quand le chant se restructure, s'enrichit, et se stabilise.

Et son volume est maximal entre mars et juin, durant la saison des amours.

Quelle peut être la cause de ces variations saisonnières de volume ?

Deux ans plus tard, Nottebohm publie, avec un jeune collègue, Arturo Alvarez-Buyalla, une première réponse qui cause une grande surprise.

L'augmentation de volume du *centre vocal supérieur*, en octobre et en février, est due à la naissance dans le cerveau de cellules nerveuses nouvelles qui viennent peupler cette petite région impliquée dans l'apprentissage du chant.

Encore un an, et en 1984, Nottebohm et l'un de ses collaborateurs publient les résultats d'une étude complémentaire qui indique que ces cellules nerveuses nouvelles forment des connexions fonctionnelles – des synapses actives – avec d'autres cellules nerveuses de la région. Elles ne font pas que peupler la petite région du cerveau – elles participent aux réseaux qui sous-tendent l'apprentissage du chant.

Mais à quoi sont dus les phénomènes de diminution de volume du *centre vocal supérieur* en août et en janvier, qui précèdent cet afflux de cellules nouvelles ?

Encore un an, et Nottebohm et ses collègues apportent la réponse.

Durant les mois d'août et de janvier, une partie des cellules nerveuses qui composent cette petite région du cerveau s'autodétruisent.

Et ainsi il apparaissait qu'une partie du cerveau adulte du canari est chaque année, deux fois par an, le siège de la survenue de phénomènes de mort de certaines cellules nerveuses, et de phénomènes de régénération dus à la naissance de cellules nouvelles.

Nottebohm et d'autres chercheurs allaient plus tard découvrir que ces phénomènes sont dus à des variations saisonnières de production de certaines hormones sexuelles, dont la testostérone.

Les variations de la quantité de testostérone sculptent au long de l'année la configuration du *centre vocal supérieur*. La diminution de la production de testostérone provoque la mort d'une partie des cellules du cerveau. Et l'augmentation de sa production provoque la naissance de cellules nouvelles, et allonge la durée de leur survie.

Et ainsi, l'oubli du chant de la saison des amours précédente est causé par la disparition d'une partie de la région cérébrale qui a permis de l'élaborer. Quelques semaines plus tard, des cellules souches qui dormaient jusque-là aux alentours de cette petite région s'éveillent et donnent naissance à de nouvelles cellules nerveuses qui se déplacent, migrent et viennent reconstituer la région qui s'était en partie effacée, établissant de nouvelles connexions, tissant de nouveaux réseaux qui favorisent l'émergence et l'inscription dans la mémoire d'un chant nouveau.

Le canari élabore chaque année un chant nouveau.
Il redevient, chaque année, pour partie, un adolescent.
Il recommence à inventer sa singularité.
Il devient non seulement différent de ses voisins, mais différent de ce qu'il était au printemps précédent.

Il est chaque année, à la fois pour partie le même,
et pour partie un autre.

La plus grande surprise causée par la découverte de Fernando Nottebohm ne venait pas de l'explication qu'elle apportait au renouvellement saisonnier du chant de séduction du canari.

La plus grande surprise, qui allait jusqu'à l'incrédulité, tenait au fait qu'il s'agissait de la première découverte chez un oiseau adulte, d'une capacité de régénération partielle du cerveau. Un oiseau possédait dans son cerveau, durant toute son existence, des cellules souches capables de donner naissance à de nouvelles cellules adultes.

Et soudain la mort des cellules nerveuses du cerveau durant la vie adulte ne signifiait plus obligatoirement un déclin.

Elle pouvait jouer le rôle d'un sculpteur, qui, en retirant de la matière, permettait l'émergence de la nouveauté.

La perte causait l'oubli, mais cet oubli permettait de se réinventer. De faire émerger une nouvelle mémoire. Une nouvelle forme de jeunesse.

La mémoire pouvait renaître de l'oubli, comme le phénix de ses cendres.

En 1994, Nottebohm publie, avec l'un de ses collaborateurs, une autre découverte.

Il s'est engagé dans une nouvelle aventure.

Il a exploré les capacités de régénération saisonnière du cerveau chez des mésanges d'Amérique du Nord – les mésanges à tête noire.

Les mésanges à tête noire ont, comme le geai buissonnier, une prodigieuse mémoire topographique, une capacité de se souvenir durant tout l'hiver de l'emplacement des très nombreuses caches où elles ont enfoui, à la fin de l'été, leurs réserves de nourriture.

Des études réalisées à la fin des années 1980 avaient rapporté que le volume de leur hippocampe – cette région du cerveau qui joue chez les oiseaux comme chez nous un rôle essentiel dans l'inscription durable des souvenirs, et notamment des souvenirs des cartes des lieux – se modifiait au cours des saisons.

Nottebohm découvre que des cellules nerveuses nouvelles naissent en permanence dans l'hippocampe des mésanges à tête noire. Et que la vague de naissances la plus importante se produit à la fin de l'été et au début de l'automne, quand l'oiseau commence à cacher ses réserves de nourriture.

Les cellules nerveuses qui viennent de naître survivent quelques mois, puis s'autodétruisent.

Et ainsi, conclut Nottebohm, l'hippocampe de la mésange à tête noire continue à rajeunir périodiquement durant toute son existence, et ce rajeunissement connaît un pic durant la saison où elle commence à faire appel à ses extraordinaires capacités de mémorisation des lieux.

Les derniers ancêtres communs aux oiseaux et aux mammifères vivaient il y a environ trois cents millions d'années.

Ce qui était vrai pour des oiseaux – pour des canaris et pour des mésanges à tête noire – pouvait-il l'être aussi pour des mammifères ? Et pour nous ?

Dès 1965, Joseph Altman et Gopal Das, du Massachusetts Institute of Technology, avaient publié les premiers résultats suggérant que des cellules nerveuses pouvaient naître dans l'hippocampe de rats adultes. Certains avaient confirmé ces résultats. Mais d'autres les avaient infirmés.

Et le dogme, pour la quasi-totalité des neurobiologistes, était que l'émergence de la complexité du cerveau au cours de l'évolution du vivant s'était accompagnée d'un prix à payer : l'incapacité du cerveau après la période de développement embryonnaire et la petite enfance de se renouveler. Le dogme était que, passée l'enfance, passé l'âge de cinq ans ou peut-être dix ans, le cerveau humain ne pouvait que persister, puis s'effriter progressivement comme une falaise battue par la mer.

Et ce dogme était renforcé par les représentations que l'on se faisait de la mémoire. La persistance en nous, tout au long de notre existence, d'innombrables traces de notre passé ne dépendait-elle pas de la persistance dans notre cerveau des cellules et des connexions entre les cellules qui en étaient le support ?

Si ces cellules disparaissaient et étaient remplacées par des cellules nouvelles, qui n'avaient pas inscrit en elles l'empreinte de ce que nous avions vécu, ces traces ne disparaîtraient-elles pas ?

Renaître signifierait alors oublier, nous oublier à nous-mêmes, effacer notre passé.

Et même si on pouvait se prendre à rêver, et à souhaiter un cerveau capable de renaître de ses cendres comme un phénix, ce rêve n'était-il pas absurde ?

Le cerveau qui renaîtrait ne serait pas le nôtre...

Ou du moins tel était le dogme – conduisant à la conviction qu'il n'était pas nécessaire d'explorer cette vision de la réalité pour la remettre en cause, puisqu'il semblait impossible qu'il en soit autrement.

Depuis le début des années 1980, Fernando Nottebohm avait révélé qu'une partie du cerveau d'un petit oiseau adulte, un canari, était capable, chaque année, durant toute son existence, de se régénérer. Et que les cellules nerveuses auxquelles il donnait naissance s'intégraient aux réseaux qui participaient à l'apprentissage du chant.

Était-il possible que notre cerveau soit doté des mêmes capacités ? Se pouvait-il qu'un pouvoir de donner naissance à des cellules nouvelles soit l'un des mécanismes qui permettait d'inscrire en nous les traces de nouveaux souvenirs ?

Et était-il possible qu'apprendre nécessite pour partie d'oublier ?

Quinze ans s'écouleront.

Et en 1998, une équipe suédoise publie la première étude révélant la naissance de cellules nerveuses nouvelles dans l'hippocampe de personnes adultes.

Fred Gage – un chercheur qui travaille au Salk Institute sur les capacités de régénération du cerveau humain, et qui avait collaboré à l'étude suédoise – écrira : *ce sont les études de Nottebohm qui nous ont ouvert les yeux sur le fait que le*

cerveau adulte se transforme et produit des cellules nouvelles
tout au long de la vie.

Et comme un étrange écho à la naissance de cellules nouvelles dans le cerveau des canaris et des mésanges à tête
noire, la naissance de cellules nouvelles dans notre cerveau
semblait avoir un lien avec l'apprentissage et la mémoire.

Apprendre, c'est devenir autre.
Et à mesure que nous apprenons, tout au long de notre vie,
notre cerveau, aussi, devient autre.

Notre cerveau a non seulement la capacité, en fonction des
expériences que nous vivons, de modifier, de reconfigurer
durant toute notre existence, les réseaux de connexions
entre les cellules nerveuses qui sous-tendent notre
mémoire et nos activités mentales, il a aussi la capacité de
renouveler une partie au moins des cellules nerveuses qui
le composent.

Il a non seulement la capacité de réassocier, recombiner
autrement ses composantes déjà présentes – le pouvoir de
faire du neuf à partir de l'ancien –, il a aussi la capacité de
faire naître de nouvelles composantes – le pouvoir de produire du neuf à partir du jeune.

Des études réalisées chez la souris indiquent que cette
capacité de régénération dépend aussi de l'environnement dans lequel elle vit. Plus son environnement est
stimulant, plus il sollicite sa mémoire, et plus la naissance de cellules nouvelles dans son cerveau et la durée
de survie de ces cellules seront importantes.

Lorsqu'on place des souris âgées dans un environnement plus stimulant que l'environnement habituel
d'une animalerie de laboratoire – lorsque l'on enrichit

cet environnement, par exemple en mettant ensemble des animaux des deux sexes dans la cage, en introduisant dans la cage des objets qui attirent l'attention et que l'on change fréquemment, en ajoutant une roue qui permet aux souris de courir à volonté, et parfois un labyrinthe dans lequel on placera leur nourriture, ce qui stimulera leur mémoire – *cet environnement enrichi* induit chez ces souris âgées un repeuplement de leur hippocampe par des cellules nerveuses nouvelles, une augmentation du volume de leur hippocampe, et une restitution de leurs capacités de mémorisation qui devient semblable à celles de souris jeunes.

Et des études récentes, toujours chez des souris, suggèrent que ce renouvellement d'une partie des cellules composant l'hippocampe joue un rôle important dans la fidélité et l'exactitude des souvenirs.

En l'absence de naissance de cellules nouvelles, une voie de substitution, une voie de secours – qui implique les cellules anciennes, qui persistent depuis la vie fœtale ou la petite enfance – se mettrait en place. Mais elle ne permettrait que l'inscription d'une partie seulement des souvenirs, et au prix d'une perte de leur fidélité.

D'autres études, toujours chez la souris, dont les plus récentes ont été publiées en 2012, ont exploré plus avant les rôles respectifs et complémentaires que jouent dans l'hippocampe les cellules nerveuses nouvelles nées durant la vie adulte et les cellules plus anciennes nées durant la vie fœtale ou la petite enfance.

Les unes permettraient de distinguer entre eux des souvenirs semblables, et les autres permettraient, au contraire, de créer des liens entre des souvenirs différents.

Étrangement, ces deux études divergent quant à savoir si ce sont les cellules jeunes ou les cellules anciennes qui permettent de faire des distinctions entre des souvenirs semblables ou d'associer entre eux des souvenirs différents. Mais elles concordent toutes deux quant à la conclusion que les deux populations de cellules jouent des rôles distincts et complémentaires, et sur le fait qu'il s'agit d'un équilibre dynamique – les cellules nouvelles, à mesure qu'elles prennent de l'âge, changent progressivement d'activité, endossant le rôle des cellules anciennes, et sont alors complémentées par les activités des nouvelles cellules, plus jeunes, qui viennent de naître.

Chez certains oiseaux comme les mésanges à tête noire, nous l'avons vu, l'accumulation de nouveaux souvenirs – l'inscription saisonnière dans la mémoire des cartes vivantes des lieux où se trouvent les réserves de nourriture – ne s'accompagne pas seulement d'une augmentation du nombre des cellules nerveuses qui composent l'hippocampe et de leur renouvellement, mais aussi d'une augmentation de volume de l'hippocampe.
La mémoire occupe de la place, pèse un poids.

En est-il de même pour nous ?
Comment se traduit dans notre hippocampe, en termes d'architecture, de taille, de place, de volume occupé, cette intériorisation des lieux que nous parcourons et qui revivent en nous à chaque fois que nous les évoquons et à chaque fois que nous y retournons ?

En 2000, une équipe de chercheurs britanniques apportait un premier élément de réponse.
L'étude portait sur des personnes qui font particulièrement appel à leur mémoire topographique, à leur

mémoire géographique. Des personnes qui exercent une même profession – chauffeur de taxi dans la ville de Londres

Il faut, pour devenir chauffeur de taxi à Londres, acquérir une mémoire topographique, spatiale, considérable. Dans le jargon du métier, cela s'appelle, acquérir *La connaissance*. Pour réussir cet examen particulièrement difficile, le candidat chauffeur doit connaître les noms et la localisation de vingt-cinq mille rues, dans un rayon de neuf kilomètres autour de la gare de Charing Cross, ainsi que la localisation précise de milliers de sites d'intérêt de la ville de Londres. Seuls une moitié environ de ceux qui s'engagent durant plusieurs années dans cet apprentissage réussissent l'examen et acquièrent le droit de devenir chauffeurs de taxi.

Dans leur étude publiée en 2000, les chercheurs avaient comparé par imagerie cérébrale le volume de l'hippocampe d'un certain nombre de chauffeurs de taxi de Londres, pris au hasard, et la taille de l'hippocampe d'un même nombre d'habitants de Londres, pris au hasard, qui n'exerçaient pas cette profession.

Et la conclusion de l'étude était que la taille de l'hippocampe était plus importante chez les chauffeurs de taxi.

Mais cette étude posait un problème d'interprétation.

Est-ce que c'était cet effort considérable d'inscription dans leur mémoire durable de ces cartes vivantes de la ville de Londres, et la mise en jeu quotidienne de ces souvenirs topographiques, qui avaient entraîné une augmentation du volume de l'hippocampe des chauffeurs de taxi ?

Ou est-ce que, parmi les candidats à la profession de chauffeur de taxi, c'étaient les personnes qui avaient déjà au départ un hippocampe de volume plus important que les autres qui avaient été seules à être capables de cette mémorisation ?

En d'autres termes, ce que révélait cette étude, c'était une corrélation, une association robuste sur le plan statistique, entre deux caractéristiques – l'une, l'importance du volume de l'hippocampe, et l'autre, une profession, chauffeur de taxi.

Mais l'existence d'une telle corrélation ne disait rien en ce qui concernait les relations de causalité qui pouvaient ou non exister entre ces éléments.

L'importance du volume de l'hippocampe pouvait aussi bien être une conséquence de l'apprentissage qu'une condition préalable à sa réussite.

Onze ans passeront.

Et la même équipe apportera une réponse claire en décembre 2011.

Le titre de l'article est *Acquérir* La connaissance *induit des changements dans la structure du cerveau*.

Les chercheurs avaient suivi pendant quatre ans, à Londres, soixante-dix-neuf candidats à l'examen de chauffeur de taxi, et trente et une personnes qui avaient de tout autres activités.

Ils avaient proposé à ces cent dix personnes de réaliser des tests au début de l'étude, puis, quatre ans plus tard – ce qui correspond à la durée qui s'écoule habituellement pour les candidats chauffeurs de taxi entre le début de leur apprentissage et leur examen.

Ces tests comportaient, d'une part, la mesure, par imagerie cérébrale, du volume de différentes régions du cerveau, dont l'hippocampe.

D'autre part, des tests qui explorent les souvenirs des relations entre les différents sites de Londres.

Et enfin des tests de mémorisation spatiale, explorant la facilité à apprendre à mémoriser des figures géométriques complexes.

Dans les tests réalisés au début, il n'y a aucune différence détectable entre les deux groupes – candidats chauffeurs de taxi et personnes exerçant d'autres professions – ni dans les capacités de mémorisation des figures géométriques, ni dans le volume des différentes régions du cerveau, en particulier de l'hippocampe.

Quatre ans plus tard, trente-neuf des soixante-dix-neuf candidats chauffeurs de taxi – c'est-à-dire la moitié – ont réussi leur examen, une proportion qui reflète la proportion habituelle de réussite à cet examen.

Et l'étude montre que, durant ces quatre ans, la taille de l'hippocampe des chauffeurs qui ont réussi l'examen a augmenté.

Alors que la taille de l'hippocampe ne s'est modifiée ni chez les candidats chauffeurs qui ont échoué à l'examen, ni chez les trente et une personnes qui ont d'autres professions.

Les résultats que ces chercheurs avaient obtenus onze ans plus tôt – à savoir que les chauffeurs de taxi de Londres ont en moyenne un hippocampe de plus grande taille que des personnes qui ne sont pas chauffeurs de taxi – s'expliquent donc par le fait que c'est l'inscription dans leur mémoire des cartes du réseau des rues et des sites de Londres qui provoque – chez ceux qui vont réussir l'examen – une augmentation de la taille de leur hippocampe.

Les tests de mémoire réalisés à la fin de l'étude indiquent, ce qui n'est pas surprenant, que les chauffeurs de taxi qui ont réussi l'examen se souviennent beaucoup mieux des relations spatiales entre les différents sites de Londres que ceux qui ont échoué à l'examen.

Et l'étude indique aussi que les trente-neuf candidats chauffeurs qui ont réussi l'examen ont consacré en moyenne, par semaine, durant les quatre ans qu'a duré leur apprentissage, deux fois plus de temps à apprendre que les quarante candidats qui ont échoué.

Chez les candidats qui ont réussi leur examen de chauffeur de taxi, ce n'est pas l'ensemble de l'hippocampe qui a augmenté de taille, mais la partie postérieure de l'hippocampe, suggérant que cette région joue un rôle particulier dans la mémorisation et la remémoration permanente de l'espace.

Ce qui a augmenté de taille, c'est la matière grise de la partie postérieure de l'hippocampe. Il pourrait s'agir d'une augmentation du nombre de cellules nerveuses qui peuplent cette région, et/ou d'une augmentation du réseau de connexions, de synapses et d'arborisations entre ces cellules. L'étude ne permet pas de le savoir.

Mais l'étude suggère que le volume, le poids occupé dans l'hippocampe par l'inscription dans la mémoire de ce réseau de plus de vingt-cinq mille rues, et de milliers d'autres sites de Londres s'accompagne d'un prix à payer – d'un coût.

Les chauffeurs de taxi qui viennent de réussir leur examen ont plus de difficulté à mémoriser des figures géométriques complexes qui leur sont présentées. Plus de difficulté qu'ils n'en avaient au début de leur période d'apprentissage, et plus de difficultés que les quarante candidats qui ont échoué à l'examen, et que les trente et une personnes ayant une autre profession.

Comme si leur extraordinaire apprentissage, durant quatre ans, avait quelque peu saturé leur capacité à mémoriser des données spatiales additionnelles, d'une autre nature.

Comme si leurs capacités de mémorisation spatiale étaient devenues entièrement focalisées sur des éléments topographiques qui concernent la carte de Londres.

Mais ces capacités peuvent évoluer avec le temps, et en fonction de l'activité.

Les chercheurs ont découvert que chez des chauffeurs de taxi de Londres qui ont pris leur retraite depuis un certain temps, les capacités de mémorisation de figures géométriques complexes sont les mêmes que celles de la population générale.

Et il est possible que l'usage croissant du GPS par les chauffeurs de taxi aboutira, dans un avenir proche, à une simplification progressive des cartes vivantes de la ville dont ils mobilisent le souvenir, libérant peut-être leur mémoire spatiale pour d'autres apprentissages. Et peut-être qu'un jour l'examen lui-même sera modifié, et ne nécessitera plus des candidats à la profession de chauffeur de taxi cet extraordinaire effort de mémorisation de la carte de la ville de Londres.

Ce que révèlent ces études, c'est que nos performances mentales se traduisent par des modifications de l'architecture intime de notre cerveau.

Notre hippocampe se remodèle tout au long de notre

existence, en fonction de l'importance et de la précision des différentes cartes du monde qui s'inscrivent dans notre mémoire, et dans lesquelles nous naviguons.

Les expansions et les contractions apparemment immatérielles de notre mémoire se traduisent en nous par des modifications, dans l'espace, de la composition, de la configuration et de la densité des réseaux de nos cellules nerveuses dans notre cerveau. Parfois même sous la forme d'une augmentation détectable du volume d'une région entière de notre cerveau – inscrire en soi la ville de Londres prend de la place.

Il y a une autre région du cerveau qui, du moins chez les petits rongeurs, chez les souris et les rats, est repeuplée durant toute l'existence par des cellules nerveuses nées au cours de la vie adulte. C'est le bulbe olfactif, qui permet de distinguer les odeurs et les parfums.

Et plusieurs études, dont la plus récente vient d'être publiée au printemps 2012 par une équipe française, indiquent que ces cellules nouvelles facilitent l'apprentissage par les souris d'une capacité à distinguer entre des odeurs et des parfums semblables.

En est-il de même pour nous ?
Il semblerait que non.

Une étude, publiée elle aussi au printemps 2012 par une équipe suédoise, indique une absence dans le bulbe olfactif humain de cellules nerveuses nées après l'enfance.

La régénération continuelle du bulbe olfactif à l'âge adulte pourrait être un privilège que nous avons perdu et qui reflète probablement la pauvreté de nos capacités de distinction olfactive par rapport à celles de la plupart de nos cousins mammifères.

Il nous reste les capacités de renouvellement de notre hippocampe.

Et certaines études suggèrent qu'il pourrait exister, chez les souris du moins, un troisième mécanisme beaucoup plus général de régénération du cerveau.

Lorsque surviennent dans le cerveau, au cours d'un accident ou d'une maladie, des phénomènes de mort cellulaire importants, des cellules souches nerveuses qui dormaient jusque-là dans le cerveau pourraient sortir de leur sommeil et donner naissance à des cellules nouvelles, qui migreraient alors vers les régions lésées et les repeupleraient.

Ces phénomènes de régénération peuvent-ils aussi se produire dans notre cerveau ? Notre cerveau est-il capable de se renouveler ou de renaître en cas d'accident ou de maladie ?

On ne le sait pas encore.

Mais depuis quelques années, une autre découverte a été faite : les cellules nerveuses – les neurones – ne sont pas les seules cellules de notre cerveau impliquées dans l'émergence de nos activités mentales.

Une autre population de cellules dont le nombre dépasse celui de nos neurones – les cellules *gliales* – joue aussi un rôle dans nos activités mentales, complétant les activités des neurones.

Et les cellules *gliales*, dont on pensait auparavant qu'elles n'avaient qu'un rôle de protection des neurones et du cerveau, sont en permanence renouvelées.

Et ainsi les capacités de renouvellement de notre cerveau dépassent probablement les seules capacités de renouvellement des neurones qui le composent.
Jusqu'à quel point ? On ne le sait pas encore.

Mais cette ignorance est une ignorance récente, riche de questionnements, de recherches à venir, et de réponses encore imprévisibles.

Et cette ignorance féconde a remplacé ce qui il y a encore quinze ans apparaissait comme une certitude, comme une évidence qu'il était inutile, voire absurde de questionner – cette certitude que notre cerveau était incapable de se renouveler.

Qui peut savoir où commence la fin ? demande l'écrivain Ben Okri dans un beau livre, *Infinite Riches*.

Trois siècles plus tôt, Spinoza écrivait : *Le corps et l'esprit sont une même chose, vue sous deux angles différents.*
Et *nul ne sait*, ajoutait-il, *nul ne sait ce que peut le corps.*

CELA CESSA DE ME FAIRE MAL...

Cela cessa de me faire mal, mais si lentement
Que je ne pus voir le tourment s'en aller –
Mais sus seulement, en regardant en arrière –
Que quelque chose – avait engourdi le Chemin –

Ni quand ce mal changea, je ne pourrais le dire,
Car je l'avais porté, jour après jour

Ni ce qui le consola, je ne pus en détecter la trace –
Excepté que, alors que c'était le Désert –
C'est mieux – presque la Paix –

Emily Dickinson.

Durant le XVIe siècle, le chirurgien Ambroise Paré remarque que certains des soldats qu'il avait amputés sur les champs de bataille continuaient, longtemps après, à sentir la présence du bras qu'ils avaient perdu. Leur bras absent les faisait souffrir, et leur semblait adopter des positions gênantes ou douloureuses.

Lord Nelson, l'amiral Nelson, qui avait été amputé de son bras droit après une blessure reçue durant une bataille navale au large des îles Canaries, la bataille de Santa Cruz de Tenerife, souffrait, lui aussi, de douleurs dans son bras absent.

Si mon bras peut continuer à exister, au point d'être source de souffrance, alors qu'il a matériellement disparu, disait

Nelson, c'est bien la preuve de la possibilité d'une survivance, ailleurs, sous forme immatérielle mais toujours sensible, de notre corps.

Et il y voyait une preuve de l'immortalité de l'âme.

Mais ce qu'il n'avait pas envisagé, c'est que cette persistance immatérielle puisse être non pas celle de son bras en tant que tel – mais une persistance, dans son univers mental, d'une représentation de son bras disparu. Dans son univers mental, qui émergeait de son corps, de son cerveau.

Dans sa mémoire.

Le terme de *membre fantôme* sera proposé par un médecin américain, peu après la guerre de Sécession, durant laquelle un nombre considérable de soldats avaient été amputés. Et beaucoup d'entre eux continuaient, des années plus tard, à sentir les mouvements et les douleurs de leur bras ou de leur jambe disparus.

La présence de ces membres fantômes posera à la médecine un problème longtemps insoluble : comment soulager les douleurs d'une partie du corps qui est absente ?

Et ce n'est que plus d'un siècle plus tard, durant les années 1990, que Ramachandran découvrira un traitement, apparemment très étrange, qui permettra pour la première fois, dans certains cas du moins, d'effacer les douleurs et la présence persistante du membre fantôme.

Pour pouvoir comprendre, il faut remonter le temps, d'environ un demi-siècle. Au moment où le neurochirurgien canadien Wilder Penfield découvre l'existence, dans notre cerveau, d'une image, d'un schéma, d'une carte miniature de notre corps.

C'est notre cerveau qui nous permet de ressentir la douleur quand une partie de notre corps est lésée. Mais notre cerveau lui-même, qui est protégé des agressions de l'extérieur par les os de notre crâne, est, de manière apparemment paradoxale, le seul organe de notre corps qui est lui-même insensible à la douleur.

Et pour cette raison, durant une opération de neurochirurgie, après une anesthésie locale qui permet d'ouvrir le crâne de manière indolore, le neurochirurgien peut, sans provoquer aucune douleur, stimuler des régions précises du cerveau d'une personne consciente, en les touchant avec des électrodes qui vont produire une activation des cellules nerveuses de ces régions.

Durant les années 1940 et 1950, Wilder Penfield – avant de réaliser l'intervention chirurgicale qui permettra de retirer du cerveau une tumeur, ou une petite région responsable de crises d'épilepsies incurables – stimule à l'aide d'électrodes les régions voisines de la lésion du cerveau de ses patients pour s'assurer que la zone qu'il va retirer n'est pas impliquée dans une fonction essentielle – la vision, l'audition, le langage...

Penfield demande à ses patients de décrire ce qu'ils ressentent lorsqu'il stimule différentes régions de la surface – du cortex – de leur cerveau.

Et il découvre que la stimulation de certaines régions entraîne chez les patients une sensation dans différentes parties du corps – une main, une jambe, une partie de la lèvre supérieure, une portion de la langue... –, les personnes disent que c'est comme si quelque chose avait touché leur main, leur jambe, leur lèvre, leur langue...

Lorsque Penfield stimule une région particulière de la moitié gauche – l'hémisphère gauche – du cerveau, la sensation de toucher a lieu dans une région particulière de la moitié opposée, droite, du corps. Et inversement.

Penfield révélait l'existence, à la surface de chacun de nos deux hémisphères cérébraux, d'un schéma, d'un dessin, d'une carte vivante d'une moitié de notre corps – un dessin, un schéma, de taille extrêmement réduite, en miniature, de chaque moitié de notre corps.

Comme deux tout petits personnages – deux *tout petits hommes*, deux *homonculus*, et c'est le nom que leur donnera Penfield.

Une carte sensorielle – quand on stimule, par une électrode, la région qui correspond au dessin de la main sur cette carte vivante, la personne a l'impression que sa main est touchée.

Et une carte motrice – quand on stimule par une électrode la région qui correspond au dessin de la main sur cette carte, la personne bouge spontanément la main.

Puis d'autres cartes semblables seront découvertes dans d'autres régions du cerveau : d'autres cartes sensorielles, et d'autres cartes motrices...

Suivant l'intensité de la stimulation et la nature des cellules nerveuses stimulées dans une région particulière de ces cartes, par exemple la région *pouce*, la stimulation pourra provoquer un mouvement du pouce dont la personne sera consciente, ou un mouvement du pouce dont la personne ne sera pas consciente, ou au contraire, une sensation d'avoir bougé le pouce alors qu'il n'a pas bougé...

Et ainsi, ce que traduisent ces stimulations artificielles par des électrodes de portions de nos cartes cérébrales, c'est la complexité des mécanismes impliqués dans nos mouvements les plus habituels, au cours desquels ces cartes vivantes s'activent à mesure que nous réalisons ces mouvements, permettant en permanence une coordination et une adaptation en temps réel de nos intentions, de nos sensations et de l'exécution du mouvement.

Mais ces cartes ne sont pas simplement des reproductions en miniature de notre corps.
Elles reflètent notre corps, mais de manière un peu étrange.

Non seulement la représentation de chaque moitié de notre corps est localisée dans la moitié opposée de notre cerveau – la moitié droite de notre corps à la surface de l'hémisphère gauche de notre cerveau, et la moitié gauche de notre corps à la surface de l'hémisphère droit – mais ces dessins de notre corps sont à l'envers, les pieds en haut et la tête en bas – et ils ne reproduisent pas exactement la continuité entre les différentes parties de notre corps.

Mais ce qui était peut-être plus surprenant encore dans la découverte de Penfield, c'est que les dessins de certaines régions du corps occupent, sur ces cartes, une surface démesurée par rapport au volume réel qu'occupent ces régions dans notre corps.
En particulier, les lèvres, la langue et les doigts occupent une place disproportionnée sur ces cartes par rapport à d'autres parties du corps.
Les dessins des lèvres, par exemple, ont une taille beaucoup plus importante que le dessin du thorax et de l'abdomen – ce qui traduit probablement l'importance que nos lèvres ont depuis notre toute petite enfance, dans notre capacité à téter, à nous nourrir, dans nos contacts affectifs – les sourires, les baisers – et dans notre langage oral.

Ces cartes vivantes, ces schémas de notre corps ne sont pas rigides, fixés une fois pour toutes, durant toute notre existence – ils se modifient, se transforment, évoluent en fonction de nos expériences.

Ils se réorganisent, se redessinent.

Ils sont dynamiques, continuellement remodelés en fonction de nos actions et de nos perceptions.

Par exemple, chez les violonistes droitiers, qui mobilisent avec une grande précision et virtuosité les doigts de leur main gauche, la taille des sites qui correspondent aux doigts de la main gauche vont augmenter de manière considérable sur les cartes sensorielles et motrices de l'hémisphère droit du cerveau.

Et ces schémas vont non seulement grandir à mesure que le musicien joue de son instrument, mais aussi, simplement, à mesure que, sans aucun mouvement, il répète mentalement un morceau de musique – lorsqu'il mobilise sa mémoire.

Mais revenons aux *membres fantômes*.

Ce que Ramachandran propose, au début des années 1990, c'est que le mystère des douleurs et des mouvements des membres fantômes serait dû à des anomalies de recomposition des cartes cérébrales du corps.

Le bras a disparu depuis des années, mais peut-être est-il toujours présent et vivant dans les cartes du cerveau.

Un de ses patients lui dit que lorsqu'il remue les lèvres, le mouvement de ses lèvres provoque des mouvements et des douleurs de son bras fantôme. Et Ramachandran découvre que le même phénomène se produit lorsqu'il touche lui-même les lèvres de son patient. Ou lorsqu'il fait couler de l'eau sur ses lèvres.

Le schéma du bras disparu sur les cartes cérébrales du corps se serait-il déplacé, et mêlé, enchevêtré au schéma des lèvres ?

Cette question le fascine.

Et Ramachandran – qui travaille dans un grand centre de recherche en neurobiologie de Californie, où les techniques modernes les plus sophistiquées sont utilisées – décide alors d'utiliser un procédé qui ne fait pas du tout appel à ces techniques, mais qui ressemble, à première vue, à un tour de magicien dans une baraque foraine.

Il construit l'équivalent d'une grande boîte, à l'intérieur de laquelle il place des miroirs.

Il demande au patient d'introduire ses *deux* bras – celui qui lui reste et celui qui lui manque – dans deux ouvertures qu'il a pratiquées à l'extérieur de la boîte.

Puis il lui demande de faire des mouvements avec ses deux bras. Et le jeu de miroirs donne au patient l'illusion, quand il bouge son bras existant, que c'est le bras absent, amputé, qui est en train de bouger.

Au bout de plusieurs de ces étranges séances d'illusion d'optique, chez la plupart des patients, la douleur et les mouvements gênants du membre fantôme disparaissent.

Le membre fantôme s'est évanoui. Il n'est plus présent. Il est devenu un souvenir – le souvenir d'un bras perdu.

Cette extraordinaire aventure, Ramachandran en fait le récit dans son livre *Phantoms in the Brain – Des fantômes dans le cerveau*.

Il y a deux types de guérison, dit-il.

Soit le membre fantôme disparaît uniquement durant les séances, pendant que le patient le *voit* bouger, alors qu'il sait que ce membre est absent. Mais le membre recommence à hanter le patient entre les séances.

Soit le membre fantôme disparaît définitivement. Il n'est plus présent. Il est devenu un souvenir – le souvenir d'une perte, le souvenir d'un bras depuis longtemps disparu.

Ramachandran pense, mais les recherches sont toujours en cours, que c'est la réalisation par la personne qu'il est impossible et absurde que son bras absent puisse être en train de bouger qui entraîne une recomposition de ses cartes cérébrales, et permet au tracé du membre fantôme sur ces cartes de disparaître.

C'est probablement le fait d'être confronté à la réapparition d'un bras absent qui non seulement continue à vivre en nous, mais se met à bouger devant nos yeux, qui nous permet de réaliser enfin, au plus profond de nous, que notre bras a disparu – qui nous permet, enfin, d'en accepter la perte, d'en faire le deuil, de faire basculer le présent dans le perdu, dans ce lieu où prennent place en nous les fantômes du passé – notre mémoire.

Le temps produit du perdu, dit Pascal Quignard. *Seul le passé dure.*

Mais il arrive, parfois, que les traces d'un passé qui s'est inscrit dans notre mémoire, nous puissions en effacer jusqu'au souvenir, quand ce souvenir est trop douloureux, trop violent, trop traumatisant à revivre.

Pourtant, il ne s'agit pas véritablement d'oubli.

Les traces du passé demeurent en nous. Mais elles nous sont devenues inaccessibles.

Plusieurs études, publiées depuis 2008, ont révélé, chez certains de nos lointains parents, la complexité des mécanismes impliqués dans ces phénomènes.

Un stimulus non dangereux (un flash de lumière ou une sonnerie) est présenté à des souris en association avec un événement désagréable.

Au bout de quelques présentations simultanées, la lumière ou la sonnerie, à elle seule, provoquera la peur, ou le retrait. C'est un apprentissage conditionné, un apprentissage associatif, comme l'avait décrit Pavlov.

Et l'apprentissage de cette association s'accompagne chez la souris d'une reconfiguration de certains réseaux de cellules nerveuses dans le cerveau. L'association s'est inscrite dans la mémoire.

Et la lumière ou la sonnerie, à elles seules, provoqueront désormais l'activation de ces réseaux, et la réaction de peur ou de retrait.

Une fois l'apprentissage mémorisé, si la lumière ou la sonnerie continue à être présentée de manière répétée en l'absence du contexte désagréable, la souris « désapprendra » à avoir peur.

Mais il ne s'agit pas d'oubli. Il ne s'agit pas d'un retour à la situation antérieure.

Il s'agit d'un nouvel apprentissage – l'apprentissage d'une répression active du resurgissement du souvenir de la peur.

Durant la période où la souris a « désappris » la peur, la présentation répétée de la lumière ou de la sonnerie en l'absence du contexte désagréable s'est accompagnée de la mise en place dans son cerveau d'un autre réseau de cellules nerveuses dont l'activation réprime progressivement de manière de plus en plus efficace l'activation des réseaux qui ont inscrit le souvenir initial qui déclenche la réaction de peur.

Le souvenir qui résulte de ces deux apprentissages contraires – apprendre qu'un contexte est source de désagréments, puis apprendre que ce contexte n'est pas, n'est plus, source de désagrément – est un souvenir qui intègre et préserve les traces de ces deux apprentissages.

L'absence de réaction de peur est constamment maintenue par une répression active du resurgissement du souvenir ancien.

La peur est, en permanence, prête à renaître. Et elle renaîtra, si elle cesse un jour d'être réprimée.

C'est ce qui se produira si la lumière ou la sonnerie réapparaît durant – ou peu de temps après – un événement désagréable d'une autre nature que celui qui a été à l'origine de l'apprentissage conditionné de la peur.

La peur resurgira immédiatement, et la nouvelle association s'inscrira rapidement dans la mémoire, beaucoup plus rapidement que la première association, par le passé.

Le souvenir ancien de la peur ne s'était pas effacé : il avait été enfoui, intact, prêt à resurgir plus vite et plus fort encore, sous une forme nouvelle.

Freud attachait une grande importance aux effets inconscients que peuvent avoir sur nous nos souvenirs réprimés, enfouis au plus profond de nous, depuis la toute petite enfance.

Mais parfois, ces formes apparentes d'oubli peuvent survenir plus tard, durant notre vie adulte.

Il y a un film du cinéaste israélien Ari Folman, *Valse avec Bachir*, dans lequel il raconte son amnésie totale de son passé de soldat, pendant la guerre du Liban.

Vingt ans plus tard, l'un de ses amis lui raconte le cauchemar qui hante ses nuits, et qui est lié à ses souvenirs de la guerre.

Ari Folman, lui, ne se souvient de rien.

Il part à la recherche de ses amis qui ont vécu la guerre à ses côtés.

Il leur demande de raconter. Il les écoute, et ne se souvient pas.

Et un jour, dans la neige, en Hollande, dans un taxi qui le ramène à l'aéroport, tout lui revient soudain, d'un seul coup.

Il a dix-neuf ans.

Il est dans un tank.

Il entend le martèlement de la mitrailleuse.

C'est le premier jour de la guerre...

Il n'avait rien oublié.

Ses souvenirs étaient demeurés présents, enfouis en lui, réprimés pendant vingt ans, prêts à resurgir.

La trace d'un traumatisme peut être profondément enfouie en nous, et prendre l'apparence de l'oubli.

Mais il arrive aussi, au contraire, qu'un traumatisme ne cesse de revenir nous hanter jour après jour, nuit après nuit, et notre mémoire fait alors resurgir brutalement dans notre conscience ces éclats tranchants et violents, non pas sous la forme d'un souvenir, mais sous la forme même du traumatisme, au moment où il s'est produit.

Et ce que nous revivons alors sans cesse, ce qui revient nous hanter, de manière imprévisible, ce n'est pas le passé, c'est un éternel recommencement du présent.

Avec la même intensité, les mêmes émotions violentes, la même sensation de peur et d'urgence.

Le traumatisme – l'accident, l'agression, le crime, l'attentat dont nous avons été victime ou témoin – ne s'est pas inscrit en nous sous la forme d'un *il était une fois*...

Il est, à chaque fois, en train de se produire pour la première fois.

Comme un fragment de temps qui résisterait à l'inscription dans notre mémoire.

Comme un fragment de temps figé, gelé, qui ne peut pas prendre la couleur du passé.

Habituellement, nos souvenirs ont une coloration émotionnelle subtile, indéfinissable, qui nous fait ressentir qu'il ne s'agit pas de la première fois. Que c'est *le perdu* qui revient se mêler au présent et l'enrichir.

Ma mémoire, dit saint Augustin, *contient mes émotions et mes sentiments, non pas sous la forme où ils ont été présents dans mon esprit au moment où il en fait l'expérience, mais sous une forme relativement différente.*

Habituellement, nous souvenir – revivre notre passé –, c'est aussi nous souvenir que ce que nous revivons, c'est le passé.

Mais ce qu'on appelle la mémoire post-traumatique, c'est un passé qui déchire et traverse le présent, et prend la place du présent. Une blessure toujours nouvelle.

Ce que nous vivons ne resurgit pas de l'intérieur de nous.

Cela vient du dehors. C'est en train de bondir vers nous.

Encore et encore, pour la première fois.

Après un accident de voiture, dit Siri Hustvedt, *j'ai eu des flashs-back quatre nuits de suite.*

Chaque fois j'étais en train de dormir, et chaque fois je m'éveillai assise dans le lit, terrifiée, le cœur battant, après avoir revécu le moment du crash : la camionnette qui roule à toute vitesse, le bruit assourdissant du verre et du métal explosant autour de moi.

Ces souvenirs ne ressemblaient à aucun des souvenirs que j'avais eus jusque-là.

La chose qui s'était produite se produisait à nouveau.

Le souvenir d'un traumatisme échappe à la narration, poursuit Hustvedt.

Les récits prennent toujours place dans le temps. *Ils ont une séquence, et ils sont toujours derrière nous.*

Mais ces quatre nuits, durant lesquelles je revivais l'accident, étaient muettes. La violence surgissait dans mon sommeil et me choquait avec la même force que l'accident lui-même.

Ces épisodes de flash-back post-traumatique peuvent, s'ils se répètent, conduire à ce qu'on appelle un syndrome de stress post-traumatique, source de souffrances profondes et durables qui handicapent profondément l'existence et altèrent la santé.

Ces épisodes peuvent resurgir à tout moment, interrompant notre sommeil ou nos rêves, nous réveillant brutalement au milieu de la nuit. Ils peuvent apparaître spontanément durant la journée. Ils peuvent être évoqués par une perception – un bruit, une odeur, un mouvement, une couleur – ou une émotion qui nous renvoie à l'endroit et au moment où nous avons subi le traumatisme.

Ce sont les émotions violentes qui ont initialement accompagné le traumatisme que nous avons vécu, qui ont durablement inscrit la violence de cet instant dans notre mémoire.

Et les épisodes de mémoire post-traumatique font alors resurgir en nous les mêmes émotions brutales que la première fois.

Cette mémoire émotionnelle intense, envahissante, est due pour partie à la libération brutale et importante d'hormones de stress qui, au moment du traumatisme, a aiguisé nos sens, accéléré les battements de notre cœur, accéléré notre rythme respiratoire et augmenté nos capacités de réaction.

Et des études ont montré que, si l'on administrait, peu de temps après le traumatisme initial, des médicaments qui neutralisent ou atténuent les effets de certaines de ces hormones de stress, on peut atténuer ou abolir l'inscription dans la mémoire durable de cette intensité émotionnelle.

Ces médicaments n'effacent pas le souvenir de l'événement. Mais parce qu'ils en diminuent l'intensité émotionnelle, le souvenir du traumatisme prendra sa place parmi nos autres souvenirs. Il s'inscrira dans le passé.

Et il ne resurgira pas en nous comme s'il se produisait pour la première fois.

Mais une fois que le traumatisme a eu lieu, que plusieurs semaines, mois ou années se sont écoulés, et que la mémoire post-traumatique a déjà commencé depuis longtemps à revenir nous hanter, peut-on encore faire quelque chose pour diminuer cette violence émotionnelle du souvenir, et soulager notre souffrance ?

Plusieurs études récentes suggèrent que c'est possible.

Ces approches ont d'abord été réalisées chez l'animal. Puis, à partir de 2008, plusieurs publications ont commencé à rapporter des résultats chez des personnes.

Ces recherches ont été fondées sur les découvertes récentes – dont je vous ai parlé – qui concernent cette période de fragilité, d'instabilité, de labilité de nos souvenirs lorsqu'ils ré-émergent dans notre conscience.

C'est durant les quelques heures qui suivent le moment où nous commençons à nous souvenir d'une expérience particulière que ce souvenir peut se transformer, avant de se réinscrire dans notre mémoire durable.

Et si la situation qui vient de faire resurgir en nous le souvenir est légèrement différente de la situation initiale dont nous avons gardé l'empreinte – si elle présente à la fois des caractéristiques semblables et d'autres nouvelles –, le souvenir qui se réinscrira dans notre mémoire pourra, dans certains cas, être le souvenir de cette situation nouvelle.

Les traces anciennes seront alors remplacées par ces traces récentes. Et quand nous croirons nous souvenir de la première fois, c'est ce souvenir récent, et non le souvenir ancien, qui remontera en nous.

À partir de ces notions, deux approches différentes ont été entreprises pour explorer la possibilité d'interrompre ou d'atténuer le retour d'épisodes de souvenirs post-traumatiques.

Schématiquement, dans ces deux approches, le point de départ est le même : faire resurgir le souvenir pour pouvoir le modifier. Les chercheurs placent les personnes dans un contexte émotionnellement banal, relativement neutre, dont une caractéristique est commune avec le contexte initial qui a causé le souvenir.

Le souvenir surgit, avec l'intensité d'un présent qui recommence. Le cœur se met à battre plus vite, les hormones de stress sont libérées, et la personne revit les émotions violentes qu'elle a initialement vécues.

L'une des approches a consisté à administrer – non plus au moment du traumatisme initial, mais au moment où son souvenir vient d'être évoqué – des médicaments qui atténuent les effets des hormones de stress. Et cette atténuation a permis au souvenir de se réinscrire sous une forme atténuée dans la mémoire. Le nouveau souvenir a perdu de sa violence émotionnelle. Il a pris sa place dans le passé, parmi les autres souvenirs. Et cet effet semble durable.

Dans la deuxième approche, il n'y a pas d'utilisation de médicaments.

Le souvenir est évoqué, comme dans la précédente approche, dans un contexte émotionnellement neutre, par une caractéristique qui était associée au traumatisme.

Et la personne revit le traumatisme, avec sa violence émotionnelle initiale.

Les chercheurs attendent un certain temps.

Le souvenir est présent, fragile, instable, prêt à être modifié avant d'être réinscrit.

Les chercheurs représentent alors, de manière répétée, à la personne, le même élément neutre qui a fait surgir le souvenir.

Et le nouveau souvenir qui se réinscrit alors a perdu sa violence émotionnelle, il a cessé d'être douloureux. Et cet effet semble durable.

Un nouveau souvenir, atténué, a remplacé le précédent. Le souvenir s'est réécrit.

Il s'agit pour l'instant de recherches réalisées dans des contextes très particuliers, et il reste à déterminer si ces approches pourront véritablement soulager les souffrances de personnes atteintes depuis longtemps d'un syndrome de stress post-traumatique.

Mais ces travaux, dans leur ensemble, ont d'ores et déjà plusieurs implications importantes.

Ils nous révèlent à quel point la médecine moderne peut, en modifiant sélectivement certaines des composantes les plus intimes du fonctionnement de notre corps, contribuer à soulager certaines de nos souffrances mentales en nous aidant à intégrer, à apprivoiser nos expériences les plus insupportables, et en nous permettant ainsi de nous projeter plus sereinement dans l'avenir, à partir d'un passé qui a cessé de nous hanter, et que nous nous sommes réapproprié.

Ils nous révèlent aussi la naïveté qu'il peut y avoir dans la demande si fréquente adressée aux neurosciences et à la médecine de nous permettre d'avoir *toujours plus* de mémoire. Il y a des cas où c'est un *trop* de mémoire qui peut être source de profondes souffrances.

Mais il y a, dans la mémoire traumatique, une dimension qui déborde largement le cadre de la médecine.

Notre mémoire individuelle a aussi une dimension collective. Elle contribue à l'élaboration d'une mémoire collective.

Notre mémoire n'est pas seulement la persistance, en nous, de notre passé. Elle est aussi la trace en nous du passé des autres.

Ce passé que nous avons oublié, et qui pourtant nous a construits.

Les philosophes butent sur le paradoxe de devoir admettre que j'ai été, avant de savoir que j'étais, dit la philosophe

Élisabeth de Fontenay dans un beau livre, *Actes de naissance*. *Nous sommes nés à notre insu*, poursuit-elle, *un originel dessaisissement, une absence de commencement, et ce serait la tâche de l'écriture, pensée, littérature, art, que de s'aventurer à en porter témoignage.*

Nous avons été avant même de sentir, de savoir, que nous étions. Et notre merveilleuse appropriation de nous-mêmes et du monde est un après-coup, une appropriation rétrospective.

Il y a un avant.

Avant d'être nés à nous-mêmes, nous sommes nés des autres, et nés aux autres.

Et les autres sont une partie de nous.

Le psychologue Donald Winnicott écrivait, en se mettant à la place du tout petit enfant : *quand je regarde, je suis vu, donc j'existe. Je peux maintenant regarder et voir.*

Nous sommes faits de l'empreinte de ce qui a disparu. De ceux qui ont disparu.

De la présence de l'absence. De ce qui demeure en nous de tous ceux qui nous ont fait naître.

Tout sourire d'enfant est d'abord un écho au sourire d'une mère. Toute main tendue vers l'autre, tout geste de tendresse, toute consolation sont d'abord un écho à une main tendue, un geste de tendresse, une consolation que nous avons reçus. D'une personne qui l'avait elle-même reçu, et rendu à un autre, à une autre, qui ne lui avait encore rien donné.

La langue que nous parlons, le nom que nous portons, notre histoire familiale et collective, notre culture, presque tout ce que nous croyons connaître du monde et de nous-mêmes, nous a été transmis, mémoire des vivants et des morts que nous avons faite nôtre et que nous partageons sans l'avoir vécue.

Les contes et les légendes, les récits que nous entendons, que nous découvrons dans les livres, ce que nous apprenons de l'univers, des étoiles, des oiseaux et des arbres et des lois de la nature, les tableaux que nous admirons, les instruments de musique, et jusqu'à la façon que nous avons de nous séparer des morts, nous ont été légués, de générations en générations, en se transformant.

Et ainsi nous confondons, à des degrés divers, notre mémoire individuelle avec la mémoire de ceux qui nous entourent et nous ont précédés. Et en la faisant revivre, nous la transformons. Nous la réinventons.

Notre mémoire individuelle intègre le souvenir de celles et de ceux, avant nous et autour de nous, que nous n'avons pas connus, dont nous ne savons que ce qu'on nous en a dit.

Et notre mémoire individuelle, personnelle, singulière, devient une part de cette mémoire collective dont émerge ce que nous appelons l'Histoire.

Notre Histoire qui est aussi, pour nous, l'Histoire des *autres* – *notre* Histoire des *autres*.

Et dans différents endroits du monde, et à différentes périodes, naissent et renaissent des conflits de mémoire, des mémoires tronquées, blessées, ou des formes d'amnésie collective, surtout quand la mémoire collective a une dimension morale et concerne des traumatismes, des injustices, des crimes...

Il y a, dans le livre de Ben Okri, *Richesses infinies*, un chapitre intitulé *La bataille de l'histoire réécrite*.

Quelque part en Afrique, dans une chambre, un enfant rêve :

Le monde entier était dans la pièce. Tous les événements de notre histoire étaient en vie dans ce petit espace. Comme des drames fantômes.

Et le Gouverneur général, un Anglais avec une verrue sur le nez, commença à réécrire notre histoire. Il réécrivit l'espace dans lequel je dormais. Il réécrivit les mers et le vent Il redessina la taille du continent sur la carte du monde, le fit plus petit, le fit plus bizarre. Il changea le nom de lieux qui étaient plus anciens que les lieux eux-mêmes.

Les choses renommées perdirent leur poids ancien dans notre mémoire. Elles devinrent plus légères et plus étranges. Elles perdirent leur signification et parfois leur forme. Et elles nous semblèrent soudain nouvelles, à nous – nouvelles, à nous qui leur avions donné les noms par lesquels elles répondaient à notre toucher.

Le Gouverneur général fit débuter notre histoire avec l'arrivée des siens sur nos rivages éveillant l'homme de l'âge de pierre d'un sommeil immémorial, un sommeil qui avait débuté peu après la création de la race humaine.

Le Gouverneur général, dans sa réécriture de notre histoire, nous priva de langage, de poésie, de conception abstraite, et de philosophie.

Il nous priva d'histoire, de civilisation, et non intentionnellement, nous priva aussi d'humanité. Involontairement, il nous effaça de la création. Et alors, quelque peu surpris de l'endroit où sa rigoureuse logique l'avait conduit, il réalisa l'habile exploit de nous insuffler la vie au moment où ses ancêtres avaient posé leurs yeux sur nous alors que nous traversions en dormant la grande déferlante du temps de l'histoire.

Il réécrivit la lumière de nos jours, il posa devant nos yeux la preuve écrite de notre récent éveil à la civilisation – nous qui avons été les premiers à nommer le monde et tous ses dieux. Nous qui avons fertilisé les rivages du Nil avec les mots sacrés qui firent germer la première et la plus mystérieuse civilisation, la fondation oubliée des civilisations.

Alors que le Gouverneur général réécrivait le temps (rendant le sien plus long, le nôtre plus bref), alors qu'il rendait invisibles nos accomplissements, effaçait les traces de nos anciennes civilisations, réécrivait la signification et la beauté de nos coutumes, alors qu'il abolissait le monde de nos esprits, transformait notre philosophie en superstitions, nos rituels en danses enfantines, nos religions en culte des animaux et en transes animistes, notre art en reliques rudimentaires et en formes primitives – alors qu'il réécrivait notre passé, il altéra notre présent. Et les altérations créèrent de nouveaux esprits qui nourrirent l'appétit sans fond des grands dieux du chaos.

Combien y a-t-il de ces mémoires collectives construites sur la dépossession, la transformation, l'effacement de la mémoire des autres ?

Sur la justification ou l'oubli de la violence faite aux autres.

Avant Ben Okri, et d'une autre façon, Aimé Césaire disait, dans *Ferrements*, cette violence :

Ta tiare solaire à coups de crosse enfoncée jusqu'au cou
ils l'ont transformée en carcan ; ta voyance
ils l'ont crevée aux yeux ; prostituée, ta face pudique ;
emmuselée, hurlant qu'elle était gutturale,
ta voix, qui parlait dans le silence des ombres.

Afrique,
Ne tremble pas

les jours oubliés qui cheminent toujours
les choses cachées remonteront la pente des musiques endor-
mies.

Et si nous voulons apaiser ces blessures, il nous faut sans cesse reconstruire une mémoire nouvelle, vivante, ouverte, toujours recommencée, qui donne sa place à ceux que nous appelons les *autres* – qui ne les exclut pas, qui ne les instrumentalise pas, qui ne les efface pas.

Il nous faut sans cesse écouter, dialoguer – car comment savoir ce qui demeure de souffrance dans les mémoires, sans écouter, sans dialoguer ?

Revisiter le passé pour le redécouvrir et le réinventer.

Alors seulement, nous pourrons faire naître une véritable mémoire commune, qui nous inclut et nous dépasse – la mémoire de notre commune humanité.

Détisser les mailles de l'univers...

> La nuit nous dicte sa tâche magique.
> Détisser les mailles de l'univers.
>
> Jorge Luis Borges.

Un jour, Zhuang Zi – l'un des fondateurs du taoïsme, qui vivait dans la Chine du IVe siècle avant notre ère – s'endormit dans un jardin.
Il fit un rêve.
Il rêva qu'il était un papillon qui voletait çà et là dans le jardin, heureux et faisant ce qu'il lui plaisait.
Au bout d'un moment, fatigué de voler, le papillon se pose sur une fleur et s'endort. Il fait un rêve, il rêve qu'il est Zhuang Zi.
Zhuang Zi soudain s'éveille.
Il sait qu'il est, qu'il existe, sans aucune erreur possible. Mais il ne sait pas s'il est le vrai Zhuang Zi ou s'il est le Zhuang Zi du rêve du papillon.

Qui est le rêveur dans le rêve ? demande Siri Hustvedt. *Est-ce le Je qui marche et parle et court dans la nuit ? Est-ce le même Je que celui de la lumière du jour ? Est-ce un autre Je ?*
Est-ce que cet être nocturne en proie à des hallucinations a quoi que ce soit à me dire ?

Qui sommes-nous, durant ces aventures étranges que nous vivons durant nos rêves ?

Nous courons, nous volons, alors que nous sommes immobiles. Nous voyons alors que nos paupières sont closes. Nous entendons des voix dans le silence. Nous interagissons avec d'autres en leur absence.

Qui sommes-nous durant ces états de vie intérieure et de conscience intenses, mais déconnectés de l'environnement extérieur ?

Ces périodes d'hallucinations nocturnes, qui surgissent en nous alors que nous nous sommes retirés du monde, dans notre sommeil – ont-elles quelque chose à nous dire sur nous ?

Il se pourrait bien que oui, dit Siri Hustvedt.

Une étude publiée en 2000 suggérait que nos rêves pourraient faire resurgir en nous, durant la nuit, non seulement nos souvenirs conscients de la veille, mais aussi ce que nous ne savons pas que nous avons vécu. Les chercheurs n'avaient pas entrepris une interprétation des rêves semblable à celle que Joseph réalisait auprès de Pharaon, comme le raconte la Bible. Ni une interprétation des rêves comme celle que Freud a réalisée beaucoup plus tard, et qui a contribué à fonder la psychanalyse.

L'étude explorait les rêves, les hallucinations, les images visuelles intenses qui peuvent surgir durant la période d'endormissement qui précède la plongée dans le sommeil, et durant les premières minutes qui suivent l'endormissement. Cette période qu'on appelle *hypnagogique* – littéralement *en chemin vers le sommeil.*

Les chercheurs avaient demandé à des personnes de jouer plusieurs heures par jour, pendant trois jours de suite, à un jeu vidéo, le jeu de Tétris. Une forme de puzzle, dynamique, aux règles simples, qui demande beaucoup d'attention et de rapidité.

Chacune des trois nuits qui avaient suivi les journées pendant lesquelles les personnes avaient joué à Tétris, les chercheurs les avaient interrogées, à plusieurs reprises, durant la première heure qui suivait leur coucher, avant qu'elles ne s'endorment, et après les avoir éveillées, durant leurs trois premières minutes de sommeil – leur demandant si des images avaient surgi dans leur conscience, et si oui, quelles étaient ces images.
Et les personnes ont répondu qu'elles avaient rêvé du jeu de Tétris.
Elles n'avaient pas revu en rêve leurs mains sur le clavier, ni l'écran de l'ordinateur, ni les chercheurs – elles n'avaient revu que des images des pièces du jeu qui tombaient devant leurs yeux, tournaient, et s'ajustaient les unes aux autres. L'essence même du jeu.

Les chercheurs avaient aussi fait participer à cette étude des personnes qui avaient une lésion complète de l'hippocampe.
Une lésion complète et définitive de l'hippocampe s'accompagne, nous l'avons vu, d'une persistance des souvenirs conscients anciens qui précédaient la lésion, mais provoque une incapacité de se souvenir de manière consciente de tout ce qui est survenu et surviendra après l'accident. Une lésion complète de l'hippocampe préserve la mémoire dite procédurale – les personnes peuvent apprendre à jouer à un jeu nouveau, comme le jeu de Tétris – mais elles ne peuvent s'en souvenir consciemment, elles ne peuvent dire ni qu'elles ont appris ni ce qu'elles ont appris.

Ces personnes avaient, comme les autres, joué plusieurs heures par jour, trois jours de suite, au jeu de Tétris. Chaque soir, quand les chercheurs les interrogeaient avant qu'elles n'aillent se coucher, elles ne se souvenaient ni des chercheurs, ni d'avoir joué, ni du jeu de Tétris, ni des personnes qu'elles avaient vues dans la journée.

Lorsque les chercheurs les ont interrogées pendant la première heure qui suivait leur coucher, ou après les avoir réveillées durant les trois premières minutes de leur sommeil, elles ont répondu, elles aussi, qu'elles avaient vu des images de pièces tomber devant leurs yeux, tourner, ou s'ajuster les unes aux autres.

Mais elles ne pouvaient dire à quoi correspondaient ces images, elles n'avaient aucune notion de ce qu'était le jeu de Tétris, ni aucun souvenir d'y avoir joué.

Leur conscience avait eu accès – sous la forme d'hallucinations, de rêves – au souvenir de ce qu'elles avaient vécu à l'état de veille, mais elles ne savaient pas qu'elles avaient vécu à l'état de veille.

Le *Je* nocturne de son rêve, pour reprendre les mots de Siri Hustvedt, sait des choses sur ce que la personne amnésique a vécu que ne sait pas son *Je* de la lumière du jour.

Une personne amnésique, souffrant d'une lésion complète de l'hippocampe, incapable de se souvenir de manière consciente de ce qui lui est arrivé depuis son accident, revit des souvenirs dans ses rêves sans savoir que ce sont des souvenirs.

Puis la personne oubliera qu'elle a raconté son rêve, et elle oubliera ce rêve.

Peut-être reviendra-t-il, plus tard, ce même rêve – au début d'une autre nuit, alors que la personne replongera dans le sommeil sans qu'elle réalise, pas plus demain qu'aujourd'hui, qu'il s'agit d'un souvenir.

Nos mondes intérieurs sont plus riches de complexité, de mystères et de possibilités que nous n'avons souvent tendance à le réaliser.

Combien de souvenirs conservons-nous en nous sans le savoir consciemment, combien de souvenirs qui nous permettent de construire une continuité entre nos périodes de veille et nos périodes de sommeil, où nous nous retirons du monde, où nous sommes ailleurs, au plus profond de nous ?

Ce voyage que nous recommençons sans cesse, nuit après nuit, durant toute notre existence, ce voyage qui occupe un tiers de notre existence adulte, et une plus grande part encore de notre petite enfance.

Ce voyage dont nous ne savons rien, sauf qu'il nous permettra, au réveil, de reprendre connaissance et de nous retrouver.

Un homme qui dort dit Proust dans *À la recherche du temps perdu,*
Un homme qui dort tient en cercle autour de lui le fil des heures, l'ordre des années et des mondes. Il les consulte d'instinct en s'éveillant et y lit en une seconde le point de la terre qu'il occupe, le temps qui s'est écoulé jusqu'à son réveil.
Mais il suffisait que, dans mon lit même, mon sommeil fût profond et détendît entièrement mon esprit ; alors celui-ci lâchait le plan du lieu où je m'étais endormi, et quand je m'éveillais au milieu de la nuit, comme j'ignorais où je me trouvais, je ne savais même pas au premier instant qui

j'étais ; j'avais seulement dans sa simplicité première le sentiment de l'existence comme il peut frémir au fond d'un animal ; mais alors le souvenir – non encore du lieu où j'étais, mais de quelques-uns de ceux que j'avais habités et où j'aurais pu être – venait à moi comme un secours d'en haut pour me tirer du néant d'où je n'aurais pu sortir tout seul ; je passais en une seconde par-dessus des siècles de civilisation, et l'image confusément entrevue de lampes à pétrole puis de chemises à col rabattu recomposaient peu à peu les traits originaux de mon moi.

Le réveil dit Paul Valéry :

Il n'est pas de phénomène plus excitant pour moi que le réveil.

S'éveiller, c'est – Re-trouver, reprendre pied, revenir.
Retrouver / se re-connaître / Ce re est capital.

Il ne faut pas dire – Je m'éveille, mais – il y a éveil – car le Je *est le résultat [de l'éveil], la fin.*

Car le *Je* du réveil n'est plus tout à fait le même que le *Je* de la veille.

Nous sommes plus riches de ce qui s'est inscrit en nous pendant que nous nous sommes retirés du monde.

Durant les phases d'hallucination de nos rêves.

Mais aussi durant ces périodes de sommeil où il nous semble que notre conscience s'est éteinte, que nous nous sommes absentés de nous-mêmes.

Notre sommeil est fait d'une alternance de vagues, très différentes, qui naissent, nous parcourent, meurent, et se succèdent plusieurs fois durant la même nuit.

Durant l'une de ces périodes – la phase de sommeil dit paradoxal – notre cerveau est parcouru de vagues d'activation de fréquence rapide, qui ressemblent à celles de l'état de veille. Nos yeux sont animés de mouvements spontanés rapides. Mais les autres mouvements de notre corps, à l'exception de notre respiration, sont bloqués, ne laissant émerger, parfois, que de petits frémissements.

Ce sont ces périodes de sommeil avec mouvements rapides des yeux, identifiées il y a plus d'un demi-siècle, qui ont longtemps été considérées comme les seules périodes durant lesquelles surgissent les hallucinations de nos rêves.

Les périodes de sommeil dit profond, qui prédominent durant la première partie de nos nuits, et qui s'accompagnent de vagues d'activation lentes, de grande amplitude, dans notre cerveau, étaient considérées comme des périodes durant lesquelles notre conscience est éteinte.

Mais des études récentes ont révélé qu'elles peuvent aussi être associées à des rêves, peut-être moins intenses et moins étranges que ceux qui surgissent durant les périodes de sommeil paradoxal.

L'une des premières études qui ont révélé que les états de sommeil profond pouvaient nous permettre de revivre des expériences vécues à l'état de veille a été publiée en 2004.

Les chercheurs ont demandé à des personnes de réaliser le soir l'apprentissage d'une activité relativement complexe, qui nécessitait une bonne coordination entre la vue et les mouvements de la main. Cet apprentissage s'accompagne d'une activation, sous forme d'ondes de fréquence rapide, de certaines régions du cerveau, en particulier à la surface du cerveau, le cortex cérébral, dans l'hémisphère droit, la moitié droite du cerveau. Dans une région qu'on appelle le lobe pariétal droit.

Puis les chercheurs ont enregistré, pendant leur sommeil, les activités du cerveau des personnes qui venaient de réaliser cet apprentissage.

Pendant les premières périodes de sommeil profond, sans mouvements rapides des yeux, la même région du cerveau que celle qui s'est activée pendant l'apprentissage – le lobe pariétal droit – est le siège d'une activation plus importante que celle des autres régions.

Mais cette activation se fait sous la forme des ondes lentes caractéristiques du sommeil profond, et non pas sous la forme des ondes rapides qui prédominaient durant la phase d'apprentissage.

Comme si pendant cette phase de sommeil profond, il y avait une réverbération locale de l'expérience de la veille, une réactivation, mais sous une autre forme.

Le lendemain, après huit heures de sommeil, les chercheurs constatent une amélioration de la performance par rapport à ce qu'elle était la veille au soir, à la fin de l'apprentissage.

Durant les phases profondes de sommeil, la réactivation observée dans la région pariétale droite n'était pas aussi intense chez toutes les personnes.

Et plus cette réactivation pendant le sommeil a été importante, et plus les performances ont été bonnes le lendemain matin.

Puis les chercheurs ont demandé à d'autres personnes de réaliser leur apprentissage le matin, et non le soir. Ils laissent s'écouler huit heures de veille, puis ils mesurent la performance, durant l'après-midi : il n'y a pas d'amélioration par rapport à la fin de l'apprentissage qui a eu lieu le matin.

Ce n'est donc pas la durée qui s'est écoulée depuis la fin de l'apprentissage – huit heures – qui joue un rôle dans l'amélioration des performances. C'est le fait que les personnes aient pu dormir après leur apprentissage.

Des études plus récentes indiquent que ces réactivations locales de certaines régions du cerveau pendant le sommeil profond, après un apprentissage, peuvent être accompagnées de rêves qui rejouent dans notre conscience certains éléments de cet apprentissage.

Et ainsi, il se pourrait que les phases de sommeil profond, comme les périodes de sommeil avec mouvements rapides des yeux, et comme la période hypnagogique durant laquelle nous commençons à plonger dans le sommeil, soient associées à des phénomènes de réactualisation – sous des formes différentes, pour partie inconscientes et pour partie sous la forme hallucinatoire des rêves – de certaines des expériences que nous avons vécues à l'état de veille, les inscrivant plus profondément dans notre mémoire.

Comme s'inscrivent en nous les cartes des lieux que nous avons parcourus.

Et cette consolidation de nos souvenirs, qui a lieu durant le sommeil, semble être d'autant plus importante que les expériences que nous avons vécues à l'état de veille nous ont paru intenses, plus riches de significations, et qu'elles ont eu sur nous un retentissement émotionnel.

Mais le sommeil permet plus que la consolidation de notre mémoire. Il permet une réorganisation en nous, une recomposition, sous une autre forme, de la signification de ce que nous avons vécu.

Il permet l'émergence de nouvelles associations entre nos souvenirs récents et nos souvenirs anciens. Il permet un changement de nos représentations qui nous conduira, au réveil, à retirer de nos apprentissages des dimensions cachées, que nous n'avions pas perçues, des généralisations, des règles générales, abstraites, cachées, des intuitions nouvelles.

Nous avons vécu l'expérience, dit TS Eliot, *mais nous n'avons pas saisi la signification.*
Et l'approche de la signification nous restitue l'expérience.
Sous une forme différente.

Le sommeil, de même que la conscience et la mémoire, est un phénomène mystérieux.
Nous avons l'habitude de considérer l'alternance entre le sommeil et la veille comme un phénomène de tout ou rien. Comme un phénomène de basculement.
Soit nous sommes éveillés, soit nous sommes en train de dormir.

Nous pouvons, parfois, nous sentir, pendant de brefs moments, à moitié éveillés et à moitié endormis.
Mais nous ressentons ces périodes comme des transitions vers l'endormissement, ou vers le réveil.

Peut-on être, durablement, à la fois éveillé et en train de dormir ?

Le somnambulisme semble suggérer la possibilité d'existence, chez certaines personnes, de ces états intermédiaires relativement stables, de cette possibilité d'être à la fois en train de dormir et, en partie, éveillé, en train de marcher, de se déplacer.

Mais dans le monde animal, ces états intermédiaires peuvent être la règle, et impliquer des mécanismes très singuliers de sommeil.

Il y a, chez de nombreux mammifères marins, des états de sommeil durant lesquels l'animal ne dort *que d'un œil*. Ou plus exactement, que d'une moitié de cerveau, puis de l'autre. Mais pas des deux en même temps.

Les dauphins et les baleines continuent de nager et de faire bouger leurs nageoires, tout en évitant les obstacles, pendant leur sommeil. Pendant leur sommeil, seule une moitié de leur cerveau dort. L'autre moitié reste éveillée. Puis la moitié qui était éveillée s'endort, et l'autre s'éveille. Et après cette période de demi-sommeil alternatif, le cerveau s'éveille dans son ensemble.

Chez certains mammifères qui vivent durant certaines périodes sur terre et durant d'autres en mer, comme les otaries, le sommeil a, durant leurs périodes de vie sur terre, toutes les caractéristiques du sommeil des mammifères terrestres.

Mais pendant qu'ils sont dans la mer, ils adoptent le demi-sommeil de leurs parents dauphins et baleines – ils ne dorment que d'une moitié de cerveau, puis de l'autre.

Et certains oiseaux migrateurs basculent dans ce type de demi-sommeil alternatif pendant qu'ils accomplissent leurs longs périples vers le sud.

Mais qu'en est-il de nous ?

Que se passe-t-il quand nous n'avons pas assez dormi ? Quand nous prolongeons nos périodes de veille ?

Des études ont montré que lorsque nous avons longtemps veillé, nous pouvons plonger dans des phases de micro-sommeil qui durent de trois à quinze secondes.

Nos yeux se ferment, nos activités cérébrales basculent dans un état de sommeil profond, sans mouvements rapides des yeux, puis nous nous éveillons soudainement, sans avoir réalisé que nous venons de nous endormir pendant quelques secondes, que nous avons été déconnectés du monde extérieur.

Et la pression vers l'endormissement s'accroît à mesure que l'état de veille, d'activité, et d'attention s'allonge.

Mais la fatigue, le besoin de dormir, quand on se tient éveillé, peuvent-ils se manifester autrement que par ces formes de basculement bref et intermittent dans le sommeil ?

Est-ce que nous pouvons être à la fois éveillés, et en partie en train de dormir, les yeux ouverts, tout en continuant nos activités ?

Cette question a été explorée dans une étude publiée en 2011. Elle n'a pas été réalisée chez des personnes. Mais chez de petits rongeurs, des rats.

Ces animaux sont actifs durant la nuit, et dorment le jour. Les chercheurs les ont maintenus éveillés, après la fin de la nuit, pendant seulement quatre heures supplémentaires. Les chercheurs ne les ont pas empêchés de s'endormir, en les réveillant. Ils ont introduit dans leur cage, à la fin de la nuit, des objets, des jouets, et c'est l'attention, l'intérêt des animaux pour ces jouets, qui les a conduits à ne pas s'endormir. Ils se sont tenus eux-mêmes éveillés.

Pendant ces quatre heures de veille supplémentaire, les animaux étaient actifs, attentifs, gardaient les yeux ouverts. Ils avaient toutes les caractéristiques d'un état de veille, y compris les activités électriques globales du cerveau que révélait l'électroencéphalogramme, et qui étaient typiques de l'état de veille.

Mais l'étude de l'activité individuelle des cellules nerveuses de leur cerveau révélait un comportement étrange.

Certaines cellules du cerveau adoptaient individuel-lement, pendant un dixième de seconde, un état de repos qui est celui qu'elles ont durant le sommeil. Et les cellules voisines compensaient par un léger surcroît d'activité de veille.

Ce bref endormissement de certaines cellules se produisait de manière apparemment aléatoire, dans des régions du cerveau distantes les unes des autres.

Et plus la veille se prolongeait, et plus le nombre de cel-lules nerveuses basculant brièvement dans cet état de repos augmentait.

Comme si un très bref état de sommeil ponctuel com-mençait à clignoter de manière de plus en plus fréquente, et de manière de plus en plus étendue, à travers le cerveau.

Comme si, dit Giulio Tonini, l'un des chercheurs qui a participé à cette étude, et qui explore depuis longtemps les états de conscience et le sommeil – comme si une fois passé le moment habituel de dormir, la prolongation d'un état d'attention et de veille modifiait l'état du cerveau, lui faisant franchir un seuil, comme de l'eau qui commence à bouillir à partir d'une certaine température et d'une cer-taine pression – et que des bulles de sommeil commen-çaient à apparaître un peu partout, de plus en plus souvent, à travers le cerveau.

Chez ces animaux qui étaient restés éveillés après leur période normale d'endormissement, les chercheurs ont exploré la capacité à réaliser une tâche qu'ils avaient apprise auparavant – une capacité à attraper un morceau de sucre un peu difficile à atteindre.

Plus les animaux avaient veillé, et plus les bulles de sommeil devenaient fréquentes et nombreuses dans leur cerveau, et plus les animaux échouaient quand ils essayaient d'attraper le morceau de sucre. Ce taux d'échec était maximal au bout de la période de quatre heures de veille supplémentaire.

Une période de sommeil réparateur faisait disparaître ces bulles locales, transitoires et dispersées de sommeil dans leur cerveau, et restaurait leur capacité d'attraper les morceaux de sucre.

Et ainsi, ce que suggère cette étude, c'est que ce que nous appelons le sommeil pourrait aussi avoir une dimension locale, et coexister avec un état de veille.

Lorsque nous manquons de sommeil, nous pourrions être globalement éveillés, mais avec une augmentation des états locaux de sommeil dans notre cerveau.

Nous pourrions nous retrouver dans un état apparemment contradictoire, de veille globale et de sommeil local.

Est-ce que je me contredis ? demande Walt Whitman,
Est-ce que je me contredis ?
Très bien, alors je me contredis
(Je suis vaste, je contiens des multitudes.)

Et ce ne serait qu'à partir d'un certain seuil, à mesure que leur fréquence augmente, que ces phénomènes locaux et transitoires de sommeil conduiront à un basculement progressif de notre conscience de l'état de veille à l'état de sommeil.

D'abord sous ces formes d'état de micro-sommeil, qui ne durent que quelques secondes, puis sous forme d'un véritable sommeil, entrecoupé de rêves.

Et se rejoueront alors en nous, sous une autre forme, et s'inscriront en nous de manière durable certaines des expériences que nous avons vécues durant nos périodes de veille.

Les effets négatifs de la privation de sommeil sur la mémoire et sur le fonctionnement du corps, et le besoin croissant de dormir en cas de privation de sommeil sont deux phénomènes conservés au long de l'évolution des animaux. Ils surviennent non seulement chez nous et chez nos proches parents mammifères, mais aussi chez les oiseaux, les poissons, les abeilles, et les petites mouches du vinaigre, les drosophiles.

Ces données ont conduit à l'idée que ce besoin universel de sommeil dans le monde animal – ce besoin de se retirer du monde, de couper ses relations avec le monde – était probablement dû à deux effets réparateurs essentiels du sommeil : d'une part, une restauration de l'intégrité du fonctionnement du corps et du cerveau, et d'autre part, une reconstruction et une intégration dans la mémoire des expériences et des apprentissages vécus pendant les périodes de veille.

Mais sommes-nous, durant notre sommeil, aussi coupés du monde qui nous entoure que nous avons tendance à le penser ?

Je vous ai parlé de cette étude publiée en 2011 qui confirmait l'existence d'une fragilisation de la mémoire, à l'état de veille, lorsqu'elle remonte à notre conscience. Lorsque nous nous souvenons.

Les chercheurs avaient demandé à des personnes de réaliser un apprentissage en présence d'une odeur particulière.

Puis, plus tard, les personnes ont été ré-exposées à cette même odeur – réactivant ainsi, et fragilisant, pour un temps, leur souvenir de leur apprentissage. Elles réalisent alors, pendant cette phase de fragilisation de leur souvenir, un nouvel apprentissage qui ressemble au premier mais qui est en partie différent. Et lorsqu'on demande, plus tard, aux personnes de répéter leur premier apprentissage, elles le confondent avec le second.

Le souvenir du second apprentissage a en partie remplacé le souvenir du premier.

Mais les chercheurs qui ont publié cette étude n'avaient pas pour objectif principal de confirmer ces notions, qui avaient déjà été décrites auparavant.

Leur véritable objectif était d'explorer quel pourrait être l'effet, pendant le sommeil, d'une exposition à une odeur associée à un apprentissage réalisé la veille. Cette exposition aurait-elle pour effet de fragiliser le souvenir, de fragiliser la mémoire pendant quelques heures – comme ce qui se produit durant l'état de veille ?

Les chercheurs ont demandé à des personnes de réaliser un premier apprentissage, qui était associé à une odeur particulière.

Ils ont attendu que les personnes s'endorment, et ils les ont alors exposées, pendant leur sommeil, à une odeur – soit celle qui avait été présente pendant leur premier apprentissage, soit une autre odeur.

Puis, très peu de temps après, les chercheurs ont réveillé ces personnes, et leur ont demandé de réaliser un second apprentissage, qui ressemble au premier, mais qui est en partie différent.

Et lorsqu'ils ont demandé, plus tard, aux personnes de répéter leur premier apprentissage, elles ne le confondent pas avec le second.

Non seulement le premier souvenir est resté intact, mais les personnes qui avaient été exposées pendant leur sommeil à l'odeur présente durant le premier apprentissage se sont *mieux* souvenues de ce premier apprentissage que les personnes qui avaient été exposées à une autre odeur.

Et ainsi, à l'état de veille, l'évocation, par une odeur, du souvenir fragilise la mémoire la rendant prête à être modifiée. Alors que l'exposition à la même odeur pendant le sommeil a un effet inverse – elle renforce la consolidation de la mémoire, au lieu de la fragiliser.

Suivant que nous dormons ou que nous sommes éveillés, la réactivation de nos souvenirs a pour effet soit de renforcer notre mémoire initiale, soit, au contraire, de nous préparer à la transformer, à la réactualiser.

Et ces résultats ont une autre implication. Ils suggèrent que pendant notre sommeil, nous ne sommes pas aussi isolés du monde qui nous entoure que nous avons tendance à le croire.

En juillet 2012, une nouvelle étude est publiée.
Les chercheurs avaient demandé à des personnes d'apprendre à jouer au piano deux mélodies différentes.
Puis, durant l'après-midi, les personnes font une sieste et s'endorment. Au moment où l'électroencéphalogramme indique la présence des ondes lentes caractéristiques des périodes de sommeil profond, les chercheurs diffusent l'une des deux mélodies, de manière répétée, pendant une durée de quatre minutes. Les personnes continuent à dormir.
Après leur réveil, elles jouent mieux la mélodie qui leur a été diffusée pendant qu'elles dormaient que celle qui

n'a pas été diffusée. Elles n'ont pas seulement entendu la mélodie durant leur sommeil – elles l'ont rejouée en elles, elles ont appris à mieux la jouer.

Et ainsi, il se pourrait que ces échos qui nous parviennent du dehors, pendant que nous dormons, participent au renforcement des souvenirs des expériences que nous avons vécues à l'état de veille, dans un environnement semblable.

Mais nos nuits de sommeil ne sont pas seulement des périodes durant lesquelles une partie de nos souvenirs se réinscrit plus profondément en nous. Elles sont aussi, de manière paradoxale, des périodes où nous nous défaisons d'une partie de ce que nous avons vécu.
Où nous nous défaisons d'une partie de nos souvenirs de la veille.

Il y a deux grandes théories concernant les relations entre le sommeil et la mémoire qui s'opposent dans le monde des neurosciences. Et ces deux théories sont, chacune, confortées par de nombreux travaux.

La première, la plus ancienne, propose que l'effet essentiel du sommeil est la consolidation des souvenirs, leur inscription dans la mémoire durable, et leur migration partielle, nuit après nuit, de l'hippocampe vers différentes régions situées à la surface du cerveau.

L'autre théorie, plus récente, propose que l'effet essentiel du sommeil sur la mémoire serait non pas de consolider nos souvenirs, mais de restaurer notre capacité à acquérir de nouveaux souvenirs.

L'idée est la suivante.

Durant notre état de veille, alors que nous sommes plongés dans des environnements changeants auxquels nous nous adaptons en permanence, les innombrables expériences que nous vivons commencent à s'inscrire dans notre mémoire, provoquant une augmentation importante de l'activité des cellules nerveuses de notre cerveau, de leur consommation d'énergie, de leur fabrication de nouvelles molécules, un renforcement important de leurs connexions – de leurs synapses – et de leurs arborisations, et une augmentation de l'espace occupé par ces connexions et ces arborisations.

Si cet état se prolongeait, il y aurait rapidement une saturation de l'espace disponible dans différentes régions du cerveau, une saturation de la production et de la consommation d'énergie par le cerveau, et une impossibilité ou une très grande difficulté à inscrire de nouveaux souvenirs dans notre mémoire.

L'idée est que l'effet essentiel du sommeil est de provoquer un relâchement global des connexions nerveuses, une diminution de la consommation d'énergie des cellules nerveuses, et de libérer de l'espace, de la place, dans notre cerveau.

Et pendant que nous nous absentons à nous-mêmes – comme Pénélope, l'épouse d'Ulysse, attendant à Ithaque le retour de son mari, et pressée par les prétendants de choisir parmi eux un nouveau mari, comme Pénélope qui a dit aux prétendants qu'elle choisirait un mari quand elle aurait fini de tisser le linceul pour Laërte, le père d'Ulysse, comme Pénélope qui, pendant trois ans, détisse chaque nuit ce qu'elle a tissé durant le jour – notre sommeil détisse chaque nuit la plupart des innombrables souvenirs qui ont commencé à s'inscrire en nous pendant nos veilles, et qui ont commencé à encombrer notre mémoire.

Détisser... c'est ce que dit Borges, dans son poème, *Le sommeil*

La nuit nous dicte sa tâche magique.
Détisser les mailles de l'univers,
les ramifications inépuisables
des effets et des causes, qui se perdent
dans ce vertige insondable – le temps
la nuit exige que cette nuit même,
tu oublies ton nom, ton sang, tes ancêtres,
chaque parole humaine et chaque larme,
ce que la veille a pu te révéler,
le point illusoire des géomètres,
la ligne, le cube, la pyramide
et plan, sphère, cylindre, mer et vagues,
ta joue sur l'oreiller et la fraîcheur
du drap neuf
les empires, les Césars et Shakespeare
et, plus difficile, ce que tu aimes.

Ce *détissage* a d'abord été mis en évidence par des études réalisées chez la souris, puis, dans une étude publiée en 2011, chez la petite mouche du vinaigre, la drosophile.

Chez les souris, comme chez les drosophiles, l'état de veille augmente, dans de nombreuses régions du cerveau, le nombre et l'intensité des connexions entre les cellules nerveuses. Et le sommeil a un effet inverse, il diminue le nombre et l'intensité des connexions, et restaure les capacités de mémorisation, les capacités d'inscrire dans la mémoire des souvenirs nouveaux.

Et d'autres travaux ont révélé l'existence du même phénomène chez un petit poisson, le poisson zèbre.

Chaque nuit, écrit Freud, *les êtres humains déshabillent leur esprit et mettent de côté la plupart de leurs acquisitions psychiques. Et ainsi, ils se rapprochent de très près de la situation dans laquelle ils étaient quand ils ont commencé à vivre.*
Une forme de retour, de recommencement, de rajeunissement.

Relâchant les réseaux de connexion, diminuant l'espace qu'occupent les souvenirs, permettant une diminution de la fabrication de molécules nouvelles et la restauration des stocks d'énergie au niveau du cerveau, le sommeil agirait comme un reflux, comme une marée descendante après la marée montante de l'état de veille, comme une expiration après une inspiration.
Restaurant la part d'oubli qui nous sera indispensable, au réveil, pour acquérir de nouveaux souvenirs, et nous réinventer.

Deux théories sur les relations entre le sommeil, la mémoire et l'oubli qui s'opposent, dans un affrontement qui n'a probablement pas lieu d'être.
Deux théories conciliables et complémentaires.

Il suffit d'envisager que l'effet majeur du sommeil est de nous permettre de faire un tri, de faire émerger en nous une mélodie, la mélodie de nos souvenirs durables, qui persisteront en nous, à partir de ce bruit quotidien, de ce brouhaha des innombrables événements que nous vivons chaque jour, à partir de ce tumulte qui disparaîtra dans l'oubli de la nuit.

À notre réveil, cet oubli partiel nous permettra de recommencer à inscrire en nous de nouvelles expériences, parmi lesquelles la nuit fera, à nouveau, le tri.

Et ainsi se tisse et se détisse, et se retisse encore, tout au long de notre existence, cet équilibre dynamique, toujours recommencé, entre la mémoire et l'oubli.

Mais comment savoir ?

Comment savoir, à partir de ce qui s'imprime en nous, ce qui persistera et ce qui s'effacera ?

La répétition, l'effort et l'importance émotionnelle, affective que prennent pour nous les expériences que nous vivons, jouent un rôle majeur dans la persistance de nos souvenirs.

Mais c'est lorsque nous plongeons dans le sommeil, lorsque nous nous perdons en nous-mêmes, dans cette absence à nous-mêmes entrecoupée par les périodes d'hallucination de nos rêves, que quelque chose d'essentiel se joue en nous, que nous ne maîtrisons pas.

Cet étrange partage entre ce qui demeurera et ce qui s'enfuira, entre mémoire et oubli.

Cet étrange voyage qui nous ramène, jour après jour, aux rivages que nous avons quittés, plus riches de ce que nous avons acquis et plus libres de ce que nous avons perdu.

Qui nous permet, jour après jour, de nous réinventer.

De redécouvrir le monde qui nous entoure.

De redécouvrir ceux qui nous entourent.

De nous redécouvrir.

Comme des bras ouverts
pour m'accueillir...

À qui est cette maison ?
À qui est cette nuit qui empêche la lumière d'entrer
À l'intérieur ?
Dis, à qui appartient cette maison ?
Ce n'est pas la mienne.
J'ai rêvé d'une autre, plus douce, plus grande,
Avec une vue sur des lacs traversés par des bateaux peints ;
Sur des champs larges comme des bras ouverts pour m'accueillir.
Cette maison est étrange,
Ses ombres mentent.
Parle, dis-moi,
pourquoi est-ce que sa serrure correspond à ma clé ?

Toni Morrison.

Loin de la ville. Loin de tout.

Les saisons passent. Les visites sont rares.

La lumière du matin glisse dans la chambre, à travers les rideaux.

Tu sors de ta chambre. Tu traverses les couloirs. Et tu entres dans une grande pièce, devant le parc. Tu entres dans l'atelier.

Une fois par semaine vous vous retrouvez là.

Certains d'entre vous viennent depuis longtemps, d'autres ne sont encore jamais venus. Certains se connaissent, d'autres pas. Certains se découvrent. D'autres se redécouvrent, encore, et encore, pour la première fois.

Tes gestes sont hésitants, ton regard parfois se voile, ton sourire parfois se fige. La surprise de ne pas reconnaître qui a l'air de te connaître, l'inquiétude d'être reconnu par qui tu ne connais pas.

Tu as le regard de ma mère, de ma grand-mère, de mon oncle, d'une voisine, d'un voisin, d'une amie qui, un jour, est partie au loin et que je n'ai pas revue.

Je vous ai tous un jour croisés et je ne vous ai pas reconnus.

Une fois par semaine, tu entres dans l'atelier.

À travers les vitres, il y a le parc. Les arbres et les fleurs. Le soleil, les nuages, ou le brouillard. Et le vent.

De l'oubli de combien de voyages, de combien de paysages, de combien de rencontres, de l'oubli de combien d'êtres aimés, de combien de rêves, de combien de drames sont tissés ces éclats de splendeur que tu fais remonter en toi et que tu transformes en couleurs.

Parfois, j'imagine pouvoir traverser les couleurs de ton tableau à ta rencontre. Effleurer ta main. Poser ma main sur ton épaule. Chercher ton regard. Me tenir près de toi. Découvrir ta voix.

Une lampe à huile tremble dans la lumière, comme de l'eau, au milieu des plantes. Des poissons enchâssés dans un vitrail. Un chat, les yeux bleus grands ouverts, au regard humain.

Un sentiment de beauté. De profondeur. De fragilité.

Tu fais sortir de toi les couleurs et les formes qui t'habitent. La richesse de ta vie intérieure illumine les tableaux que tu as peints. Tu es en devenir. Tu es en train d'apparaître. Ton regard traverse les couleurs et rencontre notre regard.

Et s'impriment en nous ta présence, et le regret de ne pas t'avoir connu.

Quelque chose de toi est devant nous. Quelque chose que nous voyons pour la première fois.

Tu es fait de mémoire. De la mémoire de ton enfance, d'un jardin, de ta mère, de ton père, de ton mari, de ta femme, des rues où tu as vécu, des noms de fleurs, des noms des saisons. Des odeurs, des regards, des caresses et des coups de la vie. De tendresse et de cicatrices.

Et qu'importe la cohérence de tes phrases. Qu'importe la continuité du fleuve de la mémoire qui s'égare en chemin. Du fil de la mémoire, qui parfois se brise. Qu'importe ce voile soudain sur le regard. Ces hésitations des pas et des gestes. Ce silence. Cet arrêt. Ce tremblement.

Au-delà des mots. Au-delà du temps.

La présence d'une vie intérieure qui bat.

La présence d'un monde qui n'en finit pas de se construire.

Et il y a peut-être aussi dans l'oubli une forme de joie. D'éternel recommencement. D'éternelle inquiétude et d'éternel d'émerveillement. D'éternel retour à l'origine. D'éternelle création.

Et l'oubli est au cœur de la création.

Pour écrire un seul vers, dit Rilke, *il faut pouvoir se remémorer les routes dans des contrées inconnues, des rencontres inattendues, et des adieux prévus depuis longtemps – des journées d'enfance restées inexpliquées. Il faut avoir en mémoire des nuits de voyage qui vous emportaient dans les cieux et se dissipaient parmi les étoiles – et ce n'est pas encore assez que de pouvoir penser à tout cela. Il faut se rappeler les*

303

cris des femmes en train d'accoucher. Il faut aussi avoir été au
côté des mourants, il faut être resté au chevet d'un mort.
Et il n'est pas encore suffisant d'avoir des souvenirs. Il faut
pouvoir les oublier, quand ils sont trop nombreux, et il faut
avoir la grande patience d'attendre qu'ils reviennent. Car
les souvenirs ne sont pas encore ce qu'il faut.
Il faut d'abord qu'ils se confondent avec notre sang, avec
notre regard, avec notre geste, il faut qu'ils perdent leurs
noms et qu'ils ne puissent plus être discernés de nous-mêmes ;
il peut alors se produire qu'au cours d'une heure très rare, le
premier mot d'un vers surgisse…

Dans l'atelier, un homme aux cheveux blancs avance vers
toi, te sourit, se met à genoux, à ta hauteur, distribue des
couleurs, te donne un pinceau, te rassure, guide ou retient
un instant ta main, t'encourage en traçant quelques
contours au crayon.

C'est lui, François Arnold, qui m'a parlé de vous. C'est lui
qui m'a montré vos tableaux. C'est lui qui est allé à votre
rencontre. Qui vous a parlé. Qui vous a permis de faire
émerger en vous ce que les autres croyaient disparu.

Tu mélanges tes couleurs. Tu parles. Tu ris. Tu peins. Et
tu nommes ton tableau. Et tu l'emportes avec toi, dans ta
chambre. Ou tu le donnes à François.

Les saisons passent. Loin de tout. Les visites sont rares. Tu
regagnes ta chambre. Tu t'endors dans le silence.

Demain tu reconnaîtras François, ou tu ne le reconnaîtras
pas. Tu reconnaîtras ton tableau, ou tu ne le reconnaîtras
pas. Et tu nommerais encore, peut-être, ton tableau pour
la première fois. Comme tu l'as nommé quand tu as fini
de le peindre.

Ivresse de renommer les choses comme au premier matin du monde, dit François Cheng.

Dans chacun de vos tableaux, il y a un au-delà de l'oubli. Une rencontre. Un échange. Un partage.

Chacun de vos tableaux dit le temps de la création. Et ce qui demeure, c'est la richesse de cet élan qui lui a donné naissance. La splendeur des couleurs. Dont nous savons qu'elles n'ont pu émerger que de la rencontre, de l'échange, de la confiance, de l'écoute et de la tendresse. De la recherche de la personne. *Cette recherche ouverte*, écrivait Maurice Blanchot, *où trouver, c'est montrer des traces et non inventer des preuves.*

Vous voir de loin, vous observer sans vous connaître, c'est inventer des preuves de ce que l'on croit découvrir.

Vous donner la possibilité de vous exprimer, de vous réinventer, c'est faire apparaître des traces.

Les véritables preuves. Les seules. Les preuves de notre commune humanité.

Nous avons l'art, disait Nietzsche, *pour éviter que la vérité ne nous détruise.* Mais quelle vérité ? La vérité du regard qui se voile, la vérité de l'oubli, la vérité du geste qui hésite, de l'absence ?

Nous avons l'art pour éviter que l'illusion des apparences ne nous détruise. Ne vous détruise. Ne détruise notre commune humanité, en traçant, entre vous et nous, entre toi et moi, une distance qui repousse dans l'ombre, l'abandon et l'exclusion, ceux à qui nous ne disons plus *Tu* parce que nous croyons qu'ils ont perdu la capacité de dire *Je*, et de se vivre.

Le pari sur la personne fait apparaître la personne. La certitude froide de l'observation la fait disparaître. Sans le dialogue avec une mère, aucun enfant ne parlerait. Sans la parole et la peinture et le pinceau et le temps donné, aucun de ces éclats de couleurs ne serait devant nos yeux.

Le silence appelle le silence. La distance appelle la distance. L'indifférence, l'indifférence.

Ces tableaux racontent l'histoire d'une relation.
Cristallisée dans la lumière. Hors du temps.

Un pan de votre vie. Une trace intense de ce que nous apprenons chacun de la splendeur et des ravages d'une existence sans retour.

Une fois par semaine – pourquoi une fois seulement ? – une fois par semaine, tu entres dans l'atelier. Tu mélanges tes couleurs. Tu parles. Tu peins.

Tu apprends, dit Paul Celan,
Tu apprends à tes mains
Tu apprends à tes mains, tu apprends
Tu apprends à tes mains
À dormir.

Tu apprends à tes mains à endormir la souffrance. À créer. À découvrir. À te découvrir. Au-delà de ce que tu croyais savoir de toi.

Tu apprends à tes mains à inscrire un instant de toi dans le regard de l'autre. Tu apprends que tu es dans le regard de l'autre. Tu apprends à faire naître une partie de la lumière qui est en toi.

Tu retournes dans ta chambre. Avec ton tableau. Tu t'endors, dans la solitude, le silence et l'obscurité. Les saisons passent. Loin de tout. Les visites sont rares.

Un jour peut-être, j'entrerai dans l'atelier. Un homme aux cheveux blancs sourit. Il vient vers nous. Vers moi.

Derrière les vitres, le vent fait trembler les branches et les fleurs dans le parc.

Je tiens un pinceau dans ma main, et près de moi, sur une assiette, les couleurs. Mon regard un instant se voile. Je lève la main, en tremblant un peu.

Maintenant, je te vois. Tu me souris.

Seul l'art, dit Aharon Appelfeld,
Seul l'art a le pouvoir de sortir la souffrance de l'abîme.

Avec François Arnold, nous avons réuni des tableaux que vous lui aviez donnés. Et des paroles que vous lui aviez confiées.

Et nous en avons fait un livre. Nous l'avons appelé *Les couleurs de l'oubli.*

Les phrases qui précèdent sont dans ce livre. Je les ai murmurées dans le blanc des pages, entre vos tableaux.

Comme un écho à ce que disent vos tableaux : que la mémoire qui s'efface n'est pas le blanc de l'oubli. Que la maladie d'Alzheimer n'est pas la perte de l'identité. Et qu'une absence d'émergence de la mémoire à la conscience, à la parole, ne signifie pas une absence de souvenir, ni une absence d'influence sur les émotions et les comportements de ces souvenirs qui ne peuvent plus être dits.

Il y a tant et tant de façons d'inscrire en soi et de revivre ce qui nous advient. Et seule une petite part de ce qui s'inscrit en nous émergera un jour sous forme de mémoire consciente.

Et la mémoire, quand elle semble s'effacer ou s'interrompre soudain, quand elle s'égare ou se perd en chemin, quand elle devient morcelée et fragmentée, n'en est pas

moins présente. Éclats des souvenirs conscients ou inconscients qui se recomposent à partir de fragments d'expériences nouvelles.

La Bretagne... ça me rappelle les marins et la mer, murmure
Maurice.

Rachel montre le tableau qu'elle vient de terminer et dit
doucement *Regardez, c'est mon village de là-bas,* son pays
natal au-delà de la Méditerranée.

Simone signe chacune de ses œuvres de son nom et du
nom de son mari disparu depuis longtemps.

Et la joie, la fierté, et l'étonnement du peintre devant le
tableau achevé.

François Arnold nous révèle à quel point ce qui nous paraît
être de l'ordre de l'impossible peut devenir réalité. Il suffit
d'ouvrir son cœur, de laisser parler son cœur et d'aller à la
rencontre de la personne. Sans préjugés, sans craindre de
se perdre, en lui parlant comme si elle allait comprendre,
comme si le dialogue ne pouvait que s'engager. Et le dialogue peut s'engager. Il suffit d'être joyeux et la joie peut
s'installer. Il suffit de lui proposer de peindre et la personne peut devenir peintre. Il suffit de croire que c'est
possible pour que cela puisse devenir réalité – l'échange,
le langage, la joie, la création, et la réémergence, soudain,
pour un temps, de la mémoire, à la conscience.

Il y a la peinture. Et il y a la musique.

Certains sons, dit Pascal Quignard, *disent en nous quel
ancien temps il fait actuellement en nous.*

La musique, dit Oliver Sacks, *a le pouvoir de guérir, de
donner de la liberté.*

*Il suffit de voir un groupe de personnes atteintes de maladie
d'Alzheimer qui entendent une musique et qui se mettent à*

chanter, ensemble, qui deviennent attentives, qui semblent redevenir vivantes, pour s'apercevoir que le moi *n'a jamais disparu.*

Toute vie intérieure, dit Martin Buber, est un *Je* en attente d'un *Tu.* Et nous avons tous été avant de naître, et durant les jours, les semaines, les mois et les premières années qui ont suivi notre naissance, un *Je* qui ne savait pas dire *Je* et qui était en attente de quelqu'un qui nous dirait *Tu.* Sans souvenir, aujourd'hui, de ce qui nous est alors advenu. La découverte du monde. La découverte des autres. Le premier regard. La première rencontre. Le premier sourire. Les premiers mots…

Tous ceux qui survenaient et n'étaient pas moi-même, dit Apollinaire,
Amenaient un à un les morceaux de moi-même.

Toutes ces traces profondément inscrites en nous, nous ne gardons aucun souvenir du temps où elles se sont inscrites en nous, ni de la façon dont elles se sont inscrites. Et cet oubli profond ne change rien au fait qu'il s'agissait de nous, et qu'il s'agit toujours de nous. Au cœur de cet oubli, cette mémoire vit en nous et nous permet de vivre.

Tu aimeras l'Étranger comme toi-même, dit le Lévitique, *car vous avez été vous-mêmes Étrangers au pays d'Égypte.*
Tu partageras avec l'Étranger ce dont, en d'autres, avant toi, tu as connu le manque. Nous nous souviendrons de ce que nous n'avons pas connu. Nous nous souviendrons que nous avons tous été, un jour, Étrangers.

Mais quand ce pays est le pays de la mémoire qui s'efface, le pays du grand âge, le pays de la maladie d'Alzheimer, comment nous souvenir que nous avons été Étranger au pays de l'oubli ?

Comment voir, vivre, ressentir le monde comme notre prochain, si la façon dont notre prochain voit, ressent, vit le monde, vit le temps – ce flux d'une présence à soi et aux autres toujours renouvelée –, n'est pas la façon dont nous le vivons ? Comment nous souvenir que nous avons été Étranger dans un pays que nous n'avons jamais connu et dont aucune personne n'est jamais revenue pour nous dire ce qu'elle y avait vécu ?

Il faut pouvoir, dit Paul Ricœur, se vivre *soi-même comme un autre*... comme tous les autres. Voir, dit Ben Okri, en *l'autre, nous-même comme l'Étranger*... comme tous les Étrangers. Toujours à découvrir, toujours à reconnaître, toujours à inventer. Comme un manque, en nous, de la part de nous qui est dans tous les autres. Comme un manque, dans tous les autres, de leur part qui est en nous.

Mais comment nous vivre nous-même comme un autre, comme une autre, quand cet autre, quand cette autre semble nous avoir oublié ? Comment nous vivre nous-même comme celle ou celui qui semble ne plus nous reconnaître ? Comment nous mettre à la place de celle ou de celui qui nous regarde et qui nous entend et qui semble ne plus savoir qui nous sommes ?

Il faut prendre le risque d'oublier un instant qui nous sommes, pour pouvoir plonger notre regard dans le regard de l'autre. Prendre le risque de nous perdre, pour pouvoir la rencontrer, pour pouvoir le rencontrer. Et nous retrouver. Il nous faut dire *Tu* pour découvrir en l'autre ce *Je* qui nous dira *Tu* et qui n'a jamais cessé d'exister, mais qui s'est peu à peu effacé sous le regard de ceux qui ne disent plus que *Il* ou *Elle*. Il nous faut aller vers l'autre. À la rencontre de l'autre. Ne pas l'abandonner.

Car *la personne humaine apparaît quand elle entre en relation avec d'autres personnes*, dit Martin Buber. Et la personne s'efface et disparaît quand cette relation disparaît.

Car *le monde subjectif*, dit Siri Hustvedt, *est aussi un monde inter-subjectif, le monde de* moi *et de* toi*, et tracer une frontière entre les deux n'est pas facile, parce que les autres font partie* de nous.

Il nous faut maintenir le lien. Retisser le lien. Permettre à la personne de vivre au mieux parmi les autres, avec les autres.

Et permettre à la personne qui semble sombrer dans l'oubli de s'ouvrir à la vie et aux autres, c'est aussi la soigner.

Soigner. Prendre soin. Dans la langue anglaise, soigner se dit *to care*, un mot qui signifie littéralement à la fois le fait de *soigner* et le fait d'*attacher de l'importance à la personne*. La reconnaître comme sujet. Cette reconnaissance qui tisse la trame de notre commune humanité. Cette reconnaissance, en elle, par-delà la mémoire et l'oubli de ce qu'il y a à la fois de plus singulier et de plus universel en chacun de nous – la présence d'un monde intérieur qui n'en finit jamais de se réinventer.

Cette expérience de la vie que la vie fait d'elle-même, dit Jorge Semprun dans *L'Écriture ou la vie*.
Cette expérience de la vie que la vie fait d'elle-même. De soi-même en train de la vivre.

VI

UNE MUSIQUE DU FOND DES ÂGES

Toi, *Moi*, ces mots semblaient si simples !
Que voulaient-ils dire vraiment ?

Farid-ud-Din 'Attâr.

L'INÉPUISABLE SIGNIFICATION
DE LA MUSIQUE...

L'inépuisable signification de la musique,
qui défie la traduction.

Georges Steiner.

D'où l'idée, poursuit Georges Steiner dans *La poésie de la pensée*, *que le cœur du message philosophique niche dans ce qui n'est pas dit, dans ce qui reste tacite entre les lignes. [...] Cela peut renvoyer à l'idée que, dans une condition antérieure, «présocratique», le langage était plus proche des sources de l'immédiateté, d'une «lumière de l'Être» que rien ne voilait.*

Une *lumière de l'être* qui palpite au cœur du vivant.
Avant les mots. Avant les mots humains.
Au plus près de l'émotion. De la perception.
Au plus près des battements du monde.

Une lumière dont le langage nous aurait éloignés.

Mais *je fais partie*, dit Quignard,
je fais partie de ce que j'ai perdu.

Nous faisons partie de ce que nous avons perdu. Et nous ne finissons pas de le redécouvrir. Et nous ne finissons pas d'y revenir.

L'un des récits les plus anciens qui nous soient parvenus est le récit d'un très long retour.

C'est l'*Odyssée*, le récit du long périple d'Ulysse qui n'en finit pas de revenir à l'endroit d'où il est parti, qui n'en finit pas de revenir à Ithaque, à son épouse Pénélope, et à son fils Télémaque.

Et il y a un passage où le récit devient pure musique, devient un chant, dont personne, à part Ulysse, n'a pu raconter le sens.

C'est le XIIe chant de l'*Odyssée*.

Où se mêle, au chant du récit, le chant des *femmes-oiseaux* – le chant des sirènes. Ce chant qui fascine les marins qui l'entendent, et les emporte dans un dernier voyage sans retour.

Qu'était ce chant ?

Les Sirènes, dit Maurice Blanchot dans *Le livre à venir*,

Les Sirènes : il semble bien qu'elles chantaient, mais d'une manière qui ne satisfaisait pas, qui laissait seulement entendre dans quelle direction s'ouvraient les vraies sources et le vrai bonheur du chant.

Toutefois, par leurs chants imparfaits qui n'étaient qu'un chant encore à venir, elles conduisaient le navigateur vers cet espace où chanter commencerait vraiment.

Elles ne le trompaient donc pas, elles menaient réellement au but.

Mais, le lieu une fois atteint, qu'arrivait-il ?

Qu'était ce lieu ?

C'était un lieu d'où l'on ne revient pas.

Il y a un autre récit, un poème de plus de quatre mille cinq cents vers, qui conte le long et périlleux voyage du peuple des oiseaux partis à la recherche de leur roi inconnu, le merveilleux Simorgh. Et c'est aussi, sous une tout autre forme, le récit d'un retour.

C'est un poème intitulé *Manteq Ol-Teyr – Le Langage des oiseaux*, ou *La Conférence des oiseaux*. Un splendide poème mystique de Farid-ud-Din 'Attâr, l'un des plus grands poètes soufis, qui vivait en Perse au XIIᵉ siècle, dans la ville de Neyshabour, la ville du poète Omar Khayyam.

Au début du récit, les oiseaux apprennent qu'ils ont un roi, qu'ils ne connaissent pas.

Henri Gougaud a fait une très belle adaptation de la traduction du poème :

Comment le splendide Simorgh apparut-il aux vivants ?
Ce fut au royaume de Chine un soir vers l'heure de minuit.
Il envahit soudain le ciel. Nul ne l'avait encore vu. De son corps tomba une plume. Elle se posa sur le pays.
La plume du Simorgh était indescriptible. Sa forme et ses couleurs, à peine vues, changeaient.
Chacun n'en perçut, qu'un instant, un éclat, mais ce fut assez pour que les cœurs en soient épris.

Ce qu'on peut voir de cette plume ?
Autant de vivants en ce monde, autant de ses métamorphoses, autant de contours, de couleurs, autant d'empreintes passagères de son incessante beauté.
Bref, dire plus m'est impossible.

Oiseaux il vous faut décider.
Qui veut partir à la recherche de ce Roi que vous désirez ?
Qui d'entre vous franchit le pas ?

Et ce sera le début d'un long voyage, à travers sept vallées.
La vallée de la Quête.

La vallée de l'Amour.
La vallée de la Connaissance.
La vallée de la Liberté solitaire.
La vallée de l'Unité.
La vallée de l'Étonnement, de la Stupeur,
            de la Perplexité majeure.
Et enfin, La vallée de l'Épuisement.
À la recherche de leur roi, le Simorgh.

Vers la fin du grand récit de la longue quête des oiseaux, un récit entrecoupé de près de cent cinquante récits, de près de cent cinquante paraboles, il y a *la parabole des papillons* :

Des papillons se réunirent en conférence un soir d'été.
Ils adoraient tous en secret la flamme nue d'une bougie.

La lumière d'une flamme exerce sur les papillons le même effet que le chant des Sirènes sur les marins qui l'entendent.

La lumière a ses chants, dit Quignard.
Et le chant silencieux de la flamme attire les papillons vers un lieu dont aucun ne revient.

Jean-Claude Carrière a écrit une pièce de théâtre à partir du long poème de Farid-ud-Din 'Attâr.

Regardez, écrit Carrière :

Il y a, sur la scène, les oiseaux, une bougie, un montreur d'ombres, et un assistant qui manipule des papillons de papier.

Un jour, les papillons se réunirent, tourmentés par le désir de s'unir à la bougie. Un premier papillon alla jusqu'au château lointain, et il aperçut à l'intérieur la lumière d'une bougie. Il revint, raconta ce qu'il avait vu.

Mais le sage papillon qui présidait la réunion dit que cela ne les avançait guère.

Les oiseaux écoutent, très attentifs.

Un deuxième papillon alla plus près de la bougie. Il toucha de ses ailes la flamme. Il revint les ailes brûlées, et raconta son voyage.

Mais le sage papillon lui dit : « Ton explication n'est pas plus exacte. »

Alors un troisième papillon se leva, ivre d'amour. Il s'élança, et se jeta violemment sur la flamme. Ses membres devinrent rouges comme le feu. Il s'identifia avec la flamme.

Alors le sage papillon qui avait regardé de loin dit aux autres :

« Il a appris ce qu'il voulait savoir. Mais lui seul le comprend. »

Les oiseaux restent un instant silencieux, puis ils regardent autour d'eux, et le faucon demande à la huppe :

« Mais sommes-nous vivants ou morts ? Où est notre roi, le Simorgh ? Montre-le-nous, puisque nous avons franchi les vallées, les sept vallées que nous devions franchir. »

« Vous n'avez rien franchi, oiseaux », répond la huppe. « Ces vallées n'étaient qu'un mystère, qu'un songe. Regardez, nous sommes toujours à la même place. »

Mais les oiseaux vont continuer leur voyage. Et à la fin du voyage, ce que préfigurait la parabole des papillons se réalisera, mais sous une tout autre forme.

Revenons à l'adaptation du poème qu'a faite Henri Gougaud :

Les oiseaux se retrouvèrent vivants dans la lumière du Simorgh.

Ce qu'ils avaient fait, bien ou mal, jusqu'à cet instant sidérant fut effacé de leur mémoire. Au pur soleil de la Présence une âme nouvelle leur vint. Ils avaient vu dans le bas monde les mille reflets de Simorgh, ils virent tout soudain le monde qui, dans Simorgh, se reflétait.

Tous les trente se regardèrent. Tous les trente virent Simorgh. Tous les trente étaient des oiseaux, et pourtant ils étaient Simorgh.

Ils s'engloutirent dans un puits de perplexité. Ils ne savaient plus rien de rien. Ils demandèrent sans parole la révélation du Secret.

« Toi », « Moi », ces mots semblaient si simples ! Que voulaient-ils dire vraiment ?

Le roi Simorgh leur répondit en silence :

« Ce splendide et puissant soleil là devant vous est un miroir. Qui s'en approche et le contemple voit son visage comme il est, son corps, son cœur, son âme aussi. Le reflet ne sait pas mentir. Vous avez longtemps voyagé vous avez cru parfois vous perdre. Vous ne vous êtes pas quittés.

C'est vous que vous avez trouvés.

Entendez-Moi, je suis Simorgh, votre essence, votre infini.

Anéantissez-vous en Moi, perdez-vous en Moi, simplement, sans crainte, délicieusement, en Moi découvrez-vous vivants ! »

En lui les oiseaux disparurent comme fait l'ombre en plein soleil.

Tout au long de leur longue route ils s'étaient posé des questions. En ce lieu il ne restait plus rien, ni discours, ni chercheur, ni guide, plus rien. Plus trace même de chemin.

Ce lieu, ne peut-on l'atteindre qu'en s'y perdant ? Ce lieu, où tout semble enfin commencer. Ce lieu vers lequel le chant des Sirènes attire les marins. Vers lequel le chant silencieux de la lumière de la flamme attire les papillons. Vers lequel le chant silencieux de l'éclat d'une plume du Simorgh attire les oiseaux.

Ce lieu où l'on ne fait plus qu'un avec le monde, où l'on se perd, et dont il ne reste rien.

Peut-on pourtant en revenir ?

Peut-on l'atteindre, et demeurer dans le monde ?

C'est près de deux mille ans avant *Le Langage des oiseaux* de Farid-ud-Din 'Attâr.

Dans l'*Odyssée* d'Homère. Le XIIe chant de l'*Odyssée*. Où se mêle au chant du récit le chant des *femmes-oiseaux*.

Seul Ulysse a survécu au chant des Sirènes.

Seul Ulysse, attaché au mât du navire et suppliant ses marins aux oreilles bouchées par la cire de défaire les liens qui l'empêchent de bouger, seul Ulysse a pu poursuivre son voyage après avoir entendu le chant.

Seul, lui a pu en révéler le mystère.

Ce que dit Ulysse après que les Sirènes ont chanté, écrit Quignard, *ce que dit Ulysse après que les Sirènes ont chanté et après qu'il a hurlé qu'on lui défasse, par pitié, les liens qui le retiennent au mât [...] afin qu'il puisse rejoindre sur le champ la musique bouleversante qui le fascine :* Autar emon kèr èthel' akouemenai.

Ulysse n'a jamais dit que le chant des Sirènes était beau.

Ulysse – qui est le seul humain qui ait entendu le chant qui fait mourir sans l'avoir fait mourir – dit, pour caractériser le chant des Sirènes, que ce chant « remplit le cœur du désir d'écouter ».

La musique, dit Platon, *pénètre à l'intérieur du corps et s'empare de l'âme.*

Elle est appel, invitation au voyage. Elle ouvre le chemin.

Vers *les vraies sources et le vrai bonheur du chant*, dit Blanchot,

vers cet espace où chanter commencerait vraiment.

Mais *Qu'était ce lieu ?*

Ce lieu n'est pas un lieu. Mais un autre ou une autre.

Mais *les buts de la musique*, dit Quignard,

les buts de la musique se ramènent à un seul : attirer l'autre.

S'y perdre.

S'y retrouver.

Ne faire qu'un avec l'autre.

Ne faire qu'un avec le monde.

Et demeurer dans le monde.

La musique, poursuit Quignard, *est une imitation [...] des concerts de la nature.*

Des innombrables et merveilleux chants des oiseaux.

De leurs chants de séduction.

Les innombrables variations et les innombrables raffinements des chants des oiseaux, à la saison des amours, à la recherche d'une compagne.

Pour une saison ou pour la vie.

Attirer l'autre

« Toi », « Moi », *ces mots semblent si simples ! Que voulaient-ils dire vraiment ?*

La musique est un appel, une invitation au voyage.

Elle est un chemin vers l'autre. Un appel au dialogue.

Elle est un langage d'avant les mots, d'avant les mots humains.

La musique, écrivait Darwin, *a le merveilleux pouvoir de nous rappeler, d'une manière vague et indéfinie, ces puissantes émotions qui étaient ressenties, en dehors de l'usage des mots, durant ces âges depuis longtemps révolus [qui ont précédé l'émergence du langage humain].*

La musique est le langage des oiseaux, dans nos forêts, dans notre ciel, dans nos prairies, dans nos jardins.

Ce langage dont Darwin avait écrit, il y a plus de cent cinquante ans, que, dans de nombreuses espèces d'oiseaux, il n'est *pas plus inné que le langage ne l'est chez l'homme.*

Un siècle plus tard, à partir des années 1960, les mystères de l'apprentissage et des variations des chants des oiseaux redeviendront un sujet de recherche, révélant d'étranges correspondances avec l'apprentissage et les variations des langages humains.

Je vous ai dit que, dans de très nombreuses espèces d'oiseaux, les oisillons apprennent leurs chants, leurs vocalises, leurs trilles, en écoutant attentivement, puis en imitant les chants des adultes qui les entourent. Comme nous apprenons à parler en écoutant et en imitant les adultes qui nous entourent et qui s'adressent à nous.

Et les oisillons, comme les bébés humains, commencent par imiter les vocalisations des adultes en émettant un babil.

Dans la plupart des espèces d'oiseaux, ce sont les oiseaux mâles qui apprennent puis chantent les mélodies les plus complexes, ces chants qui, à la saison des amours, leur permettront de séduire leur future compagne.

Le plus souvent, un oisillon mâle prend pour modèle le chant raffiné d'un oiseau mâle adulte de son voisinage. Ce chant qui est le dialecte particulier à sa région, il l'écoute, et il l'imite.

Il élabore d'abord des vocalisations qui correspondent à un chant hésitant et rudimentaire, un pâle reflet du chant de l'adulte.

Puis il s'isole, et à partir du souvenir du chant de son tuteur qui s'est inscrit en lui, à partir de ce chant qu'il a intériorisé, il corrige peu à peu son babil, ses vocalisations hésitantes et rudimentaires, et se rapproche progressivement du chant pur qu'il a pris pour modèle.

Il s'en approprie les tonalités, les différents assemblages de syllabes qui le composent, les intervalles de silence qui les séparent, les variations, les trilles, les montées, et les descentes chromatiques.

C'est ce qu'on a appelé la période de cristallisation du chant.

L'oisillon écoute en permanence les vocalisations que produit son syrinx, l'équivalent de notre pharynx où sont nos cordes vocales. Il compare ce qu'il s'entend chanter au souvenir qu'il a gardé du chant de son tuteur, et corrige ses erreurs jusqu'à reproduire parfaitement le chant inscrit dans sa mémoire.

Plus tard, il élaborera des variations sur ce thème, enrichissant ce chant cristallisé de vocalisations singulières, personnelles.

Ce chant qui, s'il est perçu comme particulièrement beau, participera peut-être à ce qui deviendra un jour un nouveau dialecte local, qui sera pour un temps transmis à travers les générations.

Les derniers ancêtres communs aux oiseaux et aux mammifères – les derniers ancêtres communs aux oiseaux et aux êtres humains – vivaient il y a environ trois cents millions d'années.

C'est l'époque où l'ensemble des terres s'assemble en un unique continent géant, la Pangée, entouré d'un unique océan géant, Panthalassa. Et peu après cette période, nos ancêtres et les ancêtres des oiseaux se séparent, et s'engagent, durant près de deux cent quatre-vingts millions d'années, au long des chemins séparés de leur évolution distincte.

Et pourtant.

Et pourtant, il y a d'étranges relations entre la façon dont nous parlons et la façon dont parlent les oiseaux.

Les recherches récentes réalisées dans ce domaine indiquent que les réseaux de connexions nerveuses et les régions du cerveau qui sont impliquées dans la reconnaissance et l'apprentissage des chants et dans la production des chants chez les oiseaux sont très semblables aux régions et aux réseaux de connexions nerveuses qui, dans notre cerveau, sont impliqués dans notre reconnaissance et dans notre apprentissage du langage oral, et dans notre capacité à parler.

Plus récemment encore, durant l'été 2011, une étude réalisée avec des *moineaux du Japon* indiquait que le chant de ces oiseaux possède une syntaxe et obéit à des règles de grammaire.

Les moineaux du Japon ont un chant très élaboré, composé de séquences variables de syllabes, mais le fait que ces séquences ne sont pas agencées au hasard a suggéré l'existence d'une syntaxe de base.

Les groupes de syllabes s'organisent à distance, en suivant des règles abstraites.

Et les moineaux du Japon sont capables d'apprendre à distinguer de nouvelles règles de grammaire, qui ne sont pas habituellement utilisées dans leurs chants – de nouveaux agencements artificiels de groupes de syllabes, en fonction de nouvelles règles artificiellement créées par les chercheurs.

Les moineaux du Japon qui ont été exposés à ces chants élaborés par les chercheurs détectent les chants qui contiennent des fautes de grammaire, dans cette grammaire artificielle, comme ils détectent des fautes de grammaire que les chercheurs ont artificiellement introduites dans des enregistrements des chants naturels des moineaux du Japon de leur voisinage.

Ces règles de syntaxe correspondent, notamment, à ce qu'on appelle des phénomènes de *récursion*, des processus *récursifs*, qui étaient jusque-là considérés comme l'un des *propres de l'homme* – une spécificité du langage humain.

Qu'est-ce qu'un processus récursif ?

C'est la modification de la structure et du sens d'une phrase par une deuxième phrase insérée à l'intérieur de la première, la deuxième phrase pouvant elle-même être modifiée ou complétée par une troisième phrase, insérée à l'intérieur de la deuxième.

C'est le cas, par exemple, lorsque l'on affirme – sans tenter de le démontrer parce que cela semble aller de soi – *qu'il est évident que* – bien que tous les êtres vivants soient capables de communiquer – *leurs modes de communication n'ont aucune caractéristique commune avec notre langage humain !*

Ce sont ces règles d'insertion de portions de phrases à l'intérieur de la phrase principale que peuvent apprendre et distinguer les moineaux du Japon, sous la forme de règles particulières d'insertion de certains groupes de syllabes à l'intérieur d'autres séquences de syllabes.

Nous ne comprenons pas le langage des oiseaux.

Il est possible que ces règles rigoureuses et complexes de syntaxe qui sous-tendent l'architecture sonore de leurs chants soient similaires aux règles rigoureuses et complexes de composition musicale qui sous-tendent la merveilleuse architecture des fugues de Bach, des concertos de Beethoven, ou des rhapsodies de Brahms.

Un langage dont le sens est peut-être purement émotionnel, purement esthétique, *une musique qui pénètre à l'intérieur du corps et s'empare de l'âme.*

Mais le chant des oiseaux pourrait aussi être l'équivalent d'un lied, d'un opéra, où se mêlent paroles et musique.

Jusqu'où le langage des oiseaux partage-t-il avec le nôtre une richesse sémantique qui lui donne sens ?

Nous n'en savons rien.

Mais ces études nous rappellent que ce n'est pas parce que nous ne comprenons pas le langage des oiseaux que cela signifie qu'ils n'en ont pas, ou qu'il est radicalement différent du nôtre.

Il est bien sûr *impossible*, écrivait Darwin, *de déterminer ce qui se produit dans l'esprit d'un animal.*

Darwin adoptera dans ce domaine la même approche que celle que proposait, un siècle plus tôt, le philosophe David Hume lorsqu'il écrivait dans son *Traité sur la nature humaine* :

C'est à partir de la ressemblance entre les actions des animaux et nos propres actions que nous considérons que ce qui se produit en eux ressemble à ce qui se produit en nous.

Et le même principe de raisonnement mené un pas plus loin nous fera conclure que, puisque nos actions se ressemblent, leurs causes doivent aussi se ressembler.

Et ainsi, quand nous avançons une hypothèse pour expliquer une opération mentale qui est commune aux hommes et aux animaux, nous devrions appliquer la même hypothèse aux deux.

Comme celui des oiseaux, notre langage oral – indépendamment de son contenu sémantique, de son contenu en mots, de sa syntaxe, de sa structuration grammaticale – a aussi, pour partie, la dimension d'un chant.

Dans *L'expression des émotions, chez l'animal et l'Homme*, Darwin évoquait *cet effet indéfinissable* du *caractère musical du langage* humain, et les relations entre *certains types de sons et certains états d'esprit*, certaines émotions, certains sentiments.

Il y a, dans notre langage oral, une mélodie, un rythme, un tempo qui exprime le contenu émotionnel que nous voulons transmettre par nos paroles, et qui révèle dans le même temps notre propre état émotionnel.

Haché ou fluide, rapide ou lent, coupant ou doux, oscillant plus ou moins entre les tons graves et les aigus, montant et descendant sur la gamme des notes.

Et comment ne pas reconnaître la surprise, l'étonnement, ou une interrogation, un questionnement, lorsque dans notre langue, la tonalité de la voix s'élève et demeure suspendue, sans retomber à la fin de la phrase ?

Les nuances implicites de ce chant, qui ne font l'objet d'aucun enseignement spécifique, ne sont pourtant pas innées. Elles sont transmises de générations en générations par l'imitation, et varient selon les langues et les cultures.

Dans la langue chinoise, la même écriture correspond à sept grands groupes de langues orales différentes, composés eux-mêmes d'une multitude de dialectes locaux, incompréhensibles d'une région à l'autre.

En chinois le *ton*, la tonalité, la note du chant sur laquelle on place une syllabe, ne traduit pas seulement l'émotion – la modulation d'une syllabe par un *ton* particulier change le sens du mot prononcé.

En pékinois, par exemple :
le caractère 媽 se prononce *mā*, avec un ton long, haut placé dans la voix, et signifie *maman* ;
麻 se prononce *má*, avec un ton court et montant, et signifie *lin* ;
馬, *mǎ*, avec un ton long, descendant bas dans la voix puis remontant, c'est le *cheval* ;
罵 se prononce *mà*, un ton court, qu'on dit « aboyé », descendant rapidement dans la voix, et signifie *injurier* ;
嗎, *ma*, sans ton particulier, signifie *est-ce que…* ?

Et ainsi, dans les langues orales chinoises, comme dans d'autres langues orales, le chant est une composante intégrale du sens des mots.

Lorsque des personnes perdent leur audition, leur langage oral a tendance à se modifier.

Elles ne parlent plus de la même façon, prononcent parfois les mots différemment, et leur langage oral n'a plus la même mélodie.

Durant toute notre existence, nous confrontons notre manière de parler, les sons que nous produisons pendant que nous parlons, à ce que nous percevons de notre voix. Et nous corrigeons, nous adaptons notre voix, notre prononciation, notre ton, notre mélodie, au souvenir récent que nous gardons de notre voix passée.

Bien sûr, notre voix se modifie durant le cours de notre existence, notre façon de parler aussi peut changer, mais c'est toujours en référence à ce que nous gardons en mémoire de notre façon habituelle de parler que nous réalisons des variations. Quand notre voix s'éloigne de ce qu'elle était auparavant, nous savons, pendant un temps, avant que notre nouvelle façon de parler ne devienne notre référence, nous savons de quoi nous sommes en train de nous éloigner.

Et c'est cet ancrage, c'est notre capacité à comparer et à adapter ce que nous entendons, lorsque nous parlons, au souvenir récent que nous avons de notre propre voix, qui commence à nous faire défaut quand nous perdons l'audition.

En est-il de même pour les oiseaux ? Écoutent-ils en permanence leur chant, l'adaptant continuellement, durant toute leur existence, au souvenir qu'ils en gardent ?

Une étude a exploré cette question. Les chercheurs avaient pris comme sujets d'expérience des moineaux du Japon adultes. Et ils ont donné aux moineaux du Japon l'illusion que leur chant s'était soudain modifié, pour déterminer si les oiseaux allaient corriger leur façon de chanter et tenter de retrouver leur chant habituel.

Comment donner à des oiseaux l'illusion qu'ils viennent de modifier leur chant ?

Les chercheurs ont enregistré le chant de chacun de ces moineaux du Japon adultes, puis ils ont fait porter à chacun des oiseaux des écouteurs dans lesquels était diffusé soit l'enregistrement exact de son chant, soit l'enregistrement de son chant dont certaines tonalités avaient été modifiées.

Lorsque les écouteurs diffusent leur chant dans une tonalité artificiellement modifiée, les moineaux du Japon changent la tonalité de leur chant de façon à la corriger.
Ils corrigent ce qu'ils croient, à tort, être le chant qu'ils produisent, modifiant ainsi la tonalité de leur véritable chant, et ce phénomène de correction progressif atteint son maximum au bout de deux semaines.

Lorsque les chercheurs leur enlèvent ensuite les écouteurs, et que les moineaux du Japon entendent leur propre chant, ou lorsque les oiseaux gardent les écouteurs, mais que les écouteurs ne diffusent plus que le chant habituel de l'oiseau, sans modification artificielle, les oiseaux modifient à nouveau la tonalité de leur chant.
Ils recorrigent la correction qu'ils avaient précédemment effectuée à tort, et produisent à nouveau leur chant dans sa tonalité habituelle, antérieure à l'expérience. Et cette deuxième phase de correction progressive, comme la première, prend à peu près deux semaines.

Et ainsi, chanter juste, pour un moineau du Japon, c'est, durant toute son existence, adapter – en fonction de ce qu'il entend du chant qu'il produit – ses propres vocalisations au souvenir d'un modèle intérieur de ce chant qu'il conserve en lui.

Dans de nombreuses espèces d'oiseaux, l'oiseau adulte peut, pendant et après chaque saison des amours, modifier les variations de son chant en fonction des chants de ses concurrents, et en fonction des réponses des oiselles à son chant et à ceux de ses concurrents.

Et ce sont ces variations récentes qu'il a réalisées sur son chant initial, c'est cette mélodie nouvelle qu'il s'entend chanter qui se réinscrit probablement dans sa mémoire, et lui sert, pendant un temps au moins, de guide.

Chanter juste, pour un moineau du Japon, comme sans doute pour de très nombreux autres oiseaux, c'est ne jamais cesser d'apprendre, c'est apprendre durant toute sa vie, d'abord des autres, puis de soi-même.

C'est conserver vivante la mémoire de ses propres inventions.

C'est, en permanence, réussir à demeurer fidèle à ce qu'il a, jour après jour, réussi à inventer.

La beauté des chants des oiseaux.

Elle est appel, dialogue, invitation à l'échange, au partage.

Elle remplit le cœur du désir d'écouter.

Elle est invitation au voyage. Elle ouvre le chemin.

Vers un lieu qui n'est pas un lieu, mais un autre, une autre.

Il y a dans de nombreuses espèces d'oiseaux, à la saison des amours, des modalités de séduction qui évoquent l'image des troubadours du Moyen Âge, ou des tournois de chevaliers.

Les dames prennent place à un endroit protégé, où elles ont une bonne vue du lieu découvert du spectacle. Les troubadours ailés, les chevaliers, se présentent sous leur plus beau jour, et réalisent leurs exploits. Et chaque dame choisit son compagnon.

Dans d'autres espèces d'oiseaux, le spectacle n'est pas collectif.

Chaque oiseau s'installe sur son territoire individuel de séduction, que viennent tour à tour visiter les oiselles. L'oiseau fait sa cour en privé à sa visiteuse. Il se présente d'une manière avantageuse, réalise une forme de parade, fait resplendir ses couleurs, chante son plus beau chant.

Et les dames vont de territoire en territoire, jusqu'à ce qu'elles aient fait leur choix.

Darwin pensait que notre capacité à exprimer, à deviner, à ressentir, et à partager les émotions les plus intimes des autres, avait deux origines essentielles.

D'une part, l'amour maternel, l'amour parental, l'attention portée par les parents au nouveau-né, à l'autre dans son état le plus vulnérable. L'attention à ses besoins vitaux et à ses émotions – le souci de l'autre.

Et d'autre part, en amont, la séduction, la cour, le désir et le plaisir, la passion, la sensation de beauté, les *émotions esthétiques*, qui ont joué, pensait Darwin, un rôle essentiel dans l'évolution, en favorisant l'émergence et la propagation, de générations en générations, de caractéristiques mentales et physiques impliquées dans la séduction, et la formation des couples.

Ce qu'il a appelé la *sélection sexuelle*, et qui a joué, pensait-il, en plus de la *sélection naturelle*, un rôle majeur dans l'évolution de la diversité et de la complexité du vivant.

Darwin évoquait *l'influence de l'amour et de la jalousie, de l'appréciation de la beauté, des sons, des couleurs et des formes.*
Et ces pouvoirs de l'esprit, disait-il, *sont à l'évidence une conséquence du développement du cerveau.*

Mais ces *émotions esthétiques* sont-elles innées ou acquises ?

Des chercheurs ont exploré le comportement des oiselles de l'espèce *vachers à tête brune*, des oiseaux qui ont, pendant longtemps, accompagné les pérégrinations des troupeaux de bisons à travers les prairies d'Amérique du Nord.
Les chercheurs ont étudié, au début de la saison des amours, la réponse des oiselles à des enregistrements de chants d'oiseaux qu'elles n'avaient encore jamais entendus. Lorsque le chant leur plaît, les oiselles commencent par répondre en émettant des vocalisations assez simples qui ont été dénommées, de manière peu respectueuse, *bavardages* ou *papotages*, puis, si le chant continue à les émouvoir, elles finissent par adopter une posture d'invitation à l'accouplement.
Chacune des oiselles, dans l'étude, écoute seule les chants de différents mâles inconnus, et chacune répond à peu près de la même manière que les autres oiselles à ces chants – les chants les plus beaux et les chants les moins beaux sont les mêmes pour la quasi-totalité d'entre elles.

Le but de l'étude était d'explorer si le pouvoir de séduction d'un chant pouvait être influencé par les réactions des voisines.

S'il pouvait y avoir une composante sociale au sentiment de beauté. Si le pouvoir de séduction du chant d'un prétendant pouvait être influencé par son succès, sa réputation – la mode.

Les chercheurs ont enregistré des vocalisations, des commentaires, des réponses, des *bavardages* que des oiselles avaient émis en réponse à des chants qui les avaient séduites.

Et ils ont diffusé à chacune des damoiselles des enregistrements de chants de damoiseaux inconnus, soit leur chant seul, soit leur chant auquel les chercheurs avaient artificiellement ajouté des réponses de vocalisations émises par d'autres damoiselles séduites par d'autres chants.

Et les résultats ont été les suivants.

Les dames ont été séduites par tous les chants des messieurs inconnus à partir du moment où ils étaient suivis de l'enregistrement de *bavardages* de dames séduites, que les chercheurs avaient artificiellement ajoutés, même lorsque le chant isolé des messieurs n'avait aucun effet de séduction.

Les chants les moins beaux devenaient beaux si celle qui les écoutait avait l'illusion que d'autres dames les avaient appréciés.

Et ainsi, la beauté de l'oiseau, son pouvoir de séduction ne résident pas seulement dans l'esprit de celle qui l'écoute, mais aussi, pour une part, dans les réactions des autres oiselles.

Les chants de séduction du chanteur peuvent évoluer durant sa vie en fonction des réactions des autres. Et les goûts des dames peuvent aussi évoluer en fonction des réactions des autres. Le pouvoir de séduction des chants évolue, il a une composante sociale, culturelle.

Certains chants de séduction peuvent parfois être de nature étrange.

Chez les colibris, le pouvoir de séduction dépend à la fois de la beauté des couleurs du plumage, de la beauté du chant et de la beauté de leurs danses aériennes.

Il y a plus de trois cents espèces différentes de colibris. Dans plus d'une trentaine, les exploits des séducteurs s'apparentent à de véritables acrobaties aériennes.

La cour consiste en un plongeon spectaculaire, accompagné d'un chant composé de trilles et d'autres sons stridents. Un bref vertige de formes en mouvement, de couleurs, de sons, pendant que le colibri chute comme une pierre avant de redresser son vol. Un mélange, pour la spectatrice, de sensations distinctes, l'équivalent peut-être d'un bref opéra, avec chant, danse, acrobaties, costume.

Chez les *colibris d'Anna*, la dame se perche sur une branche. Le séducteur, à la tête et à la gorge rose-rouge vif et irisé, s'envole à une hauteur qui peut aller jusqu'à quarante mètres d'altitude. Puis il plonge en piqué vers le sol, atteignant une vitesse de plus de vingt mètres par seconde, plus de soixante-dix kilomètres à l'heure, déployant et refermant plusieurs fois les plumes de sa queue pendant son plongeon, et émettant un chant aigu et des trilles.

Chaque espèce de colibri a son « chant » de plongeon particulier.

Mais cette musique qui accompagne les acrobaties des séducteurs n'est pas produite par leur souffle.

Ce n'est pas une vocalisation.

C'est une forme de musique que Darwin avait appelée *la musique instrumentale* des oiseaux.

En 2008, Christopher Clarke, un chercheur de l'université Yale, publie avec des collègues les résultats d'une étude montrant que ces « chants » des colibris sont produits par les vibrations de certaines des plumes de leur queue lorsqu'ils la déploient et la referment pendant leur plongeon en piqué. Et lorsque les chercheurs ont retiré quelques-unes des plumes de la queue des *colibris d'Anna*, leur « chant » de séduction a été aboli – leurs acrobaties aériennes sont devenues silencieuses.

Trois ans plus tard, Clarke, en collaboration avec d'autres chercheurs, publie une exploration des fréquences acoustiques et des harmoniques produites par les vibrations de certaines des plumes de la queue des colibris, des plumes de différentes formes et tailles qu'ils ont exposées, dans une soufflerie, à des souffles de vent de différentes vitesses. Aux vitesses de souffles de vent qui correspondent à la vitesse du plongeon en piqué de ces colibris, les vibrations de certaines plumes deviennent intenses, se stabilisent, et produisent les mêmes sons que ceux émis lors du plongeon, avec de nombreuses harmoniques.

Ces expériences ont été d'abord réalisées en analysant chacune des plumes de manière individuelle. Puis, lorsque les chercheurs ont mis ensemble deux plumes différentes de la queue, d'autres phénomènes se sont produits : la présence de deux plumes différentes avait pour effet soit d'amplifier considérablement les vibrations, les sons et les harmoniques émis par l'une des deux plumes, soit de produire des vibrations, des fréquences sonores, et des harmoniques différentes de celles qui sont produites par chacune des plumes lorsqu'elles sont isolées.

Le « chant » du plongeon pouvait être reconstitué à partir des vibrations de quelques plumes.

D'autres colibris, les *colibris Allen*, sont de véritables oiseaux-orchestres. Lors de leur plongeon en piqué, ils produisent deux sons différents à partir des vibrations des plumes de leur queue, et une troisième sonorité à partir des vibrations des plumes de leurs ailes.

Et, dans d'autres espèces de colibris, le chant vocal de séduction des mâles ressemble au chant émis par leurs plumes lors de leurs acrobaties aériennes.

Leur voix chante la même mélodie que leurs plumes.

Longtemps avant, Darwin avait longuement décrit, dans *La généalogie de l'Homme*, la diversité de ces formes de *musique instrumentale pratiquée, durant leur cour, par les mâles de nombreuses espèces d'oiseaux.*

Parmi ces instruments de musique, il citait, dans plusieurs espèces d'oiseaux autres que les colibris, certaines plumes de la queue, qui lorsque l'oiseau plonge vers le sol, après s'être élevé haut dans les airs, émettent des sonorités surprenantes.

Chez la bécassine des marais, *un son de tambour, ou de tonnerre*, dit Darwin. *Ce son est émis uniquement pendant sa descente rapide, et personne n'était capable d'en expliquer la cause, jusqu'à ce que Mr Meves observe que, de chaque côté de la queue, les plumes externes étaient de forme bizarre. Il découvrit qu'en soufflant sur ces plumes, ou en les fixant à un long et fin bâton et en les faisant bouger rapidement à travers l'air, il pouvait reproduire exactement le bruit de tambour produit par l'oiseau.*

Chez certaines bécasses, poursuit Darwin, *pas moins de huit plumes de chaque côté de la queue sont grandement modifiées [chez le mâle, par rapport aux plumes de la femelle].*

Chez P. [psittacula] *deliciosa* [le toui été, ou perruche à croupion vert, qui vit dans les zones tropicales d'Amérique du Sud], *un petit oiseau aux couleurs brillantes, le mâle a certaines plumes de ses ailes très différentes de celles des femelles, [et ces plumes] produisent « un bruit extraordinaire, la première note aiguë rappelant le claquement d'un fouet ».*

Et avant de décrire cette musique produite par les plumes, Darwin évoquait d'autres formes de *musique instrumentale.*

Les différentes espèces de piverts frappent une branche sonore avec leur bec, avec un mouvement vibratoire si rapide que « la tête paraît être à deux endroits au même instant ». Le son produit est audible à une distance considérable, mais ne peut être décrit, et je suis persuadé que sa cause ne pourrait jamais être imaginée par quiconque l'entend pour la première fois.

Parce que ce son est produit principalement pendant la saison des amours, il a été considéré comme un chant d'amour ; mais il est peut-être, plus précisément, un appel d'amour. Car la femelle, quand elle est hors du nid, a été observée en train d'appeler ainsi son compagnon, qui répond de la même façon, et apparaît aussitôt.

Le mâle huppe fasciée – upupa epops – combine la musique vocale et instrumentale ; car durant la saison des amours, cet oiseau, ainsi que l'a vu Mr Swinhoe, aspire d'abord de l'air, puis frappe l'extrémité de son bec, de manière perpendiculaire, sur un caillou ou sur un tronc d'arbre, produisant en même temps un son en expirant le souffle par le bec. Quand le mâle pousse son cri sans frapper du bec, le son est différent.

La diversité des sons, à la fois vocaux et instrumentaux, produits par les mâles de nombreuses espèces durant la saison des amours, et la diversité des moyens utilisés pour produire ces sons, est tout à fait remarquable.

C'est un fait curieux que dans la même classe d'animaux [les oiseaux], des sons aussi différents que le tambourinage de la queue de la bécassine, le martèlement du bec du pivert, le cri strident semblable à une trompette de certains oiseaux aquatiques, le roucoulement de la tourterelle, le chant du rossignol, soient tous agréables aux femelles de ces espèces.

Mais, conclut Darwin, *nous ne devons pas juger des goûts des différentes espèces selon des critères identiques; ni selon des critères correspondant aux goûts humains.*

Durant la saison des amours, à la splendeur de la musique vocale et instrumentale, aux plongeons vertigineux et aux danses aériennes, s'ajoute et se mêle la splendeur des couleurs et des nuances du plumage des séducteurs.

Et dans certains de ces plumages, il y a les plumes iridescentes, les plumes irisées, qui, *à peine vues,* changent de couleur, comme la plume du roi des oiseaux, le Simorgh du poème de Farid-ud-Din 'Attâr.

Ces plumes irisées qui changent de couleur suivant l'angle de la lumière qui les éclaire, et suivant l'angle selon lequel on les regarde.

Ces plumes irisées d'origine très ancienne, dont on a retrouvé récemment la présence sur un fossile d'oiseau datant d'il y a quarante-sept millions d'années.

Ces plumes irisées qui paraient déjà, il y a plus longtemps encore, certains des lointains ancêtres et cousins des oiseaux.

Comment le splendide Simorgh apparut-il aux vivants ?
Ce fut au royaume de Chine.
Il envahit soudain le ciel. Nul ne l'avait encore vu.
De son corps tomba une plume.

Au début de l'année 2012, une étude révélait la présence de plumes irisées sur un fossile découvert dans la région de Lamadong, au nord-est de la Chine.

C'est le fossile d'un petit dinosaure ailé, qui vivait il y a environ cent vingt millions d'années, un *microraptor,* de la taille d'un corbeau, dont le corps, les ailes, la longue queue osseuse et les pattes étaient recouverts d'un plumage bleu-noir brillant et irisé.

Le merveilleux pouvoir de séduction des oiseaux tire son origine d'un temps qui précède la naissance des oiseaux.

Connaître le lieu
pour la première fois...

Et la fin de toutes nos explorations
Sera de revenir à l'endroit d'où nous sommes partis
Et de connaître le lieu pour la première fois.

TS Eliot.

À quel appel obéit la marée qui monte ? demande Pascal Quignard.
À quel appel répond le trajet du soleil dans la nuit et le jour ?
[...]
À quel appel le fruit qui tombe ?
L'automne ?

À quel appel répondent chaque année, à l'automne, dans nos forêts, nos campagnes, nos jardins, les innombrables oiseaux qui vont s'engager dans leur longue quête, dans leur long voyage ?

Leurs nuits deviennent de plus en plus agitées, une fièvre les trouble, un appel les hante. Ils dorment de moins en moins, se nourrissent de plus en plus, accumulant des réserves.
Ils répondent à l'appel du départ, le départ vers le sud.

Pour les moins jeunes, c'est un retour vers les régions où ils ont déjà passé l'hiver.
Les plus jeunes, qui sont nés durant l'été qui précède leur départ, s'envolent vers des lieux qu'ils n'ont jamais connus.

Ils partent à la rencontre des terres de leurs parents, de leurs ancêtres. Et ils les découvrent pour la première fois.

Ces lointains territoires où leurs ancêtres s'étaient, il y a longtemps, réfugiés, pendant les âges glaciaires, pendant que l'hémisphère Nord était plongé toute l'année dans l'hiver.

Mais comment ces explorateurs s'orientent-ils, au long de leur voyage, alors qu'ils traversent les airs au-dessus des mers ou des continents ?

Quelle carte mentale, quelle boussole mentale, utilisent-ils pour se guider ?

L'un de leurs modes d'orientation qui a été suggéré depuis longtemps est une sensibilité au champ magnétique terrestre. Les oiseaux migrateurs porteraient dans leur corps l'équivalent d'une boussole, constituée de tout petits métaux, sensibles aux champs magnétiques, et qui permettraient à leurs cellules nerveuses de détecter et de mesurer en permanence la direction et l'intensité du champ magnétique de notre planète, qui varient tout au long de la surface de la Terre, entre le pôle Nord et le pôle Sud.

Les lignes de force du champ magnétique terrestre sortent du pôle Sud magnétique, proche du pôle Sud géographique, et ré-entrent au niveau du pôle Nord magnétique, proche du pôle Nord géographique.

L'angle que fait la direction de ce champ magnétique par rapport à la surface terrestre varie entre les pôles et l'équateur.

Un angle de quatre-vingt-dix degrés – un angle droit, perpendiculaire au sol – aux pôles Nord et Sud. Et un angle presque nul – presque parallèle au sol – à l'équateur magnétique, proche de l'équateur géographique.

Mais ce n'est pas uniquement cet angle qui varie, entre les pôles et l'équateur, mais aussi l'intensité du champ magnétique. L'intensité augmente progressivement de l'équateur, où elle est minimale, à chacun des deux pôles, où elle est maximale – plus de trois fois plus importante qu'à l'équateur.

Et il y a, en plus, de nombreuses variations locales d'intensité du champ magnétique terrestre, qui pourraient être utilisées par les oiseaux migrateurs pour affiner la détermination de leur position.

Mais où, dans le corps des oiseaux, sont localisés ces tout petits métaux qui permettraient à leurs cellules nerveuses de répondre, durant leurs voyages, aux variations du champ magnétique terrestre, et d'élaborer une carte de ces variations ?

De nombreuses études ont conduit à proposer trois endroits possibles : la rétine de leurs yeux, leur bec, ou leur oreille interne – la partie de l'oreille qui intervient dans le sens de l'équilibre, et dans la distinction entre le haut et le bas, qui permet de percevoir où est le sol, la direction vers laquelle nous entraîne la force de gravitation terrestre.

Mais existe-t-il véritablement une carte géomagnétique dans le cerveau des oiseaux migrateurs ? Et si oui, quelle pourrait être la nature de cette carte ?

Il n'y avait pas de réponse. Jusqu'à la publication, au printemps 2012, de la première étude identifiant une telle carte vivante dans le cerveau d'un oiseau.

Il ne s'agit pas d'un oiseau migrateur, mais d'un oiseau dont les capacités d'orientation sont connues depuis très longtemps – un oiseau qui a été utilisé jusqu'au début du xxe siècle pour acheminer du courrier à travers les airs, le pigeon voyageur.

À partir de petits métaux – probablement de la ferrimagnétite – situés dans son oreille interne, le pigeon élabore dans son cerveau une carte géomagnétique de son environnement, qui lui indique à la fois la direction et l'intensité du champ magnétique terrestre. Et il est probable que des mécanismes semblables permettent aux oiseaux migrateurs d'élaborer une boussole mentale qui leur permet de s'orienter pendant leur long voyage.

Mais où s'en vont, à tire-d'aile, à l'automne, les oiseaux de l'hémisphère Nord ?

Pour la quasi-totalité des espèces, nous connaissons depuis longtemps la réponse.

Mais la destination des migrations de certains petits oiseaux chanteurs demeurait encore mystérieuse. Et l'un de ces mystères a été révélé au début de l'année 2012.

L'étude concernait un tout petit oiseau, de dix centimètres de long, qui pèse environ vingt-cinq grammes. Son plumage est gris métallique, le haut de ses ailes, plus foncé, s'éclaircit vers les extrémités, et sa queue est courte, légèrement fourchue.

Il passe ses étés dans les montagnes de l'ouest de l'Amérique du Nord, où il bâtit son nid et élève ses petits à côté des cascades, des torrents, ou parfois derrière le rideau des chutes d'eau, ou dans des endroits encore plus difficiles à atteindre, dans des canyons étroits et profonds.

C'est le *martinet sombre – cypseloides niger borealis*.

Il vole très vite et très haut dans le ciel, si haut qu'on ne peut souvent pas le voir à l'œil nu, si haut qu'on l'appelle aussi le *martinet des nuages*.

Il quitte l'Amérique du Nord entre la fin août et le début septembre, disparaît durant sept à huit mois, et revient en mai.

Mais où disparaît-il ? L'espèce avait été identifiée en 1857, et depuis cent soixante-cinq ans nul ne savait où il passait l'hiver.

Des chercheurs ont réussi, un été, à en saisir quatre, dans une grotte cachée derrière une cascade, dans les montagnes Rocheuses du Colorado.

Leurs pattes sont trop fines et trop fluettes pour qu'on puisse les baguer. Les chercheurs leur ont fixé un minuscule sac à dos, qu'ils avaient conçu spécialement à leur intention, un sac pesant moins d'un gramme et demi (les ornithologues considèrent qu'il ne faut pas lester les oiseaux d'une charge qui pèse plus de cinq pour cent du poids de leur corps).

Puis les chercheurs ont relâché les oiseaux

Ce n'est pas un GPS qu'ils ont mis dans le mini-sac à dos, parce que les plus petits et les plus légers des GPS pèsent actuellement quatre grammes, ce qui serait trop lourd par rapport au poids du tout petit oiseau.

L'appareil d'un gramme et demi qu'ils ont placé dans le mini-sac à dos ne transmet pas sa position par satellite. C'est un géolocalisateur. Il enregistre en permanence la quantité de lumière présente, et, à partir de l'étude de ces enregistrements de la lumière, les chercheurs pourront déduire la longitude et la latitude des différents lieux traversés par les oiseaux.

Mais pour récupérer les données, il faut pouvoir retrouver l'oiseau lors de son retour au Colorado, sept à huit mois après son départ. Et les chercheurs ont pu le faire parce que les martinets sombres reviennent le plus souvent de leur mystérieux voyage à l'endroit même où ils ont construit leur nid les années précédentes et, pour les plus jeunes, à l'endroit même où ils sont nés.

Les chercheurs ont découvert que les martinets sombres avaient accompli un voyage de quatorze mille kilomètres – sept mille kilomètres à l'aller, et sept mille kilomètres au retour.

Les martinets sombres étaient partis vers le sud à la mi-septembre et étaient arrivés à destination au début ou à la mi-octobre. Ils étaient restés dans le sud durant sept mois. Puis étaient repartis pour le Colorado à la mi-mai.

Et ce lieu, jusque-là mystérieux, où ils résident durant tout l'hiver et une partie du printemps, n'est pas, comme on le pensait jusque-là, un habitat semblable à celui qu'ils ont quitté à l'automne – une cascade ou un canyon dans une région montagneuse d'Amérique du Sud – mais une forêt vierge, dans une région de plaines.

La forêt vierge des plaines de l'Amazonie, au Brésil.

Il y a d'autres migrations encore qui étaient demeurées mystérieuses.

D'autres migrations pour lesquelles la découverte la plus surprenante n'a pas été la révélation de la destination, mais la révélation de la distance parcourue, de la durée du voyage, de la longueur de la quête.

Comme un écho au long voyage des oiseaux du poème de Farid-ud-Din 'Attâr. À la recherche de leur roi Simorgh.

Ce long voyage à travers sept vallées.

La vallée de la Quête. La vallée de l'Amour. La vallée de la Connaissance. La vallée de la Liberté solitaire. La vallée de l'Unité. La vallée de la Perplexité. Et enfin, la vallée de l'Épuisement.

Ce sont de petits oiseaux chanteurs, qui pèsent moins de vingt-cinq grammes. Des passereaux, *des traquets motteux – œnanthe œnanthe.*

Durant l'été, ils résident dans les toundras qui s'étendent de l'extrême nord-est du Canada et du Groenland, au nord de l'Europe et l'Asie, jusqu'à l'extrême nord-ouest du Canada et l'Alaska. C'est dans ces toundras qu'ils vivent la saison de leurs amours, qu'ils donnent naissance à leurs petits et les élèvent.

On savait que les populations de traquets motteux, qui résident en Eurasie durant l'été, migrent à l'automne en Afrique du Nord, dans la région subsaharienne.
Mais où s'en vont ceux de l'Arctique, ceux de l'extrême nord-ouest du Canada et ceux d'Alaska ?
Une étude a révélé, au début de l'année 2012, les extraordinaires voyages de ces petits oiseaux.
Comme ceux qui exploraient les mystères des migrations des martinets sombres du Colorado, les chercheurs ont équipé les traquets motteux des petits sacs à dos pesant moins d'un gramme et demi, et contenant le géolocalisateur qui enregistre l'intensité de la lumière ambiante.
Et ils ont pu retracer le périple des petits oiseaux.

Les traquets motteux qui nichent en été dans le nord-ouest du Canada s'envolent vers l'est, survolent l'océan Atlantique sur une distance de trois mille cinq cents kilomètres, au rythme de huit cent cinquante kilomètres par jour, et, en quatre jours, atteignent la Grande-Bretagne.
Puis de là, ils s'envolent vers le sud, parcourant quatre mille kilomètres en trois semaines, et atteignent les côtes

de la Mauritanie, en Afrique de l'Ouest, où ils passeront l'hiver.

Le voyage aller de sept mille cinq cents kilomètres au total dure environ vingt-six jours, et le voyage retour au printemps dure deux fois plus longtemps.

Les traquets motteux d'Alaska, eux, ne traversent pas un océan. En survolant des continents, ils s'engagent dans un périple beaucoup plus long. Ils traversent d'abord la mer de Behring, puis toute la Russie du Nord, puis le Kazakhstan, puis le désert d'Arabie, puis, de l'autre côté de la mer Rouge, ils gagnent l'Afrique de l'Est, le Soudan, l'Ouganda ou le Kenya, où ils passeront l'hiver.

Un voyage aller de près de quinze mille kilomètres, qui leur prend trois mois. Leur retour au printemps ne dure que deux mois.

Et ainsi, chaque année, les traquets motteux d'Alaska sont en voyage durant cinq mois, près de la moitié de l'année, trois mois pour l'aller et deux mois pour le retour. Parcourant au total trente mille kilomètres, entre les régions arctiques du Nouveau Monde où ils passent l'été, et l'Afrique de l'Est où ils passent l'hiver.

Rapporté au poids du traquet motteux – vingt-cinq grammes –, c'est un extraordinaire exploit, l'un des plus longs voyages qu'accomplit un oiseau migrateur dans le monde.

Et désormais ce n'est plus la destination de cet extraordinaire voyage qui est un mystère, mais la question de savoir comment ce tout petit oiseau réussit cet exploit.

Sachant que parmi ces intrépides explorateurs qui partent chaque année à la découverte des terres de leurs ancêtres, il y a des jeunes, qui s'engagent seuls, pour la première fois, dans ce long périple.

Dans ce très long retour vers les terres de leurs ancêtres, qu'ils découvriront pour la première fois.

Nous n'aurons de cesse d'explorer, dit TS Eliot.

Nous n'aurons de cesse d'explorer
Et la fin de toutes nos explorations
Sera de revenir à l'endroit d'où nous sommes partis
Et de connaître le lieu pour la première fois.

Dans le poème de Farid-ud-Din 'Attâr, la quête des oiseaux est sans retour. Et le lieu qu'ils découvrent, pour la première fois, à la fin de leur quête, n'est pas un lieu, mais un autre – le Simorgh – et cet autre et eux-mêmes ne font qu'un.

Je vous ai parlé de l'adaptation qu'Henri Gougaud a faite de la traduction du poème, et de la pièce de théâtre que Jean-Claude Carrière en a tiré.

Mais avant Gougaud. Avant Carrière.
Durant les années 1940, à Buenos Aires.
Un autre écrivain, Jorge Luis Borges, avait célébré le splendide poème mystique d''Attâr, et l'avait comparé à un autre splendide poème mystique, écrit deux siècles plus tard, *La Commedia – La Divine Comédie* de Dante Alighieri.

Et Borges a fait de cette comparaison le sujet de l'un de ses *Neuf essais sur Dante*, intitulé *Le Simurgh et l'Aigle.*
[...] un être composé d'autres êtres.
[...] une des figures les plus mémorables de la littérature occidentale ainsi qu'une autre venue de la littérature orientale, écrit Borges.
[...] deux fictions prodigieuses.
L'une fut conçue en Italie et l'autre à Nishapur.

On trouve la première au chant XVIII du Paradis. *Dante, durant son voyage dans les cieux concentriques, remarque une plus grande félicité dans les yeux de Béatrice, un plus grand rayonnement de sa beauté et il comprend qu'ils se sont élevés du ciel rouge de Mars au ciel de Jupiter. Dans la vaste ampleur de cette sphère où la lumière est blanche, volent et chantent des créatures célestes qui successivement forment les lettres de la sentence* Diligite justitiam [Aimez la Justice] *puis la tête d'un aigle [...].*

Puis l'Aigle entier resplendit ; il est fait de milliers de rois qui ont été des justes ; il parle d'une seule voix [...], et il dit « je » au lieu de « nous ».

Que quelqu'un soit parvenu à imaginer une figure qui sur- passe les plus grandes de La Divine Comédie *paraît, non sans raison, incroyable ; le fait, cependant, s'est produit.*

Farid al-Din Attar avait imaginé l'étrange Simurgh (Trente Oiseaux) [...].

Et, dans une note de bas de page, Borges ajoute :
Silvina Ocampo a mis ainsi en vers l'épisode.
« Dieu était cet oiseau, tel un miroir immense ;
plus qu'un simple reflet, il les contenait tous.

Chacun dans ses plumes trouva ses propres plumes,
Et dans ses yeux, des yeux à mémoires de plumes. »

La disparité entre l'Aigle et le Simurgh n'est pas moins évi- dente que sa ressemblance.
Les individus qui composent l'Aigle ne se perdent pas en lui.
[Mais] les oiseaux qui regardent le Simurgh sont aussi le Simurgh.
L'Aigle est un symbole momentané, comme l'avaient été auparavant les lettres de feu, et ceux qui le forment ne cessent

pour autant d'être ce qu'ils sont ; le Simurgh est d'une ubi-
quité inextricable.

Une ultime remarque, dit Borges.
[Dans la parabole du Simurgh] les pèlerins cherchent à
atteindre un but ignoré. Ce but, que nous ne connaîtrons
qu'à la fin, doit nécessairement nous émerveiller et ne pas
être ou sembler être un ajout.
[...] les chercheurs sont ce qu'ils cherchent.

« Toi », « Moi », ces mots qui semblent si simples. Que
veulent-ils dire vraiment ?
Dans le poème de Farid-ud-Din 'Attâr, la quête des oiseaux
est sans retour.
Et c'est une autre quête sans retour, une quête humaine, que
Borges évoque dans un autre de ses *Neuf essais sur Dante*.
L'essai est intitulé *La rencontre en rêve*.

Le matin du 13 avril de l'an 1300, écrit Borges, *l'avant-*
dernier jour de son voyage, Dante, ses travaux accomplis, entre
au Paradis terrestre qui couronne la cime du Purgatoire. Il a vu
le feu temporel et le feu éternel, il a traversé un mur de feu [...].
Par les sentiers de l'antique jardin il arrive à une rivière plus
pure qu'aucune autre, bien que les arbres empêchent la lune
et le soleil de l'éclairer.
Une musique traverse l'air et une procession mystérieuse
avance sur l'autre rive. [...]
Le char s'arrête et une femme voilée apparaît ; son vêtement
a la couleur de la flamme vive. Non par ce qu'il voit mais
par le saisissement de son esprit et le frisson de son sang,
Dante comprend que c'est Béatrice. Au seuil de la Gloire, il
ressent en lui l'amour qui si souvent l'a transpercé à Florence.
[...]

Béatrice étant morte et perdue à jamais, Dante a voulu ima-giner qu'il la rencontrait, pour tempérer sa tristesse ; je suis persuadé, dit Borges, *qu'il a édifié la triple architecture de son poème pour y intercaler cette rencontre.*

Retrouver l'autre, même si elle est à jamais perdue.
Se retrouver soi-même dans l'autre.

Vous avez longtemps voyagé, dit le Simorgh dans le poème d'Attâr, *vous avez cru parfois vous perdre.*
Vous ne vous êtes pas quittés.
C'est vous que vous avez trouvés.

Les chercheurs, dit Borges,
Les chercheurs sont ce qu'ils cherchent.

De la même façon, dit Borges, [*dans le* Livre de Samuel]
David est l'occulte protagoniste de l'histoire que lui raconte Nathan ; de même, De Quincey a avancé l'hypothèse que l'homme Œdipe, et non pas l'homme en général, était la véritable solution de l'énigme du Sphinx thébain.

Des mondes dans des mondes, qui les contiennent tous.
Une vision récursive. Une mise en abîme.

C'est l'un des thèmes préférés de Borges.

Plotin, dit Borges, *Plotin, lui aussi, parle d'une extension paradisiaque du principe d'identité : « [...] Le soleil est toutes les étoiles, chaque étoile est toutes les étoiles, et chaque étoile est toutes les étoiles et le soleil. »*

Borges poursuit dans une note de bas de page :
On peut lire pareillement dans La Monadologie (1714) *de Leibniz, que l'univers est fait d'univers infimes qui à leur tour contiennent l'univers, et ainsi à l'infini.*

Chaque *microcosme* contient et reflète le *cosmos* entier. Une idée qui a fasciné les artistes de la Renaissance italienne.

Les peintres de la Renaissance découvriront un moyen de faire entrer le monde et l'harmonie de ses proportions dans un *microcosme* qui le contient et le reflète.

À la magie des couleurs, des ombres, et des lumières, ils ajouteront une géométrie plus abstraite, les lois de la perspective. Et dans le microcosme de la petite surface plate d'un tableau, le monde, soudain, surgira en relief.

En 1435, Leon Battista Alberti publie *De Pictura – De la Peinture*, où il présente les bases scientifiques de la perspective.

Il faut, dit Alberti, que l'artiste imite et reflète la nature, exprime sa beauté, et pour ce faire, il doit utiliser les lois des mathématiques et de l'optique.

Mais l'histoire de la perspective en peinture avait une origine plus ancienne.

Quatre cents ans avant la publication du traité d'Alberti, au XIe siècle, les premières études sur les bases des illusions d'optique et de la perspective avaient été présentées par Alhazen, dans son traité d'optique *Kitab-al-Manazir*, qui avait été traduit en italien au XIVe siècle.

Mais c'est l'ingénieur et architecte Filippo Brunelleschi, le bâtisseur du dôme de la cathédrale Santa Maria del Fiore de Florence, qui, vers 1425, peindra les premiers tableaux en utilisant les lois géométriques de la perspective.

En se servant d'un miroir, il copiera le reflet en deux dimensions du baptistère de la cathédrale, et peindra un tableau dans lequel toutes les lignes de fuite convergent vers un même point à l'horizon.

Et c'est dix ans plus tard qu'Alberti réalisera une formalisation mathématique de ces lois de la perspective, et expliquera notamment comment la diminution progressive de la taille des objets donne l'illusion de leur éloignement progressif.

Et à partir de ce moment, il deviendra possible de tout peindre en donnant l'illusion de la profondeur, du relief – y compris ce qui ne peut se refléter dans un miroir, y compris des mondes imaginaires.

D'abord imiter la nature. Puis s'échapper de la copie. Inventer, créer, à partir de lois abstraites.

Mieux voir. Pour mieux donner à voir.

À l'aide d'une illusion.

Mais remontons encore le temps.

Il y a très longtemps.

Avant Leon Battista Alberti, avant Filippo Brunelleschi, avant Alhazen.

Très loin des rives de la Méditerranée.

En Australie.

Longtemps avant que nos ancêtres ne commencent à peindre leurs fresques sur les parois de pierre de Lascaux, Ardennes et Chauvet.

D'étranges variations sur les lois de la perspective étaient réalisées dans d'autres œuvres architecturales qui visaient à séduire.

Des œuvres d'art dont l'origine plonge probablement dans la nuit des temps.

Des œuvres réalisées par des oiseaux.

Le pouvoir de séduction des oiseaux ne dépend pas uniquement de la splendeur de leurs chants, de leurs danses et de leurs couleurs.

Il dépend parfois aussi de leurs réalisations architecturales.

Il dépend parfois de ces tonnelles et de ces jardins de pierre, de ces scènes de théâtre en trompe l'œil, que bâtissent les *oiseaux jardiniers* d'Australie pour y chanter, y parader, et y séduire les damoiselles qui viennent visiter leur territoire. Dans ces jardins de pierre, une sensation de beauté émerge de l'harmonie des formes et des couleurs, et parfois, aussi, d'un étrange et subtil jeu d'illusions d'optique, d'un jeu de perspective.

Les oiseaux jardiniers appartiennent à la famille des corvidés, la famille des corbeaux, des geais, des pies voleuses, une famille d'oiseaux dont la richesse des capacités mentales a commencé à être révélée par des recherches récentes. Les oiseaux jardiniers sont à la fois des architectes, des paysagistes, des acteurs, et des chanteurs.

Ils sont comme des acteurs qui construiraient eux-mêmes la scène de théâtre où ils joueront leur pièce, comme des musiciens qui bâtiraient eux-mêmes la salle où ils se produiront en concert.

Durant la plus grande partie de l'année ils se consacrent à la construction de leur jardin, qui, à la saison des amours, leur permettra de tenter de séduire une compagne.

Ils commencent par bâtir une allée bordée de branches d'environ soixante centimètres de hauteur, qui se rejoignent en formant une voûte.

C'est l'équivalent d'une tonnelle.

L'allée ouvre sur un jardin qui, suivant l'espèce à laquelle appartient l'oiseau jardinier, peut être parsemé de coquillages, de cailloux, de petits os, de feuilles, de fleurs, ou de baies de fruits de différentes formes et couleurs. Et, dans les régions où résident des populations humaines, de différents objets de couleurs de fabrication humaine – des capsules de bouteille, de petits morceaux de plastique, des pailles, des stylos bille...

À la saison des amours, la damoiselle s'engagera dans l'allée, sous la tonnelle, s'arrêtant sur le seuil, et examinant le jardin, et l'acteur, le troubadour, le baladin qui parade dans le jardin qu'il a soigneusement agencé durant toute l'année.

Chez les *jardiniers satinés – ptilonorhynchus violaceus –*, les damoiselles ne se laissent pas séduire aisément.
Leur choix est minutieux. Elles visiteront de nombreux jardins, puis évalueront à plusieurs reprises différentes facettes des talents de leurs prétendants – leur scène de théâtre, leur parade, leur chant, pour finir par ne s'unir qu'avec un seul, celui qui les aura séduites.

La toute première étape est une visite au jardin, lorsque l'artiste est absent. La dame s'avance dans la tonnelle et examine attentivement le jardin.

La deuxième étape est un retour aux différents jardins qu'elle a le plus appréciés, mais cette fois lorsque l'artiste est présent.

Lors de cette deuxième visite, l'artiste parade, il fait des bonds, chante, pousse des cris. C'est une chorégraphie assez violente, qui ressemble à l'attitude qu'il adopte dans des situations de conflit, pour impressionner son adversaire.

Si la dame n'a pas été séduite par cette deuxième visite, elle repart visiter d'autres jardins, dans lesquels sont présents d'autres jardiniers.

En revanche, si elle a été séduite, elle se retire, et, pendant une semaine, construit son nid dans un endroit discret, à l'abri des regards.

Puis elle revient, pour une troisième visite, dans chacun des jardins des prétendants qui lui avaient plu avant qu'elle parte construire son nid. Elle contemple une dernière fois les jardins et les exploits de chacun des artistes, qu'elle va enfin départager.

Elle les compare une dernière fois, puis elle choisit, et vient s'unir dans son jardin à celui qui a fait chavirer son cœur.

Et elle repart seule, pondre et couver ses œufs dans le nid qu'elle a construit, et c'est seule qu'elle nourrira, élèvera et protégera ses oisillons.

Le séducteur, lui, se consacre entièrement pendant la plus grande partie de l'année à la construction obsessionnelle et minutieuse de son jardin, l'entretenant, assemblant les objets, les volant dans le jardin de ses voisins, et protégeant son merveilleux jardin contre les voleurs.

Chez les *jardiniers satinés* le jardin est décoré de nombreux objets de couleur bleue.

Les jardiniers satinés n'aiment pas les objets rouges.

Si des chercheurs en déposent dans leur jardin, les oiseaux les retirent aussitôt, et les transportent à l'extérieur.

Leur jardin est parsemé de bleu.

C'est la couleur des yeux des jardiniers satinés – les oiseaux ont les yeux bleu pâle, les oiselles ont des yeux plus foncés, bleu lilas. Et le plumage des messieurs est d'un noir dans lequel la diffraction de la lumière fait surgir une teinte bleue métallique.

Et ainsi la couleur que les séducteurs donnent à leur jardin est un reflet de leur propre couleur.

Des chercheurs se sont demandé quel serait l'effet d'une accentuation artificielle de la couleur bleue de ces jardins sur le pouvoir de séduction exercé par les jardiniers.

Ils ont enrichi en objets de couleur bleue certains des jardins, pris au hasard.

Et leur étude indique que, parmi les jardins où la dame revient la seconde fois, figure une plus grande proportion de jardins dont les chercheurs ont artificiellement accentué la couleur bleue.

Mais le but de l'étude était d'explorer si chacun des éléments de séduction – la tonnelle, la couleur bleue du jardin, puis, dans le même décor, la parade, les bonds, la couleur du plumage, le chant et les cris – s'additionnait, s'amplifiant les uns les autres, et se fondant finalement lors de la dernière visite dans un tout, un tourbillon de sons, de formes, de mouvements et de couleurs. Et dans ce cas, l'artiste le plus irrésistible pour toutes les damoiselles serait celui qui réussirait à jouer au mieux de chacun de ses instruments, puis, devenu comme un oiseau-orchestre, réussirait à en faire émerger la plus belle symphonie, enivrant tous les sens.

Une autre possibilité était que chacun de ces instruments de séduction exercerait un effet différent sur les oiselles, attirant, chacun, différentes oiselles, qui ne partagent pas les mêmes goûts. Et dans ce cas, l'artiste ne serait irrésistible que pour certaines de ses visiteuses, et pas pour d'autres.

Les chercheurs avaient artificiellement renforcé la couleur bleue de certains jardins. Et ce sont ces jardins qui ont été considérés comme les plus séduisants par une grande majorité des oiselles, lors de leur première visite, en l'absence du séducteur.

Ce sont à ces jardins qu'elles sont plus souvent revenues la deuxième fois, lorsque l'artiste était présent, et elles ont alors découvert sa parade guerrière, ses bonds, son chant, ses cris.

Et à partir de ce moment, le choix des oiselles dépend, pour une grande part, de leur âge.

Les damoiselles les plus jeunes, celles qui ont un an ou deux ans, reviendront dans les jardins les plus bleus, indépendamment de la qualité de la parade.

Ce qui les séduira, c'est l'intensité de la couleur bleue du jardin du prétendant, et non la qualité de la parade – la parade, d'une manière générale, semble plutôt les effrayer.

En revanche, les oiselles moins jeunes, celles qui ont trois ans et plus, celles qui ont le plus d'expérience, qui ont déjà vécu plusieurs saisons des amours, seront séduites par les oiseaux dont la parade est la plus spectaculaire.

Que leur jardin soit artificiellement bleu ou pas, c'est à l'un des séducteurs dont la parade aura été la plus extraordinaire qu'elles finiront par s'unir.

Pour les plus jeunes, c'est la couleur bleue qui les fait chavirer.

Pour les moins jeunes, c'est la parade, la danse, les sauts, le chant, et les cris.

L'artiste jardinier satiné déploie, durant sa cour, différentes facettes de ses talents – son talent d'architecte, de coloriste, de chanteur, de danseur, d'acteur. Et différentes oiselles seront sensibles à certaines de ses facettes, mais pas à d'autres, parce que leurs goûts varient durant leur existence.

Mais revenons à la perspective, aux jeux de trompe-l'œil, aux illusions d'optique des artistes de la Renaissance.

Parmi les *oiseaux jardiniers*, ce sont *les jardiniers à nuque rose – ptilonorhynchus nuchalis –* qui bâtissent les jardins les plus sophistiqués.

Les oiseaux ont un plumage gris clair avec une collerette rose sur la nuque.

Ils n'ont pas les yeux bleus, et n'ont pas, contrairement aux jardiniers satinés, d'attirance particulière pour les objets bleus.

Ils construisent une grande tonnelle, deux haies parallèles de bâtons formant une allée couverte, orientée sud/nord. Et à l'extrémité nord, le jardinier construit une cour pavée de coquillages, de cailloux, d'ossements et d'objets fabriqués par l'homme, le tout de couleur grise.

La couleur de son plumage.

Ce pavage gris uniforme a été nommé le *gesso*, en référence à cet enduit de gypse ou plâtre dont les peintres sur bois, comme ceux du Quattrocento italien, enduisaient leurs tableaux de bois avant de commencer à peindre.

Et sur ce *gesso*, sur ce fond gris uniforme, l'artiste dépose des objets de couleur orange, ou rouge, ou verte – des feuilles, des branches, des baies, des fruits, ou des capsules de bouteilles…

L'oiselle s'engage dans la tonnelle par l'entrée sud et s'installe à l'extrémité nord, et elle contemple le tableau sur lequel l'artiste danse et fait sa cour.

Il prend des poses, parade, sautille, chante, et prend dans ses pattes des objets de couleur. Il les brandit, saute, et jette ces objets de couleur à un autre endroit du tableau.

Le *gesso* gris reste inchangé, mais les couleurs du tableau se mettent à vivre, à se déplacer.

La damoiselle observe, va visiter d'autres jardins, puis choisit enfin l'artiste qui l'a séduite...

John Endler est professeur d'écologie sensorielle, de zoologie et d'évolution, en Australie. Il explore, depuis des années, dans différentes espèces animales, cette notion que Darwin considérait comme essentielle, et qu'il appelait *le sens esthétique, la sensation de beauté.*

Et en 2010, John Endler et ses collaborateurs publient une découverte qu'ils ont faite en étudiant les réalisations des jardiniers à nuque rose.

Ils ont observé les jardins en se mettant à la place des damoiselles, en les regardant à partir de l'extrémité nord de la tonnelle, à hauteur de regard de l'oiselle, et ils ont remarqué une caractéristique étrange, jusque-là inconnue, de ces jardins, de ces *gesso* gris parsemés de taches de couleur.

Ils ont découvert que les objets qui composent les *gesso* sont disposés d'une manière particulière : les objets les plus petits sont les plus proches de l'endroit où se tient l'oiselle, et plus on s'éloigne de l'extrémité nord de la tonnelle, et plus la taille des objets augmente.

Cette disposition crée une illusion d'optique qu'on appelle un effet de *perspective forcée.*

Il y a au moins deux types de perspective forcée.

L'une, qui est souvent utilisée en architecture, ou dans les salles de spectacle, consiste à réduire la taille des objets à mesure qu'ils sont plus éloignés de l'endroit où se trouve le spectateur. Cette disposition, qui accentue l'effet naturel de la perspective, donne l'illusion au spectateur qui croit que les objets sont de taille identique, que l'espace est plus vaste, que l'arrière-plan s'étend plus loin qu'il n'est en réalité.

L'autre type de perspective forcée, celle que construisent les jardiniers à nuque rose, produit l'illusion inverse.

Elle contrecarre l'effet naturel de la perspective, en donnant l'illusion que tous les objets sont de même taille et donc très proches, en donnant l'illusion que la scène est plus régulière et plus petite, que l'arrière-plan est plus proche qu'il n'est.

Et l'artiste qui parade sur son *gesso* semble probablement à sa visiteuse plus grand et plus proche qu'il ne l'est réellement.

Les chercheurs ont étudié l'importance que l'artiste jardinier à nuque rose attachait à cette perspective forcée.

Ils ont remplacé les grands objets par des objets plus petits et les plus petits par de plus grands.

Et les jardiniers se mettent immédiatement au travail.

En trois jours, ils ont restauré la composante de croissance régulière des objets à mesure que l'on s'éloigne de la tonnelle. Et en deux semaines de travail, l'illusion d'optique originelle, la perspective forcée originelle, est rétablie.

L'étude indiquait que les artistes jardiniers attachent une très grande importance à cette composante du jardin où ils vont faire leur cour.

Mais qu'en est-il des oiselles ?

Est-ce la perfection de cette illusion d'optique qui les fait chavirer ?

John Endler et Laura Kelley ont publié la réponse au début de l'année 2012.

Ils ont découvert que plus la qualité de l'effet de per-spective forcée du *gesso*, considérée à partir de l'endroit où se place l'oiselle, était grande, et plus était grande la proba-bilité que des oiselles viennent s'unir au jardinier.

Nous ne savons pas ce que ressentent les oiselles.

Mais ces études révèlent qu'elles sont séduites, depuis pro-bablement des temps très lointains, par des réalisations de leurs artistes qui s'apparentent aux règles d'harmonie esthétique qui révolutionneront la peinture et l'archi-tecture de la Renaissance italienne.

Les oiselles ressentent-elles une profonde émotion devant ce que *nous* appelons la beauté ?
C'est ce que pensait Darwin.
Et c'est ce que suggèrent des recherches récentes.

La beauté existe seulement
dans l'esprit qui la contemple...

La beauté n'est pas une qualité inhérente aux choses elles-mêmes, elle existe seulement dans l'esprit qui la contemple.

David Hume.

Pour Borges, le sens du récit est toujours à trouver ailleurs que dans le récit.

Dans un voyage, à l'aide des mots, par-delà les mots.

Vers les territoires de l'émotion, de l'intuition.

Là où nous tentons de déchiffrer une parole qui précède la parole humaine, une écriture qui précède l'écriture humaine.

Voyez comme la nature est un livre ouvert, dit Goethe, *incompris, mais compréhensible.*

Lire, dit Alberto Manguel, l'ami de Borges, *c'est beaucoup plus que lire l'écriture.*

Les parents qui lisent sur le visage du bébé des signes de joie, de peur ou d'étonnement; l'amant qui lit à l'aveuglette le corps aimé, la nuit; le pêcheur hawaïen qui lit les courants en plongeant une main dans l'eau; le fermier qui lit dans le ciel le temps qu'il va faire – tous partagent avec le lecteur de livres l'art de déchiffrer et de traduire des signes.

Dans chaque cas, c'est le lecteur qui lit le sens ; c'est le lecteur qui accorde ou reconnaît à un objet, un lieu ou un événement une certaine lisibilité, une signification.

Tous, nous nous lisons nous-mêmes, et lisons le monde qui nous entoure afin d'apercevoir ce que nous sommes et où nous nous trouvons. Nous lisons pour comprendre, ou pour commencer à comprendre.

L'univers (que d'autres nomment la bibliothèque). Ce sont les premiers mots d'une nouvelle de Borges qui s'intitule *La Bibliothèque de Babel.* Cette *bibliothèque* contient tous les livres qui ont été écrits, qui seront un jour écrits, ou qui pourraient un jour être écrits. Et parmi tous les livres de la bibliothèque, dit Borges, il y a un livre qui contient lui-même tous les livres, et qui est peut-être, à lui seul, la bibliothèque.

La Bibliothèque de Babel est une réflexion sur la manière dont nous lisons l'univers.

La Bibliothèque de Babel de Borges, comme L'Aigle de Dante, comme le roi Simorgh de Farid-ud-Din 'Attâr, est une parabole, une *métaphore.*

Une *metaphora*, dit Quignard, est *un voyage.*

En grec, dit Borges, le mot *métaphore* signifie « *transposition* ».

Et pour Borges, la signification même des récits réside dans la richesse des métaphores qu'ils évoquent.

C'est l'un des thèmes majeurs de Borges, qui court dans toute son œuvre : l'idée que la part essentielle de tout récit n'est pas dans ce qu'il décrit, mais dans ce qu'il évoque, et qui ne peut être dit.

Dans l'un de ses *Neuf essais sur Dante – Purgatorio, I, 13 – Purgatoire I, 13*, Borges évoque plusieurs métaphores.

*Au vers 60 du chant I de l'*Enfer [*dans* La Divine Comédie], dit Borges, on lit ceci :

« Mi ripigneva là dove'l sol tace » [elle me repoussait là où le soleil se tait].

« Où se tait le soleil » : un verbe auditif exprime une image visuelle.

Dans les Hebrew Melodies *de Byron, poursuit Borges, j'ai découvert un artifice analogue : « Elle avance en beauté, comme la Nuit » ; pour accepter ce vers, le lecteur doit imaginer une grande femme brune qui avance comme la Nuit, qui est à son tour une grande femme brune, et ainsi à l'infini.* [Et, en note de bas de page, Borges ajoute : *Baudelaire a écrit dans* Recueillement :

« Entends, ma chère, entends la douce Nuit qui marche. » La marche de la nuit ne devrait pas s'entendre.]

Mon troisième exemple, dit Borges, *est pris à Robert Browning :*

« O lyric Love, half angel and half bird... ».

Le poète dit d'Elizabeth Barrett, qui est morte, qu'elle est moitié ange et moitié oiseau et il s'amorce ainsi une subdivision qui peut être interminable.

Car un ange est déjà moitié oiseau...

Des reflets sans fins.

Une fractale, une mise en abîme, un voyage, une métaphore.

Ô amour lyrique, à moitié ange et à moitié oiseau, à moitié oiseau et à moitié humain.

Lorsque nous contemplons la beauté, les dialogues et les amours des oiseaux, est-ce que nous ne projetons pas sur eux des émotions, des sensations, des sentiments qui sont les nôtres ?

Est-ce que nous ne faisons pas des oiseaux, dans notre désir de les comprendre, des métaphores, des êtres étranges et merveilleux, des chimères, mi-oiseaux mi-humains ?

Je vous ai parlé des prodiges de beauté et de talents que déploient les oiseaux, à la saison des amours, pour séduire leurs belles.

En groupe, devant les spectatrices réunies sur des branches, ou seuls, sur leur territoire que viennent visiter les damoi-selles.

Les chants et les trilles des prétendants, leurs règles de syntaxe, leur architecture grammaticale et musicale, leurs dialectes provinciaux, leurs parades, qui mettent en valeur les couleurs de leur plumage, leurs reflets irisés auxquels se surimposent souvent de merveilleux dessins de couleurs ultraviolettes, que perçoivent leurs belles, mais qui nous sont invisibles.

Il y a aussi les ocelles de couleurs irisées que les paons déploient autour d'eux lorsqu'ils font la roue.

Et les acrobaties aériennes des *colibris d'Anna*, leurs plongeons devant leurs belles, leurs plongeons de qua-rante mètres dans le vide, à la vitesse de vingt mètres par seconde, et le « chant » qui surgit alors de leurs plumes que fait vibrer le vent.

Il y a les mouvements de pendule – les pattes sur la branche et le corps qui bascule en avant – la révérence devant leur dame, que font les *montezuma oropendolas* d'Amérique du Sud, au plumage brun-noir, à la queue jaune vif, et au bec noir, avec une pointe rouge-orange. Les *montezuma oropendolas* qui, à chaque bascule, à chaque révérence, entonnent leur chant étrange.

Et il y a les étonnantes et merveilleuses tonnelles et les splendides jardins que construisent les *oiseaux jardiniers*, ces paysagistes, peintres et architectes d'Australie. Les jardins qu'ils construisent durant toute l'année, et dans lesquels, quand vient la saison des amours, ils deviennent troubadours, paradant et chantant devant les belles qui les visitent. Les jardins bleus des *jardiniers satinés*. Et les jardins gris parsemés de rose, de rouge, d'orange et de vert, les jardins à la perspective forcée, les jardins aux illusions d'optique des *jardiniers à nuque rose*.

Les oiselles semblent répondre à ce que *nous* appelons la beauté.
Mais ressentent-elles cette beauté ?
Ressentent-elles ce que Darwin appelait des *émotions esthétiques* ?
Sont-elles émues par ce qui les séduit ? Et par celui qui les séduit ?

Cela peut sembler une question étrange.
Mais c'est une question à laquelle *Darwin* attachait une extrême importance. Et il a développé sa réponse dans deux de ses grands livres, *La généalogie de l'Homme*, et *L'expression des émotions chez l'homme et les animaux*, où il décrivait toute la gamme des émotions, et du partage des émotions, chez les mammifères et les oiseaux. Recherchant, chez les mammifères et les oiseaux, les reflets, les traces, les prémisses de ce qui nous a rendus humains.

Pendant longtemps, l'approche de Darwin a été considérée comme excessivement anthropomorphique, comme naïve et sentimentale. Et parce que nous ne pouvons demander aux oiselles ce qu'elles ressentent, la question scientifique qui a été longtemps débattue, et qui fait toujours l'objet de débats, a été la suivante :

Pourrait-on, si elle existe, détecter une trace mesurable de leur *émotion esthétique* au moment où elles sont séduites ?

Et une réponse a commencé à être apportée à la fin des années 1990.

De nombreuses études avaient montré que, lorsque les chercheurs donnent à une oiselle la possibilité de choisir parmi plusieurs prétendants, dont certains nous paraissent très beaux, et qu'elle s'unit avec celui qui nous semble le plus beau, les œufs qu'elle pond sont en général plus gros, les oisillons qui naissent sont plus robustes, et leur durée de vie à l'âge adulte aura tendance à être plus longue que si l'oiselle n'a pu choisir qu'entre des prétendants peu séduisants.

La conclusion de ces études a été que ce que nous appelons *la beauté* n'est qu'un indicateur de la robustesse et de l'état de santé du séducteur. Ce qu'évaluerait et choisirait l'oiselle, ce ne serait pas véritablement la beauté, mais la robustesse et la bonne santé.

Traduit dans le langage des généticiens, cela signifiait que la robustesse de l'enfant était due au fait qu'il héritait de son père des gènes impliqués dans la vigueur et la bonne santé, et qui étaient associés à d'autres gènes impliqués dans ce que nous appelons la beauté.

La beauté ne serait qu'un indice.

Et la question scientifique posée est alors devenue la suivante : quels sont ces gènes, liés à la vigueur que possède et transmet le père, et qui font que, lorsqu'il est choisi par la mère, l'enfant sera plus vigoureux ?

Les chercheurs baguent souvent les oiseaux pour les distinguer les uns des autres, ou pour les retrouver après leurs migrations.

Durant les années 1990, des chercheurs se sont un jour, par hasard, aperçus que, lorsqu'ils mettaient une bague de couleur rouge ou de couleur verte aux pattes de messieurs pinsons, la couleur de la bague prenait le pas sur tous les autres pouvoirs naturels de séduction, les effaçait et les remplaçait.

Indépendamment de la beauté de leur chant, de leur plumage, de leur parade, les pinsonnes, quand on leur laissait la possibilité de choisir, choisissaient toujours un prétendant qui portait une bague rouge.

Aux dépens de tous ceux qui portaient une bague verte.

Soudain, pour la première fois, il devenait possible de poser une question entièrement nouvelle, qu'il avait été impossible de poser jusque-là :
indépendamment des gènes que possède le prétendant, indépendamment du fait qu'il soit naturellement très beau ou non, naturellement séduisant ou non, naturellement robuste ou non, quel pourrait être l'effet sur les oisillons qui naîtront de l'union du fait que la damoiselle ait trouvé ou non son prétendant séduisant ?

Est-ce que le simple fait que l'oiselle soit séduite, que son cœur chavire, pourrait avoir, indépendamment des caractéristiques génétiques du père, une incidence sur l'oisillon auquel elle donnera naissance ?

Ces études indiquent que, lorsqu'une oiselle choisit un oiseau pour la seule raison qu'il porte une bague rouge, les œufs qu'elle pond sont en moyenne plus gros que si elle est obligée de choisir parmi des prétendants qui, quelle que soit leur beauté naturelle, portent une bague verte.

Et ces études ont montré que l'émotion que ressent l'oiselle, au moment de son choix, et au moment de l'union avec l'élu à la bague rouge, provoque en elle une production d'hormones qui modifient les modalités de construction de l'œuf.

En d'autres termes, ce que suggèrent ces études, c'est non seulement que l'intensité de l'effet de séduction provoque des émotions, mais aussi que les émotions ressenties par la future mère exercent une influence sur certaines des caractéristiques de sa descendance, tout du moins à l'échelle d'une génération.

Les émotions sont notre boussole, dit l'éthologue et primatologue Frans de Waal.
Il n'y a pas de choix qui opère sans participation des émotions, dit Antonio Damasio.
Et ce qui semble être le cas pour *nous,* semble aussi, à un certain niveau, être le cas chez nos lointains cousins non humains – les oiseaux.

Mais, avant que nous ne commencions à baguer les oiseaux, et à parer leurs pattes de colifichets, c'est la splendeur toujours renouvelée de leurs parures naturelles, de leurs chants et de leurs parades qui, de générations en générations, durant des centaines de millions d'années, a ému et séduit leurs futures compagnes, et continue aujourd'hui encore à les séduire.

Et ces instruments naturels de séduction des damoiseaux, et ce sens de la beauté des damoiselles n'ont cessé d'évoluer. De varier. De se modifier.

Les deux moteurs essentiels de l'évolution que Darwin avait identifiés dans les espèces à reproduction sexuée, la *sélection naturelle* et la *sélection sexuelle*, pouvaient souvent exercer, disait-il, des effets contradictoires sur les variations, au long des générations, de la splendeur des instruments de séduction.

L'effet de la sélection sexuelle, c'est la pression exercée par le choix des dames. Elle favorise la probabilité que les prétendants chez lesquels apparaissent les instruments de séduction les plus éclatants auront plus de descendants. Elle favorise donc la propagation, à travers les générations, de la transmission à certains descendants mâles d'instruments de séduction de plus en plus éclatants.

En revanche, l'effet de la sélection naturelle, c'est la pression exercée par le coût, en terme de survie, pour les mâles qui en sont pourvus, des instruments de séduction les plus éclatants. Soit qu'ils causent une dépense d'énergie considérable, soit qu'ils gênent la fuite devant leurs prédateurs, soit qu'ils attirent, par leur éclat même, l'attention des prédateurs. La mort prématurée des prétendants dotés des instruments de séduction les plus extraordinaires pourrait défavoriser leur capacité à donner naissance à des descendants, et donc freiner la propagation de cet éclat à travers les générations.

Ces deux contraintes contradictoires auront pour conséquence que les mâles qui ont hérité des instruments de séduction les plus coûteux en termes de dépenses d'énergie ou de survie – et qui ont néanmoins réussi à survivre jusqu'à l'âge des premières saisons des amours – seront souvent ceux qui sont aussi les plus vigoureux et les plus robustes.

Les couleurs les plus éclatantes et les plus séduisantes des oiseaux constituent l'un des exemples de telles contraintes contradictoires : elles sont à la fois une source de séduction pour les oiselles et une source d'attraction pour les prédateurs. Mais ce que nous appelons « l'éclat des couleurs » n'est pas forcément perçu de la même manière par l'œil et l'esprit des oiselles, et par l'œil et l'esprit des prédateurs.
Et le développement, chez les oiseaux mâles de nombreuses espèces, de parures dont les splendeurs ne s'expriment qu'en couleurs ultraviolettes, invisibles à leurs prédateurs mammifères, est l'un des mécanismes qui a permis à leur pouvoir de séduction d'évoluer en échappant, pour partie, à cette contrainte exercée par les prédateurs.

Mais il n'y a pas que l'éclat des couleurs. Il y a aussi l'éclat des chants, des parades, des acrobaties. Et des jardins. Et le fait que les tonnelles et les jardins des *oiseaux jardiniers* d'Australie soient le plus souvent cachés sous des branchages des forêts ou des racines des mangroves est probablement, là encore, un compromis entre pouvoir de séduction et exposition au danger.
Et le nid que construit l'oiselle, dans lequel elle pondra ses œufs, et élèvera, seule, ses petits, est situé à distance du splendide jardin du séducteur, dans un endroit à l'abri des regards.

La capacité de perception des instruments de séduction par les prédateurs n'est pas la seule contrainte qui s'exerce sur l'évolution des instruments de séduction.

Certains de ces instruments de séduction peuvent, par eux-mêmes, devenir des handicaps encombrants pour le séducteur dans sa vie quotidienne, lorsqu'il cherche à se nourrir, ou qu'il doit fuir soudain devant un danger ou qu'il doit protéger son territoire contre des concurrents.

Chez les oiseaux de nombreuses espèces, l'un des atours qui séduit les oiselles est la longueur des plumes de la queue de leur prétendant.

C'est le cas, par exemple, des *colibris d'Anna – calypte Anna –* dont le vent fait chanter certaines de leurs plumes pendant leurs acrobaties aériennes.

Des chercheurs se sont demandé si l'un des facteurs qui limitent l'évolution de la longueur de ces plumes pourrait être la gêne qu'elles causeraient pendant le vol de ces oiseaux, ou l'augmentation des dépenses énergétiques qu'elles impliqueraient pendant leur vol. Ce vol étrange des *colibris,* vingt à soixante-dix battements d'ailes par seconde, alors qu'ils sont immobiles devant une fleur, tirant leur longue langue fine de leur long bec fin, et la plongeant au cœur de la fleur pour en tirer le nectar dont ils se nourrissent.

Les plumes de la queue des colibris d'Anna sont relativement courtes, d'une longueur moyenne de trois centimètres.

En revanche, les *colibris à tête noire – trochilus polytmus –,* des oiseaux d'un magnifique vert irisé, avec les ailes, la queue et le sommet de la tête noirs, et un long et fin bec rouge – sont, parmi les colibris, ceux qui ont les plumes de queue les plus longues, une longueur moyenne de près de vingt centimètres. Une longueur beaucoup plus importante que celle de leur corps, et plus de six fois plus longues que les plumes de queue des colibris d'Anna.

Les chercheurs ont artificiellement collé quelques longues plumes de colibris à tête noire aux plumes de la queue des colibris d'Anna.

Les colibris d'Anna pèsent en moyenne quatre grammes. Ces plumes supplémentaires pesaient vingt milligrammes, c'est-à-dire un surpoids de moins d'un demi pour cent par rapport au poids de leur corps.

Et les chercheurs ont fait voler les colibris d'Anna contre le vent dans une soufflerie. Ils ont mesuré la vitesse maximale à laquelle ils pouvaient voler contre le vent, et leur dépense énergétique pendant ce vol.

La présence de ces plumes d'une longueur gigantesque par rapport aux variations habituelles de longueur des plumes chez les colibris d'Anna a entraîné une surconsommation d'énergie à vitesse de vol maximale de onze pour cent en moyenne, et n'a réduit la vitesse maximale que d'un peu plus de trois pour cent en moyenne.

Comme les colibris d'Anna ne passent que moins de dix pour cent du temps de leur journée à voler très rapidement, de fleur en fleur, ce coût énergétique additionnel ne semble pas considérable. Surtout si l'on tient compte du fait que les chercheurs avaient affublé leur queue de plumes d'une longueur six à sept fois plus importante que la longueur moyenne de ces plumes dans leur espèce.

Ce que suggère cette étude, c'est que ce ne sont pas les composantes aérodynamiques et énergétiques, liées aux conditions de vol, qui ont exercé la contrainte majeure sur l'évolution de cet instrument de séduction des colibris d'Anna, en en limitant la longueur à trois centimètres environ.

Y aurait-il d'autres contraintes qui s'exercent sur l'évolution vers *toujours plus* d'exubérance de certains instruments de séduction, d'autres contraintes que celles qui sont imposées aux oiseaux par leur capacité de survie, au moins jusqu'à l'âge de la reproduction ?

Est-ce que davantage de ce qui est séduisant, de ce qui séduit les oiselles – est-ce que *toujours plus* de ce qui est beau, *toujours plus* de ce qui émeut – est toujours, obligatoirement, plus séduisant, plus beau, plus émouvant ?

Il y a quarante ans, en 1972, Philip Anderson, prix Nobel de physique, publiait dans la revue *Science* un article dont le titre était *More is different – Plus est différent*.

À chaque niveau de complexité, écrivait Anderson, *des propriétés entièrement nouvelles apparaissent.*
À différents niveaux de complexité, une transition a lieu – une augmentation de la quantité se traduit soudain par un changement au niveau qualitatif.
Le tout devient non seulement plus *que la somme des parties, mais aussi* très différent *de la somme de ses parties.*

La réflexion développée par Anderson était très générale. Elle concernait les lois fondamentales de la physique, et la possibilité de les appliquer aux problématiques de la biologie humaine, et à l'étude des comportements humains.

Mais cette réflexion s'applique aussi, de manière beaucoup plus modeste, à la perception sensorielle.

Il n'existe pas d'instrument de séduction en tant que tel.
Est instrument de séduction ce qui exerce une séduction sur certains êtres.
Est-ce que *toujours plus* de ce que les oiselles trouvent séduisant exerce forcément sur elles un effet toujours plus séduisant ?

Il y a des limites évidentes, qui sont dues aux contraintes imposées par le champ des perceptions sensorielles. Si une oiselle est, par exemple, sensible aux sons aigus, l'évolution du chant des séducteurs vers « *toujours plus* aigu » finira par passer dans les ultrasons et deviendra, à un moment, inaudible.

Le spectre des fréquences sonores entendues délimite le champ de la séduction.

Et il y a, avant même cette frontière, une première limite évidente : les limites de la capacité des oiseaux à arpenter cette gamme sonore, à faire varier la fréquence des ondes sonores vers l'aigu, ou vers le grave.

Ces deux contraintes, qui s'appliquent à celui qui produit le chant, et à celle qui y répond, délimitent les frontières au-delà desquelles *toujours plus* se transforme, paradoxalement, en *rien*.

Mais avant même que le *toujours plus* ne se transforme en *rien*, le *plus* aura été de moins en moins perçu.

L'une des contraintes qui pourrait freiner, pendant de longues périodes, l'évolution vers *toujours plus* de certains instruments de séduction pourrait être le fait que, au-delà d'un certain seuil, leur capacité de séduction s'appauvrit, parce que la capacité des oiselles à distinguer entre *plus* beau et *encore plus* beau s'atténue. Jusqu'à ce que l'évolution de nouvelles capacités de perception, apparues un jour par hasard, rende leurs descendantes sensibles à ces nuances.

En d'autres termes, les capacités de perception des oiselles pourraient être le moteur, mais aussi le frein qui contrôle, pour un temps, à travers les générations, l'évolution des caractéristiques qui les séduisent chez les prétendants qui leur font la cour.

Si la différence d'intensité entre deux signaux n'est pas perçue par les oiselles, leur réponse à ces deux signaux sera identique, ou se fera au hasard.

Il semble y avoir, dans le domaine de la perception sensorielle, une contrainte de nature très générale, qui a reçu le nom de *loi de Weber*.

La *loi de Weber* postule que la capacité de distinction sensorielle entre l'intensité de deux signaux dépend du *rapport* entre leurs intensités, et non pas de la *différence* entre leurs intensités.

En d'autres termes, les capacités de distinction sensorielle dépendraient d'une opération de *division*, et non d'une opération de *soustraction*.

Imaginons une oiselle qui compare deux chants, dont l'un contient un trille de plus que l'autre.

Deux trilles dans un chant, un trille dans l'autre.

Trois trilles par rapport à deux.

Six trilles par rapport à cinq.

La différence d'intensité dans ces différents couples de chants est constante, toujours la même – toujours un trille.

Mais le rapport entre le nombre de trilles dans ces différents couples de chants varie.

Deux trilles par rapport à un trille donne un rapport égal à deux $(2 \div 1 = 2)$.

Trois trilles par rapport à deux trilles donne un rapport égal à un et demi $(3 \div 2 = 1,5)$.

Six trilles par rapport à cinq, c'est-à-dire 6 divisé par 5, donne 1,2.

Et si nous continuons, vingt trilles par rapport à dix-neuf, donne 1,05.

Plus le nombre de trilles est important dans le chant auquel un concurrent n'ajoute qu'un trille, et plus le rapport entre le nombre de trilles de ces deux chanteurs tend vers 1 – c'est-à-dire que leurs deux chants, sur ce plan, tendent à devenir identiques, à être indépartageables, pour celle qui les écoute.

La *loi de Weber* postule que plus le nombre de trilles dans un chant augmente et plus il devient difficile pour une oiselle de distinguer le chant qui contient quelques trilles en plus.

Mais la loi de Weber s'applique-t-elle, d'une manière générale, chez les oiselles ?

L'un des instruments de séduction les plus spectaculaires chez les oiseaux, qui avait surpris Darwin à la fois par sa beauté, par sa nature encombrante, et par son apparente inutilité, voire son coût important en termes de capacité de survie – et qui l'avait fasciné au point de le conduire à compléter sa théorie de la *sélection naturelle* par sa théorie de la *sélection sexuelle* – n'est pas un chant, mais le splendide éventail de plumes que déploie le *paon bleu – pavo cristasus* – à la saison des amours.

Quand il fait la roue, il fait apparaître jusqu'à cent soixante-dix dessins d'*ocelle,* un cercle bleu sombre inscrit dans un cercle bleu-vert, ressemblant, chacun, à un œil aux merveilleuses couleurs irisées.

À la saison des amours, le prétendant est sur son territoire. Quand une damoiselle vient le visiter et s'approche de lui, il déploie sa roue, parade, fait cliqueter les plumes, et pousse son cri – *Léooooooooon Léooooooooon* – qui porte très loin.

Depuis près de vingt-cinq ans, des chercheurs ont commencé à évaluer, à mesurer, l'effet de certaines caractéristiques de cette magnifique parure sur le pouvoir de séduction exercé par les prétendants. Est-ce qu'un éventail plus grand, est-ce qu'un plus grand nombre d'ocelles irisées, exercent un effet toujours plus séduisant ?

Plusieurs publications ont d'abord suggéré que oui. Une autre étude, en 2008, a suggéré au contraire qu'il n'y aurait aucune relation entre le nombre d'ocelles et le pouvoir de séduction du prétendant. L'étude la plus complète à ce jour, datant de 2011, donne une réponse plus complexe.

Pour des prétendants dont la roue fait apparaître entre cent quarante et cent soixante-dix ocelles, le succès ne dépend pas du nombre d'ocelles ni de la longueur des plumes. Cette différence de trente ocelles ne joue pas de rôle.

En revanche, en dessous de ce seuil – en dessous de cent quarante ocelles – les oiselles sont moins séduites.

Et il y a, à ces résultats, au moins deux explications possibles. La première est conforme à la loi de Weber. Le rapport entre cent soixante-dix ocelles et cent quarante est égal à 1,2. L'oiselle ne commencerait à percevoir une diminution de l'intensité du signal – ou ne commencerait à répondre à cette diminution d'intensité – que lorsque le rapport augmenterait au-delà d'1,2, c'est-à-dire quand le nombre d'ocelles serait inférieur à cent quarante.

Mais l'autre possibilité, évoquée par les auteurs de l'étude, serait que les oiselles seraient sensibles à une combinaison de signaux différents, à un ensemble, à un mélange, à *un tout* dont l'intensité est différente de la somme des intensités de chacun des instruments de séduction.

Et le nombre des magnifiques ocelles – tant qu'il demeure supérieur à cent quarante – ne serait que l'un des éléments d'un mélange auquel se mêleraient les jeux de couleurs, la parade et le cri du paon.

Comme de longs échos qui de loin se confondent, dit Baudelaire,
Dans une ténébreuse et profonde unité,
Vaste comme la nuit et comme la clarté,
Les parfums, les couleurs et les sons se répondent.

Ce que le contemporain de Baudelaire, Darwin, exprimait en disant : *Il n'est pas nécessaire de supposer que la paonne admire chaque détail de la merveilleuse traîne du paon, elle est probablement seulement saisie par l'effet global de beauté. Pourtant, nous ne pouvons en être certains. Nous ne pouvons juger de la manière dont ce choix s'exerce que par analogie avec le fonctionnement de notre propre esprit.*

Mais *les capacités mentales des oiseaux*, ajoutait-il, *ne sont probablement pas fondamentalement différentes des nôtres.*

Selon les espèces d'oiseaux, et selon les perceptions sensorielles que mobilise la séduction, ce sera l'intensité du mélange des sensations qui jouera un rôle essentiel.

Ou, parfois, l'intensité d'un seul élément de séduction.

C'est en partie ce que suggèrent les études sur les amours des oiselles et des oiseaux jardiniers d'Australie.

Chez les jardiniers satinés, quand les chercheurs ont accentué de manière artificielle la couleur bleue des jardins au-delà des capacités ou des motivations des prétendants, les jeunes oiselles ont été séduites par ce *toujours plus* de bleu. *Toujours plus* de bleu était pour elles *toujours plus* séduisant.

Mais les oiselles plus âgées, attirées tout d'abord par les jardins les plus bleus, ont surimposé ou substitué à l'attrait de cette couleur, la séduction exercée par la parade du jardinier, son chant, ses sauts, ses cris.

Chez les jardiniers à nuque rose, plus parfaite est l'illusion d'optique de perspective forcée des objets du jardin construit par le prétendant, plus les oiselles seront séduites. *Toujours plus* de cette perspective forcée s'avère *toujours plus* séduisant.

Mais peut-être la perception de la beauté et de l'harmonie de l'architecture d'un jardin fait-elle appel à un traitement sensoriel plus complexe, plus artistique, qu'une perception élémentaire, comme celle de l'intensité de la couleur bleue.

Observer le comportement des oiselles, et observer, identifier et mesurer les caractéristiques qui les séduisent, ne nous dit pas ce qu'elles ressentent.

Et il nous faut – en même temps que nous nous émerveillons de ce que nous découvrons, de ce que nous tentons de comprendre – avoir l'humilité, le mouvement de retrait, qui naît de la conscience que l'essentiel, probablement, nous échappe, que nous ne pouvons l'approcher qu'en nous souvenant que nous ne pouvons l'atteindre.

Il y a un beau livre du philosophe William Marx, *Le tombeau d'Œdipe*, dont le sujet est la tragédie grecque antique. Ce qui nous demeure mystérieux dans la tragédie grecque.

Le livre débute par une métaphore – en évoquant une nouvelle de Borges.

Dans l'une de ses nouvelles les plus célèbres, écrit William Marx, *Jorge Luis Borges décrit l'impuissance du philosophe Averroès à saisir la signification des deux mots principaux de la* Poétique *d'Aristote :* comédie *et* tragédie. *Le théâtre* en effet n'existe pas dans la civilisation arabe du XIIe siècle : Averroès n'en a jamais vu, il en ignore tout.

Échec assez cruel en soi si ne s'y ajoutait une ironie particulière : dans la cour de la maison, des enfants s'amusent à imiter les adultes. Le philosophe les observe pour se distraire, sans jamais soupçonner qu'il a devant lui l'objet de sa quête : le secret de la comédie se trouve sous ses yeux, et il ne le voit pas.

Face à la tragédie grecque, nous sommes tous des Averroès – privés de la conscience de notre ignorance. Le philosophe arabe savait au moins qu'il ne savait pas. Nous, nous croyons connaître la tragédie [...].

Il faut donc se défaire des idées reçues. Se lancer dans une entreprise de défamiliarisation. Apprendre ce que la tragédie n'est pas. L'approcher par le vide.
L'expliquer – le paradoxe n'est qu'apparent – par le mystère.

Laisser à l'inexplicable sa part.

En savoir davantage sur nous par ce qui n'est pas nous.

Et ce qui vaut quand nous tentons de saisir ce que ressentaient les spectateurs des tragédies de Sophocle, d'Eschyle et d'Euripide, dont nous séparent deux mille quatre cents ans d'histoire humaine, vaut aussi quand nous tentons de saisir ce que ressentent ces lointains cousins dont nous séparent près de trois cents millions d'années de généalogie distincte.

Ces merveilleux oiseaux dont les chants, les vols, les couleurs, les dialogues, les amours, et la tendresse nous éblouissent et nous émeuvent.

Et peut-être qu'en essayant d'en apprendre plus sur eux, nous en apprenons davantage sur nous que sur eux.

APPRENDRE

> « Y a-t-il de la culture dans la nature ? »
> et « Y a-t-il de la nature dans la culture ? »
> C'est une question à laquelle nous ne pouvons
> pas répondre sans réfléchir à notre propre place
> dans la nature – une place qui est définie par
> notre culture.
>
> Frans de Waal.

Apprendre et apprendre des autres est une deuxième nature chez les êtres humains, et nous le faisons plus spontanément et plus précisément qu'aucun animal, dit Frans de Waal dans son beau livre *Le singe et le maître de sushis (Quand les singes prennent le thé).*

Peut-être que les primates non humains suivent les modèles de l'apprenti du maître de sushis, comme l'a suggéré le primatologue Tetsuro Matsuzawa.

L'éducation de l'apprenti ne semble faite que d'observation passive. Le jeune homme lave la vaisselle, nettoie le sol, salue les clients, prépare les ingrédients des plats, et pendant tout ce temps, il suit, sans jamais poser une question, tout ce que les maîtres de sushis sont en train de faire. Durant trois ans, il les observe sans être autorisé à préparer le moindre sushi.

Un cas d'extrême exposition sans aucune pratique.

Il attend le jour où il sera enfin invité à préparer son premier sushi. Et il le fera alors avec une grande dextérité.

Que cette histoire concernant l'éducation des maîtres de sushis soit véridique ou non, poursuit de Waal, *Matsuzawa souligne que l'observation d'un modèle adroit et expérimenté implante dans l'esprit des séquences d'actions qui pourront être exécutées, parfois beaucoup plus tard, par l'observateur, quand il s'agira de réaliser les mêmes gestes.*

Observer les autres est l'une des activités favorites des jeunes primates.

Imaginez que le proverbe « il faut tout un village pour élever un enfant » s'applique aussi aux babouins, aux éléphants ou aux dauphins : il en découlera une vision entièrement différente de la vie sociale des animaux.

Mais il y a d'autres formes d'apprentissages, encore, qui ne nécessitent pas d'*observer les autres*.

Un comportement nouveau peut aussi être appris et transmis socialement, sans qu'il soit nécessaire d'avoir vu un autre l'accomplir – mais en déduisant ce comportement à partir de l'observation des effets, des changements qu'il a provoqués dans l'environnement. Et à partir d'une telle observation, l'élève réalisera les mêmes gestes qu'un autre a effectués, sans l'avoir vu les réaliser.

L'une des études les plus célèbres qui ait posé la question de l'existence possible de cette forme particulière d'apprentissage social dans le monde animal a été publiée il y a plus d'un demi-siècle, en 1949, par James Fisher et Robert Hinde dans la revue *British Birds*.

Fisher et Hinde s'intéressaient à un phénomène qui avait été observé à travers toute la Grande-Bretagne, un phénomène nouveau, spectaculaire, et considéré par beaucoup comme très gênant.

À partir des années 1920, le lait commence à être vendu dans des bouteilles scellées par des capsules en carton ou en métal. Et chaque matin, au lever du jour, les bouteilles de lait sont distribuées par le laitier devant la porte des maisons de tous les habitants qui se sont abonnés à ce mode d'achat du lait.

Mais de plus en plus souvent, quand les personnes se lèvent pour aller prendre leur bouteille de lait devant leur porte, elles s'aperçoivent que les capsules sont déchirées, que le lait est déjà entamé, et qu'en particulier la couche de crème à la surface a disparu, cette couche de crème utilisée par beaucoup d'entre elles pour ajouter à leur thé le très fameux *nuage de lait*.

Des voleurs furent pris sur le fait.

La première trace écrite d'une identification de ces voleurs du petit matin date de 1921, dans le village de Swaythling, dans les collines qui surplombent la mer, près du port de Southampton, au sud de l'Angleterre.

Les voleurs de lait étaient des oiseaux, des mésanges, des *mésanges charbonnières*, et des *mésanges bleues*, ces mésanges multicolores avec leur couvre-chef bleu, leur plastron de plumes jaunes, leur face blanche, et leur masque noir sur les yeux.

En une vingtaine d'années, le vol de lait au petit matin s'est propagé à travers toute l'Angleterre et dans une grande partie du Pays de Galles, de l'Écosse et de l'Irlande. Et en mars 1950, la revue *Nature* rend compte de la publication de Fisher et Hinde, et résume les différentes techniques de vol qu'ils ont décrites dans leur étude :

Les bouteilles de lait sont habituellement attaquées quelques minutes après que le laitier les a déposées sur le pas de la porte.

Mais certains rapports signalent que des groupes de mésanges suivent à distance la tournée du laitier, et que, au moment où le laitier s'en va déposer quelques bouteilles sur le perron des maisons, les mésanges se précipitent sur le chariot pour ouvrir les bouteilles qu'il contient.

Les méthodes utilisées par les mésanges pour ouvrir les bouteilles varient.

Habituellement l'oiseau fait d'abord plusieurs trous dans la capsule en la martelant de coups de bec puis retire le reste de la capsule de métal par fines lamelles. Parfois il retire toute la capsule et parfois il ne fait qu'un petit trou.

Les registres indiquent qu'un même individu peut utiliser plus d'une méthode.

Les bouteilles contenant du lait de différentes teneurs en gras sont distinguées par des capsules de couleur différentes.

Pas moins de dix-huit personnes à qui étaient livrés différents types de lait ont rapporté que les mésanges n'attaquaient que les bouteilles portant une certaine couleur de capsule.

Et des observations ultérieures confirmeront que c'est bien la crème que recherchent les mésanges – elles ont une nette prédilection pour les bouteilles dont les capsules signalent la présence de lait non écrémé.

La propagation de ce comportement des mésanges à travers tout le pays pose des problèmes intéressants, conclut le commentaire.

Dans quelle mesure les oiseaux ont-ils appris ce comportement les uns des autres ? Et dans quelle mesure l'ont-ils inventé de manière individuelle ?
Et si la plupart l'ont appris à partir des autres, de quelle manière l'ont-ils appris ?

Les mésanges sont des oiseaux qui ne migrent pas à l'automne, mais demeurent tout l'hiver sur leur territoire. Et leur rayon de déplacements n'excède pas une dizaine de kilomètres.

Pour ces raisons, Fisher et Hinde ont proposé que la progression et l'étendue de ce phénomène en Grande-Bretagne ont pu procéder en deux étapes distinctes.
D'une part, à plusieurs dizaines d'endroits différents, à différentes périodes, une découverte indépendante de cette nouvelle technique d'effraction par quelques inventeurs ou aventuriers, qui ont réalisé que déchirer la capsule avec leur bec leur donnait accès à un trésor caché.
Et d'autre part, une transmission sociale rapide, de proche en proche, de ce comportement à travers les populations locales de mésanges, sur chacun de leurs territoires, puis, plus lentement, d'un territoire à un autre.

En 1952, trois ans après leur première publication, Fisher et Hinde publient une étude complémentaire indiquant que l'invention de ces comportements et leur transmission à travers les populations ne sont pas dues à un talent particulier des mésanges de Grande-Bretagne.
Ils révèlent en effet l'existence et la propagation du même phénomène en Suède, au Danemark et en Hollande.

Fisher et Hinde émettront l'hypothèse que la transmission sociale de ce comportement chez les mésanges résulte d'une observation et d'une imitation d'un voleur en train d'ouvrir une bouteille et de boire la crème. Mais ils n'excluront pas la possibilité que ce comportement ait pu se transmettre par la simple découverte, par des mésanges encore naïves, de bouteilles déjà ouvertes par des voleurs après que les voleurs se furent enfuis.

Découvrir la trace de l'effraction, puis découvrir que sous la capsule déchirée il y a un trésor, pourrait suffire à apprendre qu'il suffit de déchirer la capsule pour découvrir soi-même, dans chaque bouteille de lait fermée, le même trésor.

Ce mode de transmission d'un comportement, fondé sur une forme de déduction, a beaucoup plus de probabilité de se répandre rapidement qu'une transmission fondée sur l'observation et l'imitation. En effet, les bouteilles déjà ouvertes par un voleur sont relativement nombreuses, et donc la probabilité est grande, pour une mésange, d'en découvrir au petit matin.

En revanche, la probabilité de voir le voleur au moment même où il accomplit son forfait est beaucoup plus faible.

Mais les mésanges sont-elles ou non capables d'apprendre à ouvrir les bouteilles de lait par simple déduction, en découvrant des bouteilles déjà ouvertes par d'autres mésanges ?

L'étude de Fisher et Hinde ne permettait pas de répondre, et les deux chercheurs concluront en disant que la réponse à cette question ne pourrait être obtenue que *par la réalisation d'expériences minutieusement contrôlées.*

Trente-cinq ans s'écouleront.

Et en 1984, la réponse apparaît, dans une étude publiée par deux chercheurs canadiens, David Sherry et Bennett Galef.

Le titre de l'article est *Un exemple de transmission culturelle en l'absence d'imitation : l'ouverture des bouteilles de lait par des oiseaux.*

Sherry et Galef ont soigneusement exploré le mécanisme de transmission du comportement d'ouverture des bouteilles de lait chez de petites mésanges d'Amérique du Nord qu'ils avaient capturées à l'âge adulte, des *mésanges à tête noire.*

Ils ont observé que, lorsqu'ils mettent les *mésanges à tête noire* en présence d'une bouteille de lait fermée par une capsule, un quart d'entre elles ouvrent spontanément la bouteille.

Ces oiseaux sont-ils des inventeurs, des explorateurs ?

Ou ce savoir leur aurait-il été transmis par d'autres oiseaux, avant leur capture ?

L'étude ne permet pas de le dire.

Mais les deux chercheurs continueront l'expérience avec les trois quarts des mésanges qui n'essaient pas d'ouvrir les capsules lorsqu'elles sont mises en présence de bouteilles de lait. Ils constateront que les mésanges peuvent apprendre rapidement à déchirer les capsules et à voler le lait, soit lorsqu'on leur donne la possibilité d'observer un voleur en train de voler, soit, tout simplement, lorsqu'on les met en présence d'une bouteille déjà ouverte par un voleur.

Et ces deux modalités d'apprentissage sont aussi rapides et aussi efficaces l'une que l'autre.

Ainsi, l'étude du comportement des mésanges à tête noire indique que *l'observation d'un modèle adroit et expérimenté* n'est pas le seul mode d'apprentissage social qui opère chez les oiseaux.

Ce qu'indique l'étude de Sherry et Galef, c'est la diversité et la rapidité des modes d'apprentissage et de transmission d'un comportement nouveau, une fois qu'il a été inventé par au moins un oiseau.

Étant donné la relative rareté de l'invention, un apprentissage résultant de la découverte d'une bouteille déjà ouverte par un autre et de la déduction du comportement qui a permis d'accomplir ce forfait se répandra beaucoup plus vite qu'un apprentissage uniquement fondé sur la découverte et l'observation d'un voleur en train d'ouvrir la bouteille.

Apprendre, innover, transmettre.

Répondre à la nouveauté, et la faire sienne.

Être fait, dit l'anthropologue Françoise Héritier, *des aléas et des glissements successifs de nos apprentissages.*

Et vibrer au rythme des émotions qu'impriment en nous ces expériences nouvelles.

Ces sensations qui nous sont si intimes semblent, pour partie, à des niveaux et à des degrés très divers, plonger leurs racines dans le vaste univers des êtres vivants qui nous entourent.

Et avant encore, probablement, dans le vaste univers des êtres vivants qui ont, pendant longtemps, précédé l'émergence de nos premiers ancêtres humains.

Apprendre.

S'approprier un comportement nouveau, le comportement d'un autre.

Et se souvenir de cette nouveauté.

L'inscrire et la conserver en soi. La rendre durable.

Et inventer.

Inventer ce que d'autres, peut-être, apprendront de cette nouveauté.

INVENTER

> La corneille, assoiffée, désespérait de boire,
> lorsqu'il lui vint une idée.
>
> Ésope.

Dans les contes et les fables, les légendes et les mythes, apparaissent des oiseaux qui symbolisent des capacités intellectuelles humaines.

Dans la mythologie grecque, la déesse Athéna, la déesse de l'intelligence et de la raison, portait sur son épaule une chouette qui symbolisait la sagesse.

Dans la mythologie nordique, le dieu Odin était accompagné de deux corbeaux.

Hugin, le symbole de la pensée.

Et Munni, le symbole de la mémoire.

La mémoire et la pensée, qui s'envolaient, parcouraient les terres et les mers, et revenaient de leur voyage pour permettre au dieu de connaître l'état du monde.

Il y a une fable d'Ésope, intitulée *La corneille et la cruche.*

Une corneille a soif. Elle découvre une jarre qui contient de l'eau. Mais l'eau est au fond de la jarre, et elle ne peut l'atteindre.

Voici la fable :

Un jour, une corneille assoiffée trouva pour son bonheur une cruche contenant de l'eau. Mais, hélas !... lorsqu'elle voulut boire, elle constata que le niveau de l'eau était si bas qu'elle ne pouvait l'atteindre de son bec. Elle essaya bien de renverser la cruche, mais en vain, la cruche était trop lourde.

La corneille assoiffée désespérait de boire, lorsqu'il lui vint une idée.

Elle se saisit d'un caillou et le laissa tomber dans la cruche.

Elle en mit un autre, puis un autre et un autre encore, et ainsi de suite.

Peu à peu, l'eau montait dans le récipient et bientôt notre corneille put étancher sa soif.

Morale de cette histoire : persévérance et présence d'esprit nous permettent souvent d'obtenir ce que nous désirons.

Cette fable, attribuée à Ésope, et qui daterait de deux mille cinq cents ans, est une métaphore – elle nous parle de nous, de notre présence d'esprit, et de notre persévérance.

Mais nous parle-t-elle des corneilles ?

La première étude qui montrera chez un animal un comportement qui ressemble à celui de la corneille de la fable a été publiée en 2007.

Elle ne concerne pas des oiseaux, mais des primates, des *orangs-outangs*.

De la nourriture est déposée par les chercheurs au fond d'un tube transparent, très étroit. Et l'orang-outang ne peut atteindre la nourriture en plongeant la main dans le tube.

Non loin de là, il y a une fontaine à eau.

L'orang-outang part se remplir la bouche d'eau à la fontaine, et la recrache dans le tube.

Le niveau d'eau monte et la nourriture, qui flotte à la surface de l'eau, se rapproche un peu de la surface du tube. Puis l'orang-outang repart rechercher de l'eau, et remplit progressivement le tube jusqu'à ce que la nourriture lui soit accessible.

Le titre de l'article était *Faire monter le niveau d'eau : les orangs-outangs utilisent l'eau comme outil.*

Mais qu'en est-il de la fable d'*Ésope* et des corneilles ?

Des oiseaux, des corvidés, sont-ils capables d'utiliser des pierres pour faire monter le niveau de l'eau dans un récipient ?

La réponse a été publiée en 2009.

Quatre corvidés, des *corbeaux freux,* sont chacun mis en présence d'un tube transparent de quinze centimètres de haut et de quatre centimètres de diamètre.

Au fond, il y a un peu d'eau et, à la surface de l'eau, un peu de nourriture sur un petit radeau de liège, inatteignable.

À côté du tube, les chercheurs ont placé des cailloux.

Deux des corbeaux, dès leur premier contact avec le tube, vont chercher des cailloux, un à un, et les déposent dans le tube jusqu'à ce que le niveau d'eau leur permette de se saisir de la nourriture avec leur bec. Les deux autres corbeaux ne réussiront pas la première fois, mais résoudront le problème dès la deuxième fois où ils seront mis en présence du tube et des cailloux.

Puis les chercheurs recommencent l'expérience en disposant cette fois près du tube, à un endroit, des petits cailloux, et à un autre endroit, de plus gros cailloux.

Les corbeaux vont directement utiliser les plus gros cailloux et le niveau d'eau s'élèvera plus vite.

Ainsi, les corbeaux sont capables d'utiliser les pierres comme des outils pour résoudre le problème auquel ils sont confrontés. Même quand c'est la première fois qu'ils semblent y être confrontés.

Le commentaire qui accompagnait l'article était intitulé : *La fable d'Ésope prend son envol, passant de la fiction à la réalité.*

Dans leur vie naturelle, en liberté, les corvidés utilisent aussi les pierres, mais à d'autres usages que de faire monter le niveau d'eau dans un récipient.

Ils se servent des pierres comme d'une arme de chasse ou de défense, s'envolant en emportant une pierre, puis la lâchant, pour débusquer des proies ou pour faire fuir des adversaires. Ils utilisent les pierres comme casse-noix, s'envolant en emportant la pierre, puis la lâchant, en la faisant tomber sur des noix. Ou encore, ils martèlent les noix avec des cailloux ou des coquillages qu'ils tiennent dans leur bec ou dans leurs pattes.

Au laboratoire, les corvidés font preuve d'autres activités inventives, comme utiliser du papier pour éponger des liquides, ou transporter des tasses d'eau pour humecter leur nourriture, quand elle est trop sèche.

En 1995, une étude avait révélé un autre comportement étonnant chez un corvidé.

À une branche, des chercheurs avaient attaché une longue corde qui pendait vers le sol, et, tout au bout de la corde, ils avaient accroché de la nourriture.

L'oiseau, de la branche sur laquelle il était perché, ne pouvait atteindre la nourriture au bout de la corde, elle lui était inaccessible : un grillage, sous la branche, le séparait de la nourriture.

Il se saisit de la corde avec son bec, la tire vers le haut, puis pose la patte sur la portion de la corde qu'il a fait remonter sur la branche pour la caler. Puis, la patte toujours posée sur la corde, l'oiseau se saisit avec son bec d'une nouvelle portion de la corde, la tire vers le haut et repose sa patte sur la nouvelle portion qu'il a fait remonter. Et ainsi, peu à peu, il fait remonter toute la corde, et la nourriture au bout de la corde finit par arriver à sa hauteur, sur la branche.

Douze ans plus tard, en 2007, une étude indiquait l'existence d'une étonnante capacité des *corneilles de Nouvelle-Calédonie* à utiliser des outils de manière séquentielle, étape par étape. Ces corneilles, qui vivaient en liberté, venaient d'être capturées par les chercheurs.
Les chercheurs ont placé de la nourriture au fond d'un trou horizontal étroit, d'une profondeur de quinze centimètres. Les corneilles ne peuvent l'atteindre.
À deux mètres de là, il y a un petit bâton de cinq centimètres de long, trop court pour atteindre la nourriture. Mais à côté, à l'intérieur d'une cage grillagée, à quatre centimètres du grillage, hors d'atteinte du bec ou des pattes des corneilles, il y a un bâton de dix-huit centimètres de long, assez long pour atteindre la nourriture placée au fond du trou.
Les corneilles attrapent le bâton de cinq centimètres de long et elles l'utilisent pour retirer de la cage grillagée le bâton de dix-huit centimètres de long.
Puis elles utilisent ce long bâton pour saisir la nourriture dans le trou.

Quatre des sept corneilles ont accompli avec succès cette suite d'opérations dès le premier essai. Et aucune corneille n'a tenté d'utiliser le bâton court, de cinq centimètres, pour essayer d'atteindre la nourriture enfouie au fond du trou de dix-huit centimètres de long.

Mais les corvidés ne sont pas seulement des utilisateurs d'outils. Ils sont aussi des fabricants d'outils.

Dans *La généalogie de l'Homme*, Darwin avait rapporté les premières descriptions d'utilisation d'outils par des animaux – par nos plus proches parents non humains, des chimpanzés et d'autres grands singes. Mais il faudra attendre plus d'un siècle avant que cette notion ne commence à être acceptée par la communauté scientifique.

En 1964, Jane Goodall publie un article dans lequel elle décrit la fabrication et l'utilisation d'outils par les chimpanzés dont elle observe la vie, dans leur habitat naturel, dans la région de Gombe, en Tanzanie.

Les chimpanzés utilisent des pierres comme outils pour casser des noix, soit une grosse pierre pour taper sur les noix, soit, quand les noix sont très dures, deux grosses pierres très lourdes, entre lesquelles ils placent la noix. Ils effeuillent des branches ou des tiges de plantes avant de les plonger dans des termitières, pour manger les termites qui grimpent au long de la branche. Et ils effeuillent d'autres branches, plus rigides, qu'ils utilisent comme des armes pour aller chasser de petits singes.

Il y a aussi de grandes feuilles qu'ils cueillent pour les poser par terre et s'asseoir dessus.

Ces comportements ne sont pas spontanés. Ils sont acquis par les jeunes, qui apprennent des adultes. Et l'apprentissage peut être long, comme celui qui permet de bien utiliser les grosses pierres pour casser des noix.

Et Jane Goodall découvrira que, dans différents groupes de chimpanzés, il y a des variations locales dans les modalités de fabrication et d'utilisation des outils, il y a différentes innovations qui semblent transmises de générations en générations.

Quand elle raconte pour la première fois sa découverte à son mentor, l'archéologue et paléoanthropologue Louis Leakey, il lui dit qu'il va falloir désormais redéfinir le sens du mot *outil*, ou le sens du mot *humain*, ou alors accepter l'idée que les chimpanzés sont des êtres humains...

Plus tard, il sera proposé que, lorsqu'on parle d'animaux, on remplace le mot *culture* par le mot *tradition* et le mot *langage* par le mot *communication*...

Avec toujours cette même difficulté de statuer comment pouvoir penser ensemble la ressemblance et les différences. La continuité et la discontinuité. La parenté, la généalogie commune, et la singularité.

Ces différences entre nous et nos parents non humains, dont Darwin disait, dans *La généalogie de l'homme*, qu'elles étaient *des différences de degré, et non de nature*.

En 1999, trente-cinq ans après cette (re)découverte de Goodall, une grande étude sera publiée dans la revue *Nature*, synthétisant une quantité considérable d'observations chez les chimpanzés, réalisées par plusieurs équipes de recherche sur sept sites naturels, en Afrique. L'article, dont Jane Goodall, est l'un des auteurs, décrit près de quarante modalités différentes de comportements acquis, variables selon les groupes, et apparemment transmis de générations en générations.

Il est intitulé *Des cultures chez les chimpanzés*.

« Y a-t-il de la culture dans la nature ? » et « Y a-t-il de la nature dans la culture ? » demande Frans de Waal dans *Le singe et le maître de sushis.*

C'est une question à laquelle nous ne pouvons pas répondre sans réfléchir à notre propre place dans la nature – une place qui est définie par notre culture.

[L'existence d'une] culture, poursuit de Waal, *signifie simplement que des connaissances et des habitudes sont acquises à partir d'autres [individus], ce qui explique que deux groupes appartenant à la même espèce peuvent se comporter différemment.*

En 2012, une étude confirmait la subtilité de ces variations de comportements dans trois communautés de chimpanzés vivant en liberté, proches les unes des autres, dans une forêt de Côte d'Ivoire.

Au long des saisons, les noix sont plus ou moins dures, et donc plus ou moins difficiles à casser. Les trois communautés de chimpanzés utilisent des marteaux, des *masses* en pierre ou en bois de tailles différentes, et ces outils, et leurs modalités d'utilisation au cours des saisons, varient d'une communauté à l'autre.

Le titre de la publication était : *Des preuves de différences culturelles entre des communautés voisines de chimpanzés.*

Et l'étude apportait des données nouvelles sur la manière dont ces traditions sont propagées à l'intérieur de chaque groupe.

Les chimpanzés pratiquent l'exogamie.

Les dames chimpanzés ne s'unissent pas avec des messieurs du groupe dans lequel elles sont nées. À l'adolescence, elles quittent leur groupe et vont rejoindre un groupe proche, dans lequel elles demeureront toute leur vie et élèveront leurs enfants. Mais les traditions, les modalités d'utilisation des outils qu'elles transmettent à leurs enfants seront celles qu'elles ont apprises du groupe qu'elles ont rejoint, et non pas celles qu'elles avaient initialement apprises dans leur groupe d'origine.

Mais revenons aux oiseaux, aux corvidés.

Les plus ingénieux fabricants d'outils, parmi les corvidés, sont les corneilles de Nouvelle-Calédonie.

Parmi les outils que fabriquent les corneilles de Nouvelle-Calédonie, il y a, comme chez les chimpanzés, des branches et des tiges qu'elles effeuillent.

Elles façonnent ensuite ces tiges effeuillées en en courbant le bout jusqu'à ce qu'elles prennent la forme d'un crochet, et elles utilisent ces crochets pour aller chercher des larves d'insectes dans les trous des troncs des arbres. Elles façonnent aussi de grandes feuilles, dont elles taillent les extrémités en pointe, et les utilisent pour embrocher leurs proies cachées sous des tas de feuilles ou dans des trous. Elles veillent, en posant une patte dessus, à ce que leur arme ne tombe pas de la branche où elles l'ont posée pendant qu'elles se nourrissent du fruit de leur chasse.

Et elles emportent ces outils dans leurs expéditions.

Les différentes modalités de fabrication et d'utilisation de ces outils varient dans les différentes populations de corneilles, comme elles varient dans différents groupes de chimpanzés.

Il y a dix ans, une étude décrivait les exploits d'une corneille que les chercheurs avaient nommée Betty.

Elle avait adapté son expérience dans la nature de fabrication de crochets à partir de tiges et de branches effeuillées, à la fabrication, au laboratoire, de crochets métalliques. Pour atteindre une nourriture inaccessible, placée dans un tube transparent étroit, elle tordait des fils de fer en forme de crochets. Et, parmi les fils de fer de différentes longueurs et de différents diamètres que les chercheurs avaient placés dans une boîte à outils, elle choisissait les fils de fer de la bonne longueur et du bon diamètre.

Raisonnement causal, imagination, flexibilité mentale et capacité d'exploration des possibles.

Ce sont les termes utilisés par Nicola Clayton et son mari, le primatologue Nathan Emery, pour caractériser ces étonnantes capacités des corvidés, dans un article publié il y a huit ans dans *Science*, où ils comparaient les capacités de ces oiseaux à celles de nos plus proches parents, les primates non humains.

L'article était intitulé *Les capacités mentales des corbeaux. Une évolution convergente de l'intelligence chez les corvidés et les singes.*

Certains chercheurs ont appelé les corvidés *des primates à plumes.*

D'autres chercheurs ont proposé que ce soient plutôt les primates qui soient appelés *corvidés sans plumes.*

Partager les émotions
et les intentions de l'autre

> À quel point est profondément ancré en nous le lien qui
> nous rattache aux autres, et à quel point serait étrange
> l'idée d'un Je qui existerait en l'absence d'un Nous.
>
> Giacomo Rizzolatti, Corrado Sinigaglia.

Imaginer. Inventer. Apprendre.
Et se souvenir.
Se souvenir de ses expériences passées.
Et se souvenir des autres.
La mémoire des animaux.

*Un joli bois de pins tout étincelant de lumière dégringole
devant moi jusqu'au bas de la côte. À l'horizon, les Alpilles
découpent leurs crêtes fines.*
*Pas de bruit. À peine, de loin en loin, un son de fifre, un
courlis dans les lavandes, un grelot de mules sur la route.*
C'est le début des *Lettres de mon moulin*, d'Alphonse
Daudet.

Tiens! attrape, bandit! Voilà sept ans que je te le garde!
*Et elle vous lui détacha un coup de sabot si terrible, si ter-
rible, que de Pampérigouste même on en vit la fumée, un
tourbillon de fumée blonde où voltigeait une plume d'ibis;
tout ce qui restait de l'infortuné Tistet Védène!...*

C'est la septième des *Lettres de mon moulin*.

Elle commence ainsi :

De tous les jolis dictons, proverbes ou adages, dont nos paysans de Provence passementent leurs discours, je n'en sais pas un plus pittoresque ni plus singulier que celui-ci. À quinze lieues autour de mon moulin, quand on parle d'un homme rancunier, vindicatif, on dit : « Cet homme-là ! méfiez-vous !... il est comme la mule du Pape, qui garde sept ans son coup de pied. »

La bonne mule du bon pape Boniface, à Avignon, conservera pendant sept ans le souvenir des affronts que lui a fait subir ce garnement sournois, Tistet Védène.

Et de cette terreur qu'elle a ressentie lorsqu'il l'a fait monter au long d'un interminable escalier en colimaçon, puis l'a abandonnée, sur une plate-forme éblouissante de lumière, au sommet du palais des Papes, à mille pieds au-dessus de la ville d'Avignon.

Ah ! Pauvre bête ! écrit Daudet, *quelle panique !*

Du cri qu'elle en poussa, toutes les vitres du palais tremblèrent.

Des études indiquent que les corbeaux, comme la mule du pape du conte provençal, conservent longtemps le souvenir des traumatismes et des agressions que des êtres humains leur ont fait subir.

Ils les reconnaissent et s'enfuient à leur vue.

Ou parfois, les attaquent.

Mais les animaux ne conservent pas uniquement le souvenir de leurs ennemis.

Ils conservent aussi le souvenir des membres de leur famille, de leurs proches, et de leurs voisins.

Des études indiquent que des passereaux se souviennent de leurs voisins et du lieu où ils ont construit leur nid pendant une période d'environ neuf mois. D'autres études, qui concernent des mammifères, indiquent que les moutons sont capables de se souvenir des visages de cinquante moutons différents pendant deux ans. Et des phoques peuvent conserver pendant quatre ans, après leur petite enfance, le souvenir précis du cri d'appel de leur mère, et le distinguer des cris d'appel d'autres mères.

Au printemps 2012, une étude révélait que les corbeaux conservent, pendant au moins trois ans, un souvenir très précis non seulement des nombreux membres de leur famille et de nombreux compagnons qu'ils n'ont pas revus depuis trois ans, mais aussi un souvenir de la nature particulière des relations qu'ils entretenaient avec ces différents oiseaux.

Les jeunes corbeaux, une fois qu'ils ont quitté le nid et leurs parents, vivent tout d'abord en groupe, pendant au moins trois ans, et parfois jusqu'à dix ans, sans former de couple et sans se reproduire.

Ces groupes de jeunes corbeaux sont composés à la fois de membres de la même famille, et d'autres corbeaux qui n'appartiennent pas à la même famille.

Les membres du groupe parcourent de vastes territoires, s'entraident pour trouver leur nourriture ensemble, et ont des interactions sociales complexes. Ils ont des lieux de réunion où ils se rassemblent. En hiver, quand la nourriture est rare, ces lieux de réunion deviennent mobiles. Chaque corbeau explore seul les environs à la recherche de nourriture, puis quand il en a trouvé, si la source est abondante, il revient au lieu de réunion pour informer les autres. Un peu comme font les éclaireuses dans les colonies d'abeilles à miel.

Ces groupes de jeunes corbeaux sont ouverts et changeants : des nouveaux venus se joignent au groupe, des membres anciens quittent le groupe pour en rejoindre un autre.

Et les relations que chaque corbeau entretient avec les différents membres de son groupe ne sont pas identiques. Certains, qu'ils appartiennent à sa famille ou non, sont des compagnons fidèles – ils recherchent ensemble et partagent la nourriture de manière privilégiée, et ils s'entraident lors des combats ou des conflits.

Puis, chaque corbeau va abandonner cette vie nomade en groupe et s'installer sur un territoire qu'il protégera et dans lequel il séduira une compagne, formera un couple, et donnera naissance à des descendants qu'ils élèveront ensemble.

Les chercheurs ont exploré la capacité de corbeaux qui ont, depuis trois ans déjà, quitté leur groupe, à se souvenir de leurs compagnons de l'époque.

Les chercheurs leur ont fait écouter des chants, des croassements, des membres de leur ancien groupe.

Et les corbeaux se souviennent des chants de leurs compagnons qu'ils n'ont plus revus depuis trois ans, et les distinguent de ceux d'autres corbeaux qu'ils n'ont jamais rencontrés.

Ils ne répondent pas à ces chants de la même façon.

Lorsqu'il s'agit du chant d'un corbeau qu'ils n'ont jamais rencontré, ils répondent d'une voix plus grave, et espacent les sons, ce qui donne l'impression qu'ils sont plus gros qu'ils ne sont réellement. Ils répondent au chant d'un corbeau inconnu en donnant l'illusion qu'ils sont eux-mêmes plus menaçants qu'ils ne le sont. Ils répondent en protégeant leur territoire.

D'autres nuances de leur chant indiquent qu'ils ne répondent pas de la même façon, et donc qu'ils distinguent, parmi les membres de leur ancien groupe, les chants des corbeaux qui sont des membres de leur famille, et le chant des corbeaux qui ne le sont pas.

Et ils distinguent, en écoutant les chants des membres de leur ancien groupe, ceux qui étaient leurs fidèles compagnons, qu'ils soient de leur famille ou non, et ceux qui n'étaient pas leurs alliés.

Les corbeaux conservent-ils un souvenir précis individuel de chacun de leurs compagnons ? Ou ne se souviennent-ils que de la nature des relations particulières qu'ils entretenaient avec eux – du sous-groupe dont faisait partie le corbeau – « il faisait partie de ma famille », ou « il faisait partie de mes alliés fidèles », ou « ce n'était pas un de mes alliés » ?

L'étude ne permet pas de répondre.

Mais qu'il s'agisse d'une inscription, dans leur mémoire, de l'identité précise de leurs anciens compagnons ou d'une inscription de nature plus abstraite de la catégorie générale dans laquelle ils ont rangé leurs anciens compagnons en fonction des liens qui les unissaient à eux, leurs souvenirs sont extrêmement précis et durables.

Ce qui suggère l'importance qu'avait pour les corbeaux l'apprentissage des relations sociales qu'ils ont entretenues avec leurs compagnons d'alors. Avec ces compagnons de jeunesse qui les ont aidés à trouver leur nourriture, qui les ont aidés dans leurs combats. Et, parmi ces compagnons de jeunesse, ceux dont ils étaient déjà proches depuis leur toute petite enfance, dans le même nid familial, et ceux avec qui ils n'ont pas partagé leur petite enfance, mais qu'ils ont rencontrés plus tard dans le groupe.

Plusieurs strates de liens différents, caractérisés d'une part, par leur ancienneté, et d'autre part, par leur degré d'intimité.

L'étude s'est limitée à explorer des souvenirs datant d'au plus trois ans. Mais étant donné la longue durée de vie des corbeaux, une durée d'existence maximale de vingt-cinq à trente ans lorsqu'ils vivent en liberté, il est probable que leurs souvenirs persistent beaucoup plus longtemps que trois ans.

Les relations sociales entre les corvidés sont complexes.

Et ils semblent avoir la capacité de se mettre à la place des autres, d'adopter leur point de vue, de deviner leur état d'esprit.

Soit pour les aider.

Soit au contraire pour s'en protéger.

C'est le cas des geais.

Les geais, qui déposent leurs réserves de nourriture dans plusieurs caches, ont l'habitude, lorsqu'ils voient un autre geai en train de les observer, de vider la cache et de recacher la nourriture ailleurs, dès que l'observateur sera parti.

Ou, parfois, pendant qu'ils sont observés, de mettre un caillou dans leur cache, à la place de nourriture.

Et les geais passent ainsi une partie de leur temps à se méfier des voleurs, lorsqu'ils constituent leurs réserves, et à voler ceux qu'ils ont vus cacher leurs réserves.

Est-ce que ce comportement de méfiance vis-à-vis de ceux qui les observent est inné ou acquis? Résulte-t-il d'un apprentissage ? Et si oui, quelle pourrait être la nature de cet apprentissage ?

En 2001, Nicola Clayton et Nathan Emery apportaient une réponse surprenante. Leur étude indiquait que ce comportement est acquis. Et révélait comment il s'acquiert.

Avoir l'occasion d'observer un geai qui vole la nourriture dans la cache d'un voisin ne déclenche pas, chez un jeune geai, un comportement soupçonneux. S'être fait voler ses réserves ne déclenche pas non plus un comportement soupçonneux. Dans ces deux cas, le jeune geai continuera à cacher sa nourriture avec confiance quand un voisin l'observe.

En revanche, dès que les chercheurs permettent à un jeune geai de découvrir par hasard une cache de nourriture qu'il ne connaissait pas, le simple fait de voler la réserve d'un autre geai le rend soudain soupçonneux.

Et à partir de ce moment-là, à partir du moment où il est devenu lui-même un voleur, si jamais il est observé par un autre geai au moment où il cache sa nourriture, il ira la recacher ailleurs dès que l'observateur sera parti.

Ce n'est pas en observant un vol de nourriture qu'un jeune geai commence à se méfier des autres. Ni en étant lui-même volé.

C'est à partir du moment où il a lui-même, par hasard, adopté un comportement de voleur – à partir du moment où il est devenu un voleur – qu'il commence à se comporter comme s'il prêtait à tous ses voisins des intentions de voleur.

Projeter sa propre expérience sur les autres, leur prêter les mêmes intentions que les siennes, non pas seulement à partir de l'observation de leur comportement, mais à partir d'une projection sur eux de ses propres intentions. se mettre à leur place – cette capacité que des philosophes ont appelée *théorie de l'esprit*, et à laquelle on donne plus souvent le nom d'empathie – a longtemps été considérée comme un *propre de l'homme*, comme une capacité que ne partageait avec nous aucun de nos parents non humains.

Se mettre à la place d'un autre. Et être capable de distinguer entre soi et les autres.

Les corvidés sont-ils aussi capables de se reconnaître, d'avoir une conscience d'eux-mêmes ?

La capacité de se reconnaître dans un miroir a d'abord été découverte chez nos plus proches parents non humains, les chimpanzés, les bonobos, et les orangs-outangs. Puis, à partir du début des années 2000, elle a aussi été décrite chez d'autres grands mammifères dont nous sommes plus éloignés, les dauphins, et les éléphants d'Asie.

Cette capacité est explorée à l'aide d'un test dit *test du miroir*, qui consiste à placer sur une partie de son corps, que l'animal ne peut voir de lui-même, une marque de couleur, et à observer si, quand il voit son reflet dans un miroir, l'animal se comporte d'une manière qui suggère qu'il réalise que la marque est présente sur lui – si l'animal essaie de la toucher, de la frotter, de l'effacer, de la détacher...

Des marques qui sont invisibles dans le miroir, parce que leurs couleurs sont les mêmes que celles de l'endroit du corps où elles sont placées, permettent de vérifier que l'animal n'a pas pu détecter la présence des marques qu'il va tenter d'effacer par d'autres moyens que leur vue dans son reflet.

En 2008, une équipe de chercheurs publiait des résultats indiquant qu'un corvidé – la pie voleuse – venait de passer avec succès le *test du miroir*.

L'article était intitulé *Comportement induit par le miroir chez la pie voleuse : une preuve de reconnaissance de soi*.

La pie voleuse, quand elle distingue une tache de couleur dans le reflet de son corps dans le miroir, se secoue et se gratte à l'endroit où est la tache jusqu'à la faire disparaître.

Théorie de l'esprit, reconnaissance de soi, conscience de soi... la nature de la vie mentale des oiseaux, avec qui nous ne partageons pas un langage commun, nous demeure étrangère. Nous ne pouvons savoir ce qui se passe dans l'esprit de ces oiseaux. Mais nous pouvons inférer, indirectement, leurs états mentaux à partir de leurs comportements.

Être capable de se reconnaître. De distinguer entre soi et l'autre. Se mettre à la place d'un autre.

Pour s'en méfier.

Ou, au contraire, pour l'aider.

Il y a plus de trente ans, en 1979, Frans de Waal publiait avec Angeline van Roosmalen une étude qui allait provoquer une grande surprise.

L'étude décrivait l'existence, chez des chimpanzés, de deux comportements qui étaient jusque-là considérés comme spécifiques aux êtres humains.

Des comportements de réconciliation entre des adversaires, après un conflit. Et des comportements de consolation – un membre du groupe venant consoler celui qui a eu le dessous dans un conflit violent.

Depuis, des comportements de réconciliation ont été décrits chez d'autres primates, et, durant les cinq dernières années, chez des chiens, des loups et des chevaux.

Mais ce n'est qu'à partir de 2010 que des comportements de consolation, puis de réconciliation, ont été découverts chez des oiseaux. Chez de jeunes corbeaux qui vivent en groupe.

Les fidèles compagnons, qu'ils appartiennent ou non à la même famille, se réconcilient souvent après un conflit, et ces réconciliations diminuent la probabilité de survenue de nouveaux conflits.

Et après un conflit violent entre deux adversaires, le vaincu sera consolé par son fidèle compagnon, qui viendra se placer à côté de lui, et posera son bec sur le bec ou le corps du perdant.

Ce que nous appelons les capacités intellectuelles, les capacités d'apprentissage, les capacités à résoudre des problèmes, et à utiliser et à fabriquer des outils, semblent aller de pair, et avoir évolué de manière conjointe – chez les corvidés, comme chez les primates, et comme chez nous – avec une capacité à se mettre à la place des autres, à deviner leurs états d'esprit, et à leur attacher de l'importance.

Soit pour s'en méfier.

Soit pour reconnaître leur détresse, et venir les consoler, les réconforter.

Pour Darwin, la « nouveauté » essentielle dont l'émergence, il y a longtemps, dans le monde non humain, a permis l'évolution très progressive de nos ancêtres vers ce que nous appelons l'humanité, n'est pas l'intelligence abstraite, dont nous sommes habituellement si fiers, mais l'existence d'une forme d'intelligence émotionnelle, sociale – la capacité d'attention à l'autre, de se mettre à la place de l'autre, de ressentir les intentions et les émotions de l'autre.

C'est l'émergence et l'évolution de cette forme d'intelligence émotionnelle et sociale, dit-il, qui a produit chez nous ce qu'il appelle *la part la plus noble de notre nature – la règle d'or, « ce que tu voudrais que les hommes fassent pour toi, fais-le pour eux » – l'aide que nous nous sentons obligés d'apporter aux [personnes les] plus faibles*, et qui est *essentiellement une conséquence indirecte de l'instinct de sympathie.*

L'instinct de sympathie...

Darwin faisait référence à un livre d'Adam Smith, *Théorie des sentiments moraux*, publié un siècle plus tôt.

Aussi égoïste que l'on considère l'homme, avait écrit Adam Smith, *il y a à l'évidence des principes dans sa nature qui le conduisent à s'intéresser au devenir des autres, et qui lui rendent leur bonheur nécessaire, bien qu'il n'en dérive rien, excepté le plaisir de voir [le bonheur des autres].*

La sympathie.

Et l'empathie, cette capacité ancestrale de partager, de vivre en soi, les émotions, les intentions, les états mentaux exprimés par les autres.

Frans de Waal reprendra et développera cette idée de Darwin dans un livre de dialogue avec des philosophes, *Primates et philosophes. Comment la moralité a évolué.*

Au lieu que l'empathie soit un point d'arrivée [au cours de l'évolution], écrit-il, *elle a probablement été le point de départ de l'émergence du langage et de la culture dans notre espèce.*

L'empathie est la forme originelle, pré-linguistique, du lien interindividuel, qui n'est entré que secondairement sous l'influence du langage et de la culture.

Puis en 2011, il publiera un beau livre, entièrement consacré à cette idée, *L'âge de l'empathie. Leçons de la nature pour une société solidaire.*

Et pourtant

Et pourtant, *C'est étrange*, disait, vingt ans plus tôt, l'écrivain Ben Okri, dans *A way of being free – Une manière d'être libre*,

C'est étrange, parce qu'il semble que sous la surface des combats de notre époque, des guerres fratricides, des antagonismes tribaux, de l'intolérance religieuse, de la violence raciale, de la dysharmonie entre les sexes, nous attend toujours la découverte la plus banale qui soit – que nous sommes humains et que la vie est sacrée.

Nous n'avons toujours pas découvert ce que signifie être humain.

Et il semble que cette découverte banale soit la plus extraordinaire qui puisse être faite, car, lorsque nous aurons appris ce que c'est qu'être humain, nous saurons ce que signifie être libre, et nous saurons que la liberté est réellement le commencement de notre avenir commun.

Bibliographie
et source des citations

Les passages, cités dans ce livre, des ouvrages dont le titre est indiqué en anglais ou en allemand (ou noté Édition bilingue), ont été traduits par Jean Claude Ameisen, les textes chinois ont été traduits par Fabienne Ameisen.

I. Entre hier et demain ton cœur oscille...

Articles dans des revues scientifiques

Zaki J, Ochsner K. The neuroscience of empathy: progress, pitfalls, and promise. *Nature Neuroscience* 2012, 15:675-80.

Salimpoor VN, Benovoy M, Larcher K, *et coll.* Anatomically distinct dopamine release during anticipation and experience of peak emotion to music. *Nature Neuroscience* 2011, 14:257-62.

Dastjerdi M, Foster BL, Nasrullah S, *et coll.* Differential electrophysiological response during rest, self-referential, and non-self-referential tasks in human posteromedial cortex. *Proceedings of the National Academy of Sciences USA* 2011, 108: 3023-8.

Ossandón T, Jerbi K, Vidal JR, *et coll.* Transient suppression of broadband gamma power in the default-mode network is correlated with task complexity and subject performance. *Journal of Neuroscience* 2011, 31:14521-30.

Sadeghi NG, Pariyadath V, Apte S, *et coll.* Neural correlates of subsecond time distortion in the middle temporal area of visual cortex. *Journal of Cognitive Neuroscience* 2011, 23:3829-40.

Biswal BB, Mennes M, Zuo XN, *et coll.* Toward discovery science of human brain function. *Proceedings of the National Academy of Sciences USA* 2010, 107:4734-9.

Tavassoli A, Ringach DL. When your eyes see more than you do. *Current Biology* 2010, 20:R93-4.

Raichle ME. A paradigm shift in functional brain imaging. *Journal of Neuroscience* 2009, 29:12729-34.

Walsh V. Visual perception: an orderly cue for consciousness. *Current Biology* 2009, 19:R1073-4.

Wu CT, Busch NA, Fabre-Thorpe M, *et coll.* The temporal interplay between conscious and unconscious perceptual streams. *Current Biology* 2009, 19:2003-7.

Lakatos P, Karmos G, Mehta AD, *et coll.* Entrainment of neuronal oscillations as a mechanism of attentional selection. *Science* 2008, 320:110-3.

Eagleman DM. Human time perception and its illusions. *Current Opinion in Neurobiology* 2008, 18:131-6.

Mason MF, Norton MI, Van Horn JD, *et coll.* Wandering minds: the default network and stimulus-independent thought. *Science* 2007, 315:393-5.

Pariyadath V, Eagleman D. The effect of predictability on subjective duration. *PLoS One* 2007, 2:e1264.

Schwartz O, Hsu A, Dayan P. Space and time in visual context. *Nature Reviews Neuroscience* 2007, 8:522-35.

Stetson C, Cui X, Montague PR, *et coll.* Motor-sensory recalibration leads to an illusory reversal of action and sensation. *Neuron* 2006, 51:651-9.

Kraemer DJ, Macrae CN, Green AE, *et coll.* Musical imagery: sound of silence activates auditory cortex. *Nature* 2005, 434:158.

Dehaene S, Naccache L, Le Clec'H G, *et coll.* Imaging unconscious semantic priming. *Nature* 1998, 395:597-600.

Autres articles

Raichle M. Un cerveau jamais au repos. *Pour la Science* 2010 #393, pp. 42-7.

Avis N°116 du Comité Consultatif National d'Éthique: Enjeux éthiques de la neuroimagerie fonctionnelle, 2012.

Livres

Ingeborg Bachmann & Paul Celan. *Le temps du Cœur. Correspondance.* Seuil, 2011.

TS Eliot. *Four Quartets.* Houghton Mifflin Harcourt, 1968.

Charles Baudelaire. *Les fleurs du mal.* Librio, 2004.

Siri Hustvedt. *La femme qui tremble : Une histoire de mes nerfs.* Actes Sud, 2011. [*The shaking woman or a history of my nerves.* Picador, 2010.]

Lucrèce. *De la Nature. De Rerum Natura* [Édition bilingue]. GF Flammarion, 1998.

Leonard B Mayer. *Émotion et signification en musique.* Actes Sud, 2011.

Georges Perec. *Je me souviens.* Fayard, 2011.

Pascal Quignard. *Les ombres errantes.* Folio, Gallimard, 2004.

Pierre Reverdy. *Œuvres complètes.* Flammarion, Mille & Une Pages, 2010.

Lawrence D. Rosenblum. *See what I'm saying. The extraordinary powers of our five senses.* WW Norton and Company, 2010.

Oliver Sacks. *Musicophilia. La musique, le cerveau et nous.* Points Seuil, 2012 [*Musicophilia.* Alfred A Knopf, 2007.]

Oliver Sacks. *Des yeux pour entendre.* Points Seuil, 1996. [*Seeing voices.* Picador, 1990.]

Saint Augustin. *Confessions.* Points Seuil, 2004.

Derek Walcott. *Collected Poems 1948-1984.* Faber & Faber, 1992.

Film

Patricio Guzman. *Nostalgie de la lumière,* 2010. Prix du meilleur documentaire européen 2011, European Film Academy. DVD Pyramide Vidéo, 2011.

II. ÉCLATS DE MONDES DISPARUS

Articles scientifiques

Lowe J, Barton N, Blockley S, *et coll.* Volcanic ash layers illuminate the resilience of Neanderthals and early modern humans to natural hazards. *Proc Natl Acad Sci U S A* 2012, Jul 23. [Epub ahead of print]

Costa A, Folch A, Macedonio G, *et coll.* Quantifying volcanic ash dispersal and impact of the Campanian Ignimbrite super-eruption. *Geophysical Research Letters* 2012, 39:L10310, 5 pp.

Secord R, Bloch JI, Chester SG, *et coll.* Evolution of the earliest horses driven by climate change in the Paleocene-Eocene Thermal Maximum. *Science* 2012, 335:959-62.

Smith FA. Evolution. Some like it hot. *Science* 2012, 335:924-5.

Pross J, Contreras L, Bijl P, *et coll.* Persistent near-tropical warmth on the Antarctic continent during the early Eocene epoch. *Nature* 2012, 488:73-7.

Bibi F, Kraatz B, Craig N, *et coll.* Early evidence for complex social structure in Proboscidea from a late Miocene trackway site in the United Arab Emirates. *Biology Letters* 2012, 8:670-3.

Wang J, Pfefferkorn HW, Zhang Y, *et coll.* Permian vegetational Pompeii from Inner Mongolia and its implications for landscape paleoecology and paleobiogeography of Cathaysia. *Proceedings of the National Academy of Sciences USA* 2012, 109:4927-32.

Stein WE, Berry CM, Hernick LV, *et coll.* Surprisingly complex community discovered in the mid-Devonian fossil forest at Gilboa. *Nature* 2012, 483:78-81.

Meyer-Berthaud B, Decombeix AL. Palaeobotany: In the shade of the oldest forest. *Nature* 2012, 483:41-2.

Parducci L, Jørgensen T, Tollefsrud MM, *et coll.* Glacial survival of boreal trees in northern Scandinavia. *Science* 2012, 335:1083-6.

Yashina S, Gubin S, Maksimovich S, *et coll.* Regeneration of whole fertile plants from 30,000-y-old fruit tissue buried in Siberian permafrost. *Proceedings of the National Academy of Sciences USA* 2012, 109:4008-13.

Gerrienne P, Gensel PG, Strullu-Derrien C, *et coll.* A simple type of wood in two Early Devonian plants. *Science* 2011, 333:837.

Lorenzen ED, Noguès-Bravo D, Orlando L, *et coll.* Species-specific responses of Late Quaternary megafauna to climate and humans. *Nature* 2011, 479:359-64.

McComb K, Shannon G, Durant SM, *et coll*. Leadership in elephants: the adaptive value of age. *Proceedings of the Royal Society. Biological sciences* 2011, 278:3270-6.

Waters MR, Stafford TW Jr, McDonald HG, *et coll*. Pre-Clovis mastodon hunting 13,800 years ago at the Manis site, Washington. *Science* 2011, 334:351-3.

Green RE, Krause J, Briggs AW, *et coll*. A draft sequence of the Neanderthal genome. *Science* 2010, 328:710-22.

Smith FA, Boyer A, Brown J, *et coll*. The evolution of maximum body size of terrestrial mammals. *Science* 2010, 330:1216-9.

Sallon S, Solowey E, Cohen Y, *et coll*. Germination, genetics, and growth of an ancient date seed. *Science* 2008, 320:1464.

Willerslev E, Cappellini E, Boomsma W, *et coll*. Ancient biomolecules from deep ice cores reveal a forested southern Greenland. *Science* 2007, 317:111-4.

Bradshaw GA, Schore AN, Brown JL, *et coll*. Elephant breakdown. *Nature* 2005, 433:807.

Willerslev E, Hansen AJ, Binladen J, *et coll*. Diverse plant and animal genetic records from Holocene and Pleistocene sediments. *Science* 2003, 300:791-5.

McComb K, Moss C, Durant SM, *et coll*. Matriarchs as repositories of social knowledge in African elephants. *Science* 2001, 292:491-4.

Livres

Jean Claude Ameisen. *Dans la lumière et les ombres. Darwin et le bouleversement du monde*. Points Seuil, 2011.

Paul Celan. *Poèmes*. [Édition bilingue] José Corti, 2004.

Varlam Chalamov. *Récits de la Kolyma*. Verdier, 2003.

Camille Flammarion. *Clairs de lune et autres textes*. Éditions des Grands Champs, 2012.

Stephen Greenblatt. *The swerve. How the world became modern*. WW Norton & C°, 2011.

Flavius Josèphe. *La guerre des Juifs*. Les Éditions de Minuit. 1977.

Lucrèce, *op. cit.*

Ann Michaels. *The winter vault*. Bloomsbury Publishing PLC. 2010.

Ossip Mandelstam. *Tristia et autres poèmes*. nrf Poésie, 2010.

Pline l'Ancien. *Histoire Naturelle*. Folio, Gallimard, 1999.

Pascal Quignard. *Les ombres errantes*. Folio, Gallimard, 2002.

Pascal Quignard. *Rhétorique spéculative*. Folio, Gallimard, 1995.

Pascal Quignard. *Le sexe et l'effroi*. Folio, Gallimard, 1994.

Pascal Quignard. *Sur le jadis*. Grasset, 2002.

William Shakespeare. *Henry V*. Dover Publications, 2004.

III. Nostalgie de la lumière

Film

Patricio Guzman. *Nostalgie de la lumière, op. cit.*

Articles dans des revues scientifiques

Marquet P, Santoro C, Latorre C, *et coll*. Emergence of social complexity among coastal hunter-gatherers in the Atacama Desert of northern Chile. *Proceedings of the National Academy of Sciences USA* 2012, Aug 13. [ahead of print]

Lazcano A, Hand K. Forum: Astrobiology. Frontier or fiction. *Nature* 2012, 488:160-1.

Hand E. Planetary science : Mars rover sizes up the field. *Nature* 2012, 488:137-8.

Normile D, Clery D. First Global Telescope opens an eye on the cold universe. *Science* 2011, 333:1820-3.

Brumfiel G. Stellar performance nets physics prize. Nobel for supernovae signals of accelerating Universe. *Nature* 2011, 478:14.

Abbott A. Answers from the Atacama. Nostalgia for the light. *Nature* 2011, 470:333.

Hameed S. Searchers in a desert. Nostalgia for the light. *Science* 2011, 333:407.

De Luca G, Barakat M, Ortet P, *et coll*. The cyst-dividing bacterium *Ramlibacter Tataouinensis* TTB310 genome reveals a well-stocked toolbox for adaptation to a desert environment. *PLoS One* 2011, 6,e23784:1-14.

Burns JA. The four hundred years of planetary science since Galileo and Kepler. *Nature* 2010, 466:575-84.

Dong G, Kim Y, Golden S. Simplicity and complexity in the cyanobacterial circadian clock mechanism. *Current Opinion in Genetics & Development* 2010, 20:619-25.

Mullineaux C, Stanewsky R. The Rolex and the Hourglass: a simplified circadian clock in *Prochlorococcus*? *Journal of Bacteriology* 2009, 191:5333-5.

Johnson C, Mori T, Xu Y. A cyanobacterial circadian clockwork. *Current Biology* 2008, 18:R816-25.

Nakajima N, Imai J, Ito H, *et coll*. Reconstitution of circadian oscillations of cyanobacterial KaiC phosphorylation in vitro. *Science* 2005, 308:414-5.

Barrat J, Gillet P, Lécuyer C, *et coll*. Formation of carbonates in the Tatahouine meteorite. *Science* 1998, 280:412-4.

McKay D, Gibson Jr E, Thomas-Keprta K, *et coll*. Search for past life on Mars: possible relic biogenic activity in martian meteorite ALH84001. *Science* 1996, 273:924-30.

Konopka R, Benzer S. Clock mutants of drosophila melanogaster. *Proceedings of the National Academy of Sciences USA* 1971, 68:2112-6.

Pickering E. Periods of twenty five variable stars in the Small Magellanic Cloud. *Harvard College Observatory Circular*, 173, March 3 1912.

Leavitt HS. 1777 Variables in the Magellanic Clouds. *Annals of the Astronomical Observatory of Harvard College* 1908, 60:87-108.

Autres articles

The Royal Swedish Academy of Sciences. *The Nobel Prize in Physics 2011. Written in the stars.*

Spécial Physique du XXIe siècle. *La Recherche* n°466, juillet-août 2012.

Mandelbaum J. "Nostalgie de la lumière" : un chef-d'œuvre à la sérénité cosmique. *Le Monde* 27/10/2010.

Livres

Giordano Bruno. *Dialogues* [cité dans : Hubert Krivine, *La Terre, des mythes au savoir*. Cassini, 2011].

Paul Éluard. *J'ai un visage pour être aimé.* Poésie/Gallimard, 2009.

George Johnson. *Miss Leavitt's stars. The untold story of the woman who discovered how to measure the universe.* WW Norton, 2005.

Milan Kundera. *L'ignorance.* Folio, Gallimard, 2005.

Michael Ondaatje. *Handwriting. Poems.* Bloomsbury, 1998.

Marcel Proust. *À la recherche du temps perdu.* Quarto Gallimard, 1999.

Pascal Quignard. *Abîmes.* Folio, Gallimard, 2005.

Pascal Quignard. *Les ombres errantes.* Folio, Gallimard, 2002.

Oliver Sacks. *L'œil de l'esprit.* Point Seuil, 2012. [*The mind's eye.* Picador, 2010.]

Dai Wangshu, poème 對於天的懷鄉病 *(Nostalgie du ciel).*

IV. Un éclair dans la nuit

Margaret Atwood. *Le journal de Susanna Moodie.* [Édition bilingue]. Bruno Doucey, 2011.

Henri Poincaré. *La valeur de la science.* Flammarion, 2011.

V. Au pays de la mémoire et de l'oubli.

Articles scientifiques

Antony JW, Gobel EW, O'Hare JK, *et coll.* Cued memory reactivation during sleep influences skill learning. *Nature Neuroscience* 2012, 15:1114-6.

Duncan K, Sadanand A, Davachi L. Memory's penumbra: episodic memory decisions induce lingering mnemonic biases. *Science* 2012, 337:485-7.

Marin-Burgin A, Mongiat L, Pardi M, *et coll.* Unique processing during a period of high excitation/inhibition balance in adult-born neurons. *Science* 2012, 335:1238-42.

Kempermann G. Neuroscience. Youth culture in the adult brain. *Science* 2012, 335:1175-6.

Nakashiba T, Cushman J, Pelkey K, *et coll.* Young dentate granule cells mediate pattern separation, whereas old granule cells facilitate pattern completion. *Cell* 2012, 149:188-201.

Alonso M, Lepousez G, Wagner S, *et coll*. Activation of adult-born neurons facilitates learning and memory. *Nature Neuroscience* 2012, 15:897-904.

Bergmann O, Liebl J, Bernard S, *et coll*. The age of olfactory bulb neurons in humans. *Neuron* 2012, 74:634-9.

Woollett K, Maguire EA. Acquiring 'the Knowledge' of London's layout drives structural brain changes. *Current Biology* 2011, 21:2109-14.

Bushey D, Tononi G, Cirelli C. Sleep and synaptic homeostasis: structural evidence in Drosophila. *Science* 2011, 332:1576-81.

Epsztein J, Brecht M, Lee A. Intracellular determinants of hippocampal CA1 place and silent cell activity in a novel environment. *Neuron* 2011, 70:109-20.

Rapanelli M, Frick L, Zanutto B. Learning an operant conditioning task differentially induces gliogenesis in the medial prefrontal cortex and neurogenesis in the hippocampus. *PLoS One* 2011, 6:e14713, 1-12.

Diekelmann S, Büchel C, Born J, *et coll*. Labile or stable: opposing consequences for memory while reactivated during waking and sleep. *Nature Neuroscience* 2011, 14:381-6.

Payne JD. Sleep on it! stabilizing and transforming memories during sleep. *Nature Neuroscience* 2011, 14:272-4.

Lesburguères E, Gobbo O, Alaux-Cantin S, *et coll*. Early tagging of cortical networks is required for the formation of enduring associative memory. *Science* 2011, 331:924-8.

Arruda-Carvalho M, Sakaguchi M, Akers KG, *et coll*. Posttraining ablation of adult-generated neurons degrades previously acquired memories. *Journal of Neuroscience* 2011, 31:15113-27.

Carr MF, Jadhav SP, Frank LM. Hippocampal replay in the awake state: a potential substrate for memory consolidation and retrieval. *Nature Neuroscience* 2011, 14:147-53.

Vyazovskiy VV, Olcese U, Hanlon EC, *et coll*. Local sleep in awake rats. *Nature* 2011, 472:443-7.

Colwell CS. Neuroscience: Sleepy neurons? *Nature* 2011, 472:427-8.

Donlea JM, Thimgan MS, Suzuki Y, *et coll*. Inducing sleep by remote control facilitates memory consolidation in Drosophila. *Science* 2011, 332:1571-6.

Dragoi G, Tonegawa S. Preplay of future place cell sequences by hippocampal cellular assemblies. *Nature* 2011, 469:397-401.

Moser EI, Moser MB. Neuroscience: Seeing into the future. *Nature* 2011, 469:303-4.

Farovik A, Place R, Miller D, *et coll*. Amygdala lesions selectively impair familiarity in recognition memory. *Nature Neuroscience* 2011, 14:1416-7.

Goshen I, Brodsky M, Prakash R, *et coll*. Dynamics of retrieval strategies for remote memories. *Cell* 2011, 147:678-89.

Rochefort C, Arabo A, André M, *et coll*. Cerebellum shapes hippocampal spatial code. *Science* 2011, 334:385-9.

Sahay A, Scobie KN, Hill AS, *et coll*. Increasing adult hippocampal neurogenesis is sufficient to improve pattern separation. *Nature* 2011, 472:466-70.

Suh J, Rivest A, Nakashiba T, *et coll*. Entorhinal cortex layer III input to hippocampus is crucial for temporal association memory. *Science, Science Express*, 3 Nov. 2011, page 1-4/10.1126/science.1210125.

Suzuki W, Naya Y. Two routes for remembering the past. *Cell* 2011, 147:493-5.

Deng W, Aimone JB, Gage FH. New neurons and new memories: how does adult hippocampal neurogenesis affect learning and memory ? *Nature Reviews Neuroscience* 2010, 11:339-50.

Diekelmann S, Born J. The memory function of sleep. *Nature Reviews Neuroscience* 2010, 11:114-26.

Wamsley E, Stickgold R. Dreaming and offline memory processing. *Current Biology* 2010, 20:R1010-13.

Liu ZW, Faraguna U, Cirelli C, *et coll*. Direct evidence for wake-related increases and sleep-related decreases in synaptic strength in rodent cortex. *Journal of Neuroscience* 2010, 30:8671-5.

Appelbaum L, Wang G, Yokogawa T, *et coll*. Circadian and homeostatic regulation of structural synaptic plasticity in hypocretin neurons. *Neuron* 2010, 68:87-98.

Klein BA, Klein A, Wray MK, *et coll*. Sleep deprivation impairs precision of waggle dance signaling in honey bees. *Proceedings of the National Academy of Sciences USA* 2010, 107:22705-9.

Walker MP, Stickgold R. Overnight alchemy: sleep-dependent memory evolution. *Nature Reviews Neuroscience* 2010, 11:218.

Wiltgen B, Zhou M, Cal Y, *et coll*. The hippocampus plays a selective role in the retrieval of detailed contextual memories. *Current Biology* 2010, 20:1336-44.

Sherry DF, Hoshooley JS. Seasonal hippocampal plasticity in food-storing birds. *Philosophical Transactions of the Royal Society B: Biological Sciences* 2010, 365:933-43.

Fernandez G, Kroes M. Protecting endangered memories. *Nature Neuroscience* 2010, 13:408-10.

Kuhl B, Shah A, DuBrow S, *et coll*. Resistance to forgetting associated with hippocampus-mediated reactivation during new learning. *Nature Neuroscience* 2010, 13:501-6.

Quirk G, Milad M. Editing out fear. *Nature* 2010, 463:36-7.

Schiller D, Monfils MH, Raio C, *et coll*. Preventing the return of fear in humans using reconsolidation update mechanisms. *Nature* 2010, 463:49-53.

Hobson JA. REM sleep and dreaming: towards a theory of protoconsciousness. *Nature Reviews Neuroscience* 2009, 10:803-13.

Siegel JM. Sleep viewed as a state of adaptive inactivity. *Nature Reviews Neuroscience* 2009, 10:747-53.

Kindt M, Soeter M, Vervliet B. Beyond extinction: erasing human fear responses and preventing the return of fear. *Nature Neuroscience* 2009, 12:256-8.

Monfils MH, Cowansage K, Klann E, *et coll*. Extinction-reconsolidation boundaries: key to persistent attenuation of fear memories. *Science* 2009, 324:951-5.

Karlsson MP, Frank LM. Awake replay of remote experiences in the hippocampus. *Nature Neuroscience* 2009, 12:913-8.

Cirelli C, Tononi G. Is sleep essential? *PLoS Biol* 2008 Aug 26;6(8):e216.

Vyazovskiy VV, Cirelli C, Pfister-Genskow M, *et coll.* Molecular and electrophysiological evidence for net synaptic potentiation in wake and depression in sleep. *Nature Neuroscience* 2008, 11:200-8.

Griffith LC, Rosbash M. Sleep: hitting the reset button. *Nature Neuroscience* 2008, 11:123-4.

Raby C, Alexis D, Dickinson A, *et coll.* Planning for the future by western scrub-jays. *Nature* 2007, 445:919-21.

Morell V. Nicola Clayton profile: Nicky and the jays. *Science* 2007, 315:1074-5.

Nottebohm F. Primer. The neural basis of birdsong. *PLoS Biology* 2005, 3:e164, 759-61.

Emery NJ, Clayton NS. The mentality of crows: convergent evolution of intelligence in corvids and apes. *Science* 2004, 306:1903-7.

Hairston IS, Knight RT. Neurobiology: sleep on it. *Nature* 2004, 430:27-8.

Huber R, Ghilardi MF, Massimini M, *et coll.* Local sleep and learning. *Nature* 2004, 430:78-81.

Clayton N, Bussey T, Dickinson A. Opinion: Can animals recall the past and plan for the future? *Nature Reviews Neuroscience* 2003, 4:685-91.

Bayley P, Hopkins R, Squire L. Successful recollection of remote autobiographical memories by amnesic patients with medial temporal lobe lesions. *Neuron* 2003, 38:135-44.

Maguire EA, Gadian DG, Johnsrude IS, *et coll.* Navigation-related structural change in the hippocampi of taxi drivers. *Proceedings of the National Academy of Sciences of the USA.* 2000, 97:4398-403.

Stickgold R, Malia A, Maguire D, *et coll.* Replaying the game: Hypnagogic images in normals and amnesics. *Science* 2000, 290:350-3.

Helmuth L. Neuroscience. Video game Images persist despite amnesia. *Science* 2000, 290:247-9.

Eriksson P, Perfilieva E, Björk-Eriksson T, *et coll.* Neurogenesis in the adult human hippocampus. *Nature Medicine* 1998, 4:1313-7.

Kirn J, O'Loughlin B, Kasparian, *et coll.* Cell death and neuronal recruitment in the high vocal center of adult male canaries are temporally related to changes in song. *Proceedings of the National Academy of Sciences of the USA* 1994, 91:7844-8.

Paton J, Nottebohm F. Neurons generated in the adult brain are recruited into functional circuits. *Science* 1984, 225:1046-8.

Nottebohm F. A brain for all seasons: cyclical anatomical changes in song control nuclei of the canary brain. *Science* 1981, 214:1368-70.

Capgras J, Reboul-Lachaux. L'illusion des "Sosies" dans un délire systématisé chronique. *Bulletin de la Société clinique de médecine mentale* 1923, 11:6-16.

Livres

Jean Claude Ameisen, *op. cit.*

Aharon Appelfeld. *L'héritage nu.* Éditions de l'Olivier, 2006.

François Arnold et Jean Claude Ameisen. *Les couleurs de l'oubli.* L'Atelier, 2008.

Ingeborg Bachmann/Paul Celan, *op. cit.*

Maurice Blanchot, *op. cit.*

Jorge Luis Borges. *La proximité de la mer. Une anthologie de 99 poèmes.* NRF Gallimard, 2010.

Jorge Luis Borges. *Œuvres complètes : Tome 1.* Bibliothèque de la Pléiade, Gallimard, 2010.

Jorge Luis Borges. *Œuvres complètes : Tome 2.* Bibliothèque de la Pléiade, Gallimard, 2010.

Martin Buber. *Je et Tu.* Aubier, 2012.

Aimé Césaire. *Ferrements. Et autres poèmes.* Points Seuil, 2008.

François Cheng. *Cinq méditations sur la beauté.* Le Livre de Poche, 2010.

Antonio Damasio. *L'autre moi-même. Les nouvelles cartes du cerveau, de la conscience, et des émotions.* Odile Jacob, 2010.

Emily Dickinson. *Poésies complètes.* [Édition bilingue]. Flammarion, 2009.

TS Eliot, *op. cit.*

Francis Eustache, Béatrice Desgranges. *Les chemins de la mémoire*. Le Pommier, 2010.

Élisabeth de Fontenay. *Actes de naissance*. Seuil, 2011.

Daniel Heller-Roazen. *Une archéologie du toucher*. Seuil, 2011.

Siri Hustvedt, *op. cit.*

Siri Hustvedt. *Living, thinking, looking. Essays*. Picador, 2012.

François Jacob. *Le jeu des possibles*. Fayard, 1981.

Eric Kandel. *À la recherche de la mémoire: une nouvelle théorie de l'esprit*. Odile Jacob, 2007.

Alexander Luria. *The mind of a mnemonist: A little book about a vast memory* [cité dans: Siri Hustvedt, *The shaking woman, op.cit*].

Toni Morrison. *Home*. Christian Bourgois, 2012. [*Home*. Chatto & Windus, 2012.]

Vladimir Nabokov. *Autres rivages. Autobiographie*. Folio, Gallimard, 1991.

Ben Okri. *Infinite Riches*. Orion, 1999.

André Parent. *Histoire du cerveau. De l'Antiquité aux neurosciences*. Les Presses de l'Université Laval, Québec, 2009.

Fernando Pessoa. *Le livre de l'intranquillité*. Christian Bourgois, 2011.

Richard Powers. *La chambre aux échos*. 10x18, 2009.

Marcel Proust, *op. cit.*

Pascal Quignard. *La barque silencieuse*. Folio, Gallimard, 2011.

Vilayanur S. Ramachandran. *Phantoms in the brain: probing the mysteries of the human mind*. Harper Perennial, 1999.

Rainer Maria Rilke. *Les carnets de Malte Laurids Brigge*. Folio, Gallimard, 2003.

George Perec. *Je me souviens*. Fayard, 2011.

Oliver Sacks. *Musicophilia*, *op. cit.*

Jorge Semprun. *L'écriture ou la vie*. Folio, Gallimard, 1996.

Spinoza. *Éthique* [Édition bilingue]. Points Seuil, 1999.

Larry Squire, Eric Kandel. *La mémoire: de l'esprit aux molécules*. Flammarion, Champs, 2005.

Léon Tolstoï. *La mort d'Ivan Ilitch* [cité dans: Siri Hustvedt, *The shaking woman, op. cit.*]

Frans de Waal. *L'âge de l'empathie*. Actes Sud, Babel, 2011.

Film

Ari Folman. *Valse avec Bachir*. 2008. César du meilleur film étranger 2009. DVD Éditions Montparnasse, 2009.

VI. Une musique du fond des âges

Articles scientifiques

De Waal F. The antiquity of empathy. *Science* 2012, 336:874-6.

Zaki J, Ochsner K. The neuroscience of empathy: progress, pitfalls, and promise. *Nature Neuroscience* 2012, 15:675-80.

Kelley LA, Endler JA. Illusions promote mating success in great bowerbirds. *Science* 2012, 335:335-8. [Borgia G, Coyle BJ, Keagy J. Comment; Endler JA, Mielke Jr PW, Kelley LA. Response to Comment. *Science* 2012, 337:292]

Anderson BL. Psychology. Bird-brained illusionists. *Science* 2012, 335:292-3.

Horváthová T, Nakagawa S, Uller T. Strategic female reproductive investment in response to male attractiveness in birds. *Proceedings of the Royal Society Biological Sciences* 2012, 279:163-70.

Boeckle M, Bugnyar T. Long-term memory for affiliates in ravens. *Current Biology* 2012, 22:801-6.

Clayton N. Spring Books comment: Feathered apes. *Nature* 2012, 484:453-4.

Balter M. Animal cognition. 'Killjoys' challenge claims of clever animals. *Science* 2012, 335:1036-7.

Li Q, Gao KQ, Meng Q, *et coll*. Reconstruction of *Microraptor* and the evolution of iridescent plumage. *Science* 2012, 335:1215-9.

Luncz LV, Mundry R, Boesch C. Evidence for cultural differences between neighboring chimpanzee communities. *Current Biology*, 2012, 22:922-6.

Wu LQ, Dickman JD. Neural correlates of a magnetic sense. *Science* 2012, 336:1054-7.

Winklhofer M. Physiology. An avian magnetometer. *Science* 2012, 336:991-2.

Bairlein F, Norris DR, Nagel R, *et coll*. Cross-hemisphere migration of a 25g songbird. *Biology Letters* 2012, 8:505-7.

Beason JP, Gunn C, Potter KM, *et coll*. The Northern Black Swift: Migration path and wintering area revealed. *The Wilson Journal of Ornithology* 2012, 124:1-8.

Endler JA. *Current Biology* 2012, 22:R41-3.

Lee JJ. The Northern Black Swift's tropical getaway, *Science Now*. March 14, 2012.

Abe K, Watanabe D. Songbirds possess the spontaneous ability to discriminate syntactic rules. *Nature Neuroscience* 2011, 14:1067-74.

Bloomfield TC, Gentner TQ, Margoliash D. What birds have to say about language. *Nature Neuroscience* 2011, 14:947-8.

Clark CJ, Elias DO, Prum RO. Aeroelastic flutter produces hummingbird feather songs. *Science* 2011, 333:1430-3.

Akre KL, Farris H, Lea A, *et coll*. Signal perception in frogs and bats and the evolution of mating signals. *Science* 2011, 333:751-2.

Dakin R, Montgomerie R. Peahens prefer peacocks displaying more eyespots, but rarely. *Animal Behaviour* 2011, 82:21-8.

Callaway E. Size doesn't always matter for peacocks. *Nature.com*, April 18, 2011.

Keagy J, Savard JF, Borgia G. Complex relationship between multiple measures of cognitive ability and male mating success in satin bowerbirds, *Ptilonorhynchus violaceus*. *Animal Behaviour* 2011, 81:1063-70.

Rowe C, Healey S. Evolution. Is bigger always better? *Science* 2011, 333:708-9.

Fraser ON, Bugnyar T. Ravens reconcile after aggressive conflicts with valuable partners. *PLoS One* 2011, 6:e18118.

Bolhuis JJ, Okanoya K, Scharff C. Twitter evolution: converging mechanisms in birdsong and human speech. *Nature Reviews Neuroscience* 2010, 11:747-59.

Bottjer SW, Altenau B. Parallel pathways for vocal learning in basal ganglia of songbirds. *Nature Neuroscience* 2010, 13:153-5.

Endler JA, Endler LC, Doerr NR. Great bowerbirds create theaters with forced perspective when seen by their audience. *Current Biology* 2010, 20:1679-84.

Maxmen A. Bowerbirds trick mates with optical illusions. Bowers may make males look bigger than they are. *Nature.com*, Sept 9, 2010.

Loyau A, Lacroix F. Watching sexy displays improves hatching success and offspring growth through maternal allocation. *Proceedings of the Royal Society Biological Sciences* 2010, 277:3453-60.

Pariser E, Mariette M, Griffith S. Artificial ornaments manipulate intrinsic male quality in wild-caught zebra finches (*Taeniopygia guttata*). *Behavioral Ecology* 2010, 21:264-9.

Fraser ON, Bugnyar T. Do ravens show consolation ? Responses to distressed others. *PLoS One* 2010, 5:e10605.

Sober SJ, Brainard MS. Adult birdsong is actively maintained by error correction. *Nature Neuroscience* 2009, 12:927-31.

Freed-Brown G, White DJ. Acoustic mate copying: female cowbirds attend to other females' vocalizations to modify their song preferences. *Proceedings of the Royal Society. Biological Sciences* 2009, 276:3319-25.

Clark CJ, Dudley R. Flight costs of long, sexually selected tails in hummingbirds. *Proceedings of the Royal Society* 2009, 276:2109-15.

Bird CD, Emery NJ. Rooks use stones to raise the water level to reach a floating worm. *Current Biology* 2009, 19:1410-4.

Taylor AH, Gray RD. Animal cognition: Aesop's fable flies from fiction to fact. *Current Biology* 2009, 19:R731-2.

De Waal F. The thief in the mirror. *PLoS Biology* 2008, 6:e201,1621-2.

Morell V. Nicola Clayton profile: Nicky and the jays. *Science* 2007, 315:1074-5.

Taylor AH, Hunt GR, Holzhaider JC, *et coll*. Spontaneous metatool use by New Caledonian crows. *Current Biology* 2007, 17:1504-7.

Kendrick KM, da Costa AP, Leigh AE, Hinton MR, Peirce JW. Sheep don't forget a face. *Nature* 2001, 414:165-6. Erratum in: *Nature* 2007, 447:346.

Bostwick KS, Prum RO. Courting bird sings with stridulating wing feathers. *Science* 2005, 309:736.

Coleman SW, Patricelli GL, Borgia G. Variable female preferences drive complex male displays. *Nature* 2004, 428:742-5.

Ryan MJ. Animal behaviour: fickle females? *Nature* 2004, 428:708-9.

Emery NJ, Clayton NS. The mentality of crows: convergent evolution of intelligence in corvids and apes. *Science* 2004, 306:1903-7.

Emery NJ, Clayton NS. Effects of experience and social context on prospective caching strategies by scrub jays. *Nature* 2001, 414:443-6. Correction *in*: *Nature* 2002, 416:349.

Insley SJ. Long-term vocal recognition in the northern fur seal. *Nature* 2000, 406:404-5.

Godard R. Long-term memory of individual neighbours in a migratory songbird. *Nature* 1991, 350:228-9.

Sherry DF, Galef BG. Social learning without imitation: more about milk bottle opening by birds. *Animal Behaviour* 1990, 40:987-9.

Sherry DF, Galef BG. Cultural transmission without imitation: milk bottle opening by birds. *Animal Behaviour* 1984, 32:937-8.

Anderson PW. More is different. *Science* 1972, 177:393-6.

Hinde RA, Fisher J. Further observations on the opening of milk bottles by birds. *British Birds* 1952, 44:393-6.

Hawkins TH. Opening of milk bottle by birds. *Nature* 1950, 4194:435-6.

Fisher J, Hinde RA. The opening of milk bottles by birds. *British Birds* 1949, 42:347-57.

Autres articles

Le génie de la Renaissance. *Les Cahiers de Science et Vie* #128, Avril 2012.

Morelle R. Clever crows can use three tools. *BBC News* (avec vidéo) 20 April 2010.

Livres

Jean Claude Ameisen, *op. cit.*

Aux origines de la sexualité. (Collectif, sous la direction de Pierre-Henri Gouyon) Fayard, 2009.

Farîd-ud-Dîn 'Attar. *Le langage des oiseaux.* Albin Michel, 1996.

Farid-ud-Din 'Attâr. *La conférence des oiseaux* (adapté par Henri Gougaud) Points Seuil, 2010.

Charles Baudelaire, *op. cit.*

Jean-Claude Carrière. *La conférence des oiseaux* (Récit théâtral inspiré par le poème de Farid Uddin Attar « Manteq Ol-Teyr ») Albin Michel, 2008.

Maurice Blanchot, *op. cit.*

Jorge Luis Borges. *Œuvres complètes, op. cit.*

Dante. *La Divine comédie.* Flammarion, 2010.

Charles Darwin. The Complete Work of Charles Darwin Online: *On the origin of species.*
The descent of Man and selection in relation to sex.
The expression of the emotions in man and animals.

Alphonse Daudet. *Lettres de mon moulin.* Poche classique, De Borée, 2011.

TS Eliot, *op. cit.*

Ésope. *Fables.*

Homère. *L'Odyssée.* (trad. V. Bérard) Folio, Gallimard, 1973.

David Hume. *A treatise of human nature.* Dover philosophical classics, 2004.

Alberto Manguel. *Une histoire de la lecture.* Actes Sud, 1998.

William Marx. *Le tombeau d'Œdipe.* Les éditions de Minuit, 2012.

John Marzluff, Tony Angell. *Gifts of the crow: how perception, emotion, and thought allow smart birds to behave like humans.* Free Press, 2012.

Ben Okri. *A way of being free.* Phoenix, 1998.

Pascal Quignard. *Les ombres errantes.* Folio, Gallimard, 2004.

Pascal Quignard. *Sur le jadis.* Folio, Gallimard, 2005.

Pascal Quignard. *La haine de la musique.* Folio, Gallimard, 1997.

Giacomo Rizzolatti, Corrado Sinigaglia. *Les neurones miroirs.* Odile Jacob, Poches, 2011.

George Steiner. *Poésie de la pensée.* Nrf essais, Gallimard, 2011.

Adam Smith. *The theory of moral sentiments.* Penguin classics, 2010.

Frans de Waal. *L'âge de l'empathie. Leçons de la nature pour une société solidaire.* Actes Sud, Babel, 2011.

Frans de Waal. *Primates et philosophes.* Le Pommier, 2008. [*Primates and philosophers : how morality evolved.* Princeton University Press, 2006.]

Frans de Waal. *Quand les singes prennent le thé.* Fayard, 2001. [*The ape and the sushi master.* Penguin Books, 2002.]

LES CITATIONS DE PLUS LONGS PASSAGES SONT EXTRAITES DES OUVRAGES SUIVANTS :

Jean Claude Ameisen. *Dans la lumière et les ombres. Darwin et le bouleversement du monde.* Points Seuil, 2011.

François Arnold et Jean Claude Ameisen. *Les couleurs de l'oubli.* L'Atelier, 2008.

Farid-ud-Din 'Attâr. *La conférence des oiseaux* (adapté par Henri Gougaud) Points Seuil, 2010.

Margaret Atwood. *Le journal de Susanna Moodie.* [Édition bilingue]. Bruno Doucey, 2011.

Jorge Luis Borges. *Œuvres complètes.* Bibliothèque de la Pléiade, Gallimard, 2010.

Varlam Chalamov. *Récits de la Kolyma.* Verdier, 2003.

Charles Darwin. -The descent of Man and selection in relation to sex; -Autobiography. *In: The Complete work of Charles Darwin Online.*

TS Eliot. *Four Quartets.* Houghton Mifflin Harcourt, 1968.

Patricio Guzman. *Nostalgie de la lumière.* DVD Pyramide Vidéo, 2011.

Stephen Greenblatt. *The swerve. How the world became modern*. WW Norton & C°, 2011.

T.H. Hawkins. Opening of milk bottle by birds. *Nature* 1950, 4194:435-6.

Siri Hustvedt. *La femme qui tremble : Une histoire de mes nerfs*. Actes Sud, 2011. [*The shaking woman or a history of my nerves*. Picador, 2010.]

Milan Kundera. *L'ignorance*. Folio, Gallimard, 2005.

Lucrèce. *De la Nature. De Rerum Natura* [Édition bilingue]. GF Flammarion, 1998.

William Marx. *Le tombeau d'Œdipe*. Les Éditions de Minuit, 2012.

Vladimir Nabokov. *Autres rivages. Autobiographie*. Folio, Gallimard, 1991.

Ben Okri. *Infinite Riches*. Orion, 1999.

Michael Ondaatje. *Handwriting. Poems*. Bloomsbury, 1998.

George Perec. *Je me souviens*. Fayard, 2011.

Marcel Proust. *À la recherche du temps perdu*. Quarto, Gallimard, 1999.

Pascal Quignard. *La barque silencieuse*. Folio, Gallimard, 2011.

Pascal Quignard. *La haine de la musique*. Folio, Gallimard, 1997.

Pascal Quignard. *Rhétorique spéculative*. Folio, Gallimard, 1995.

Pascal Quignard. *Le sexe et l'effroi*. Folio, Gallimard, 1994.

Rainer Maria Rilke. *Les carnets de Malte Laurids Brigge*. Folio, Gallimard, 2003.

Oliver Sacks. *Des yeux pour entendre*. Points Seuil, 1996. [*Seeing voices*. Picador, 1990.]

Frans de Waal. *Quand les singes prennent le thé*. Fayard, 2001. [*The ape and the sushi master*. Penguin Books, 2002.]

Il fut un temps
où tout récit était un chant...

Il fut un temps où tout récit était un chant...
Il n'y avait pas d'histoire, pas de poème, pas d'épopée, pas d'enseignement qui ne soit incarné dans la musique d'une voix...
Toute littérature était orale...
Plus tard, quand les images, puis les mots, ont commencé à s'inscrire dans la pierre, l'argile, le papyrus, le parchemin, les récits n'eurent plus besoin de voix...
Les récits avaient acquis le pouvoir de traverser le temps, en silence, attendant qu'un regard les éveille.
Mais, longtemps, cet éveil s'est fait sous la forme d'une musique, la mélodie de la voix du lecteur.
On lisait à voix haute.
Saint Augustin raconte la surprise qu'il eut un jour, quand il découvrit un évêque lisant en silence.
Alors, la lecture s'est vraiment séparée de la voix.
On pouvait désormais entendre avec ses yeux.

Les lettres ont le pouvoir de nous communiquer silencieusement les propos des absents dit Isidore de Séville.

Retiré dans la paix des déserts, écrit Francisco de Quevedo, *avec de rares mais doctes livres dans mes mains, je vis en conversation avec les défunts et j'écoute les morts avec mes yeux.*

La lecture est une conversation, dit Alberto Manguel, *mais c'est une forme de conversation étrange...*

Ce miracle fécond, dit Proust, *de communiquer au milieu de la solitude.*

Une conversation silencieuse avec d'autres. En leur absence. Et une conversation avec nous-mêmes...

On ne lit jamais un livre, dit Romain Rolland, *on se lit à travers les livres, pour se découvrir.*

Le livre nous change, dit Manguel. *Un livre devient un livre différent, à chaque fois que nous le lisons.*

À chaque fois qu'il recolore notre monde intérieur et que notre monde intérieur le recolore.

La lecture, dit Siri Hustvedt, *est une forme de synesthésie...* Une fusion, en nous, de différents sens, de différentes perceptions. Et la simple vue d'un mot, de ces petites taches noires sur une page blanche, de ces petits signes abstraits, fait soudain émerger en nous un univers de sons, de formes, de couleurs, d'odeurs, de pensées, d'émotions, de souvenirs, d'attentes...

Il y a plus de trois ans maintenant, j'ai entrepris une étrange aventure. Un voyage dans l'inconnu, semaine après semaine, à travers les splendeurs de l'Univers. Allant à votre rencontre en tissant, pour vous, un récit toujours inachevé, toujours recommencé, à partir de mes plongées dans les revues scientifiques, les paroles des penseurs et les chants des poètes. Vous parlant sans vous voir. Et réalisant, grâce à vos messages, que nous avions voyagé ensemble.

J'ai commencé en vous parlant, sans notes. Puis j'ai pris plaisir à écrire pour vous ces récits, dans la langue des contes, avant de vous les dire. Puis j'ai écrit ce livre. En tentant de transposer la mélodie de la voix en musique pour les yeux. En un conte que vous lisez en silence.

Ce voyage à travers ces mondes – du silence à la voix, et de la voix au silence – a commencé par un livre que je venais d'écrire, *Dans la lumière et les ombres. Darwin et le bouleversement du monde*. Ce voyage a commencé par la lecture silencieuse d'un homme que je ne connaissais pas, Philippe Val, qui m'a invité à venir partager de vive voix avec vous ces paroles qu'il avait entendues dans le silence.

Merci à toi, Philippe, pour m'avoir donné la chance de m'engager dans cette merveilleux aventure. Merci de ta confiance. De nos passionnantes discussions. De cette liberté que tu m'as toujours laissée. De ton amitié.

Merci à Laurence Bloch, merci de ton soutien. De ton affection.

Merci à Christophe Imbert, pour la créativité et le talent que tu consacres avec tant d'amitié à la respiration musicale du conte.

Merci à vous tous qui composez cette grande et belle maison et que je ne peux tous nommer. Merci à vous les formidables ingénieurs du son. Merci à vous, Thierry Dupin, Michèle Billoud, Fabrice Laigle, Christophe Mager, Valentine Chédebois, Ophélie Vivier, Hugo Combe, qui contribuez, ou avez contribué à la vie de cette émission.

Merci à Mathieu Vidard, pour m'avoir pendant un an accueilli comme *témoin* dans ton émission. Merci de ton amitié.

Merci aux Éditions littéraires de Radio France, et à vous, Anne-Julie Bémont, pour votre enthousiasme pour ce projet.

Merci à toi, Henri Trubert, mon ami, qui avais publié mon précédent livre chez Fayard, et qui donnes vie aujourd'hui à ce livre dans cette belle maison d'édition, Les Liens qui Libèrent, que tu as créée avec Sophie Marinopoulos.

Merci à vous, Daniel Collet, pour votre patience et votre gentillesse dans la fabrication du livre.

Merci à vous, chercheurs, penseurs, écrivains et poètes dont la pensée, les chants et les écrits habitent et illuminent ce livre.

Merci, Marc Lachièze-Rey, pour tes conseils dans la rédaction du chapitre « Nostalgie de la lumière ». Merci de ton temps. De ton amitié.

Rien n'aurait été possible sans toi, Fabienne, sans ton amour, tes idées, tes conseils.

À toi, ce livre.

Et à vous tous.

À vous, qui, de semaine en semaine, venez sur les ondes me rejoindre pour ce voyage dans l'inconnu.

À vous qui avez voulu ce livre : le voici, c'est le vôtre.

Un livre dont vous êtes – dont nous sommes, tous, chacun de nous, avec les oiseaux et les arbres, les éléphants et les étoiles – les héros.

Table

Les battements du temps